LA PORTE INTERDITE
est le cent quarante et unième livre
publié par Les éditions JCL inc.

Données de catalogage avant publication (Canada)

Gagnon-Thibaudeau, Marthe, 1929-
    La porte interdite
    ISBN 2-89431-141-9
    I. Titre.
PS8563. A337P67 1996   C843'.54   C96-940943-5
PS9563. A337P67 1996
PQ3919.2. G337P67 1996

© Les éditions JCL inc., 1996
Édition originale: septembre 1996

Tous droits de traduction et d'adaptation, en totalité ou en partie, réservés pour tous les pays. La reproduction d'un extrait quelconque de cet ouvrage, par quelque procédé que ce soit, tant électronique que mécanique, en particulier par photocopie ou par microfilm, est interdite sans l'autorisation écrite des Éditions JCL inc.

La porte interdite

Toile de la couverture:

Rescapé..., 1991
Gilles Jobin

© **Les éditions JCL inc., 1996**
930, rue Jacques-Cartier Est, CHICOUTIMI (Québec) G7H 2A9 Canada
Tél.: (418) 696-0536 – Téléc.: (418) 696-3132 – C. élec.: jcl@saglac.qc.ca
ISBN 2-89431-141-9

MARTHE GAGNON-THIBAUDEAU

La porte
interdite

LES ÉDITIONS JCL

DE LA MÊME AUTEURE:

Sous la griffe du SIDA
Roman, Chicoutimi, Éditions JCL, 1987, 363 pages

Pure laine, pur coton
Roman, Chicoutimi, Éditions JCL, 1988, 526 pages

Chapputo
Roman, Chicoutimi, Éditions JCL, 1989, 375 pages

Le mouton noir de la famille
Roman, Chicoutimi, Éditions JCL, 1990, 504 pages

Lady Cupidon
Roman, Chicoutimi, Éditions JCL, 1991, 356 pages

Nostalgie
Roman, Chicoutimi, Éditions JCL, 1993, 304 pages

La boiteuse
Roman, Chicoutimi, Éditions JCL, 1994, 652 pages

Au fil des jours
Roman, Chicoutimi, Éditions JCL, 1995, 421 pages

À Saloi,
cette précieuse amie.

*Notre programme annuel de publications
est rendu possible grâce à l'aide
du ministère du Patrimoine canadien,
du Conseil des Arts du Canada
et de la SODEC.*

PREMIÈRE PARTIE

Chapitre 1

Ils s'étaient présentés au port du Pirée très tôt. La mer empruntait sa couleur au ciel attique et à ses montagnes roses. Au sommet du mât arrière du navire, un pavillon ondulait légèrement au vent.

— Pourquoi, Papouli, le drapeau n'est pas pareil aux autres? demandait l'enfant.

Le grand-père maternel expliquait:

— Le drapeau naval diffère, c'est toujours ainsi, c'est une loi internationale.
— Pourquoi, Papouli, on lave les planchers?
— On nettoie les ponts, on prépare le départ. On va bientôt larguer.
— Qu'est-ce que ça veut dire larguer, Papouli?
— C'est lever les amarres... partir, mon petit.

Dimitri battait des mains, il irait faire un beau grand tour de bateau.

— Tu viens avec nous?

Le grand-père refoulait ses larmes, il savait qu'il ne reverrait jamais ceux qui le quittaient, il ne prononcerait pas le mot au revoir, il s'agissait d'adieux.

On libérait la passerelle, l'embarquement ne tarderait plus. Les accolades se prolongeaient, on ne se parlait pas, il n'y avait plus rien à se dire, on ravalait sa peine.

11

Le grand-père se pencha, il prit la vieille pipe qu'il tenait entre ses dents, la secoua, la remit à son petit-fils.

— Prends, Dimitri, ça te rappelera ton Papouli.

L'enfant remerciait d'un sourire merveilleux, ses yeux brillaient: la pipe de Papouli! Les spirales de fumée qui s'en échappaient avaient, depuis toujours, enchanté son enfance. Il les balayait de ses mains, se complaisait à tendre l'index afin de briser les cercles qu'elles faisaient parfois. La pipe de Papouli, c'était aussi les genoux de grand-papa, l'amour du vieil homme, ses caresses, les bonbons qu'il lui donnait en cachette.

Aujourd'hui il partait, sur un gros gros bateau, la musique emplissait l'air, il y avait foule, des hommes en uniformes blancs ou noirs, avec des rubans dorés, beaucoup d'activité. Pourquoi pleurait-on? Les grands ne connaissaient donc pas la joie?

Dimitri s'était échappé des mains de son grand-père, avait couru vers sa mère.

— Regarde, regarde, maman. Papouli m'a donné sa pipe, à moi!

Les regards du père et de la fille se croisèrent, déchirants. Pendant que sur le quai naval le groupe d'émigrants s'entassait, malheureux, anxieux de voir se prolonger ce départ d'autant plus pénible que cruel, les touristes, les vacanciers et autres voyageurs avaient déjà traversé la passerelle et avaient été guidés vers leurs cabines respectives où les attendait le grand luxe et le confort. Leurs bagages étaient hissés à bord par une porte pratiquée dans la coque, ils leur seraient distribués après le départ alors qu'ils se pavaneraient d'un couloir à l'autre, explorant qui les bars, qui les salles de spectacle, qui la bibliothèque, prisant les bois précieux, les somptueux escaliers recouverts d'épais tapis.

Les émigrants, eux, tenaient leur baluchon d'une main, de l'autre le précieux document estampé qui rendait officiel leur départ vers une autre destinée. Plus d'un avançait d'un pas hésitant, tenant cette rampe si significative, redoutant plus que jamais la décision de partir, se jurant de revenir au sol natal qu'il quittait maintenant dès que sa situation pécuniaire le lui permettrait. Pour l'instant, tout n'était qu'incertitude, que promesse, qu'espoir.

Le paquebot Queen-Frédérica avait reçu son nom en honneur de l'épouse du roi Paul, monarque de ce pays. Il avait servi au transport des troupes pendant la Dernière Guerre mondiale, il n'en était pas à sa première traversée.

Les navires qui parcourent les mers du monde ont vécu l'histoire, y ont participé, autant que les humains. Ils sont saturés de souvenirs, de rêves, d'espoirs, ils ont vu pleurer et entendu rire.

Aujourd'hui encore, celui-ci assistait à un spectacle troublant. À mesure qu'il s'éloignait de son port d'attache, que le drapeau national saluait royalement au bout du mât, que l'orchestre lançait dans l'air sa musique troublante, les familles des émigrants serraient leurs rangs, alors que sur les ponts on les voyait se perdre peu à peu dans le décor grec, le berceau de la civilisation. Le Parthénon, glorieux, au sommet de l'Acropole, paraissait tout à coup, lançait un ultime message: celui de la brièveté de l'instant qui passe, mais aussi de la continuité et de la puissance des siècles.

Au bar Christal, la fête était commencée; orchestre, coupes de champagne, rires, éclats. En bas, dans la coque, s'entassaient ceux qui auraient pour musique le clapotis des vagues battant les flancs du navire, et les pleurs de quelques femmes attristées. Les hommes devaient se montrer plus courageux, contrôler leurs émotions profondes, être braves.

La mer Méditerranée traversée, on mit le cap sur l'Atlantique; le rocher de Gibraltar rendait la rupture définitive. Les eaux de l'océan, moins clémentes parce que toujours agitées en profondeur, ajoutaient aux déboires des émigrants; le mal de mer n'épargnait que ceux qui avaient le pas marin. Vera Dracopoulos souffrait. Dimitri se sentait bien triste, tout lui semblait manquer de logique; on ne pouvait ni courir, ni aller flâner sur les ponts. Seul le moment du départ avait été réjouissant.

Quand, enfin, on atteignit les abords de Halifax, la vie sembla reprendre un certain sens. Le soleil de midi qui illuminait le port parut aux voyageurs d'une brillance peu commune, sans doute à cause du contraste créé par la nébulosité de l'endroit qu'ils quittaient. On se sentait rasséréné par cette chaleur d'août, après avoir été prévenu des cuisants froids de l'hiver canadien. Le Nouveau Monde paraissait prometteur.

Polovios Dracopoulos et sa famille assistaient, muets, au départ du Queen-Frédérica qui reprendrait la mer pour sa destination finale, le port de New York, cette riche Amérique où tant de compatriotes avaient choisi de s'exiler. En cet instant, Polovios se réjouissait de son choix; un bien-être, qu'il avait du mal à définir, l'envahissait.

Sans adresses à échanger, sans but précis face à leur avenir, il leur restait en commun un seul espoir: la réalisation de leurs rêves respectifs. Peut-être qu'un jour leur route se croiserait, qu'ils se retrouveraient.

L'entrée dans ce pays d'accueil avait aussi ses formalités; Polovios, confiant, exhibait ses papiers. Vera s'inquiétait, les officiers en uniforme tamponnaient des formulaires, comme les militaires autrefois, ces ennemis qui assiégeaient son pays et que l'on décrivait dans les chansons de folklore.

Polovios plia minutieusement le document qu'on lui remit, le plaça dans la poche intérieure de son veston. La famille prit ensuite la direction de la gare ferroviaire.

Le voyage en train jusqu'à Montréal ravit Dimitri, qui s'épatait de tout ce qu'il voyait depuis ces grandes fenêtres qui laissaient défiler devant lui des paysages de verdure, des espaces immenses, des enfants qui jouaient çà et là. Il était heureux d'avoir recouvré sa liberté de mouvement. Le sourire reparut enfin sur le visage de sa mère. L'enfant goûtait l'affection de son père qui le tenait bien serré contre lui, muet, mais combien observateur de ce qui dépassait tous ses espoirs: l'immensité du Canada! Déjà, il l'aimait.

***

Polovios Dracopoulos travaillait sur les quais de Montréal à titre de débardeur pendant la saison active de navigation sur le Saint-Laurent. Durant les interminables mois d'hiver, il faisait de menus travaux, dont la livraison pour des pharmacies environnantes, ou pour le restaurateur Lafont, propriétaire du logis qu'il occupait à l'étage, avec sa famille.

Polovios était jeune, avait une bonne santé et un tempérament affable. On l'aimait dans son entourage et il s'adaptait facilement, était dévoué à ses employeurs.

Son seul caprice était la dépense que lui occasionnait l'achat d'un journal de son pays, écrit dans sa langue, ce qui le tenait informé de la situation en Grèce. La guerre civile, les troubles de Chypre, le sort de Makarios, tout lui importait. La lecture de ce journal avait presque un sens religieux pour l'exilé.

Ses rares amis canadiens l'impressionnaient par leur quasi-indifférence en matière de politique. Selon eux, n'ayant connu que la paix, la guerre était le lot des vieux pays, là-bas, au-delà des mers.

Pourtant, à ces pacifiques, il devait la vie. Lors du dernier conflit mondial, sa mère avait reçu, pendant l'occupation allemande de la Grèce, un certain sac de riz. On lui avait si souvent répété cette histoire, que le moment venu de choisir d'émigrer, il n'avait pas hésité et choisi le Canada, il irait vivre auprès de ces gens généreux. Sa mère décédée, il n'avait plus de parenté proche, il commencerait une vie nouvelle; nulle part ailleurs, son fils pourrait connaître un avenir plus prometteur.

Sa femme, Vera, se taisait. Le contentement de son mari lui suffisait. Mais son cœur restait ulcéré. Dimitri en subissait les contrecoups. Dès qu'elle se trouvait seule avec son fils, elle l'obligeait à converser en langue grecque, lui narrait l'histoire de son pays d'origine, lui inculquait les mythes et les légendes grecs, ce qui finissait par lasser l'enfant qui s'était trouvé un refuge de silence et de paix dans le vieil hangar adjacent à la maison.

Les premières années avaient été cruelles. L'hiver et ses obligations, tant physiques que monétaires, était difficile à traverser et minait jusqu'à leurs ambitions personnelles. Lafont n'avait pas hésité à aider cette famille dans le besoin. À plusieurs reprises, il avait fait crédit à Polovios; le jeune Dimitri apportait son aide, mais surtout il charmait par sa candeur et son sourire. Peu à peu, les choses se tassèrent, la vie prit un rythme normal, la période de grande crise était passée, Polovios était récompensé de son zèle et de son ardeur au travail.

Dimitri fréquentait l'école, perdait peu à peu l'accent de son pays, s'intégrait aisément aux mœurs de ses compagnons de classe. L'enfant, venu d'ailleurs, devenait un enfant d'ici. Seule Vera se sentait solitaire. Lafont, compréhensif, avait un jour accompli ce que Polovios qualifiait de miracle.

— Voulez-vous me faire une faveur? lui avait-il demandé. Cuisinez des desserts que je servirai au restaurant...

Quelques recettes appropriées, fournies par Lafont, une liste des ingrédients à se procurer, et Vera avait trouvé une nouvelle raison de vivre, une occasion de chanter.

— Ces Canadiens, s'était exclamé Polovios, ils ont du cœur à revendre.

Chapitre 2

— Bonjour monsieur Lafont, avez-vous besoin de mes services aujourd'hui?

— Non mon garçon, mais je t'ai gardé trois caisses vides, elles sont dans la cour. Prends-les avant qu'on te les pique.

— Merci monsieur Lafont.

L'écolier ajusta les courroies de son cartable, prit les contenants desquels émanait l'odeur des oranges fraîches, et grimpa l'escalier qui le menait chez ses parents, au-dessus du restaurant.

À Montréal, dans certains quartiers moins favorisés, on voyait souvent de ces logis aux deuxièmes étages reliés par des hangars auxquels on accédait par des galeries. On y entassait les vieilleries et y gardait la réserve de charbon, alors le combustible utilisé en hiver. Sous ces entrepôts indispensables, courait une ruelle.

Dimitri déposa son fardeau près de la porte et entra chez lui. Sa mère l'accueillit avec une collation.

— Bois ce lait chaud additionné de miel, ça t'aidera à grandir.

— Maman! Je ne suis plus un enfant!

La mère sourit. C'était vrai, il grandissait ce fils qu'elle choyait tant! Il avala le breuvage et se dirigea vers la porte.

— Monsieur Lafont m'a remis quelques contenants, je vais au hangar pour en faire du petit bois. Après, je vais étudier.

— Ne t'attarde pas.

Il prit son sac d'école et s'éloigna. Il traversa la passerelle qui menait au hangar, son refuge. Il alluma l'ampoule qui répandait sur les lieux une lumière blafarde. Ici, il pouvait rêver. Installé sur un vieux fauteuil abandonné par les anciens locataires, il plongea dans l'étude de la géographie qui le fascinait. Tous ces continents, ces mers, ces chaînes de montagnes captaient son imagination. Déjà, il connaissait la Méditerranée, l'Atlantique et l'estuaire du Saint-Laurent; le reste était à découvrir.

Sa mère, Vera Dracopoulos, ne se consolait pas d'avoir dû quitter la Grèce, son pays d'origine. Là-bas, elle avait laissé les siens, ses racines, une grande tranche de sa vie. Aussi transposait-elle son désarroi sur ce fils qui parfois se lassait d'entendre et de réentendre les mêmes doléances. La mère profitait de l'absence de son mari, qui lui conseillait de chercher à s'adapter à sa vie présente plutôt que de gémir sur le passé.

Dimitri trouvait l'atmosphère qu'il recherchait dans le hangar où il se réfugiait: la paix, la solitude, des heures d'évasion par la pensée.

Ce jour différait de tous les autres, le destin se chargerait de le marquer de sa griffe.

Il avait fermé les yeux, repassé mentalement les noms des capitales qu'il avait à mémoriser. Soudainement, il entendit la voix d'une jeune fille: une chanson emplissait l'air, lui parvenait, lointaine, puis s'accentuait. Était-ce une Muse des pays de son enfance qui venait le bercer? Il ouvrit les yeux.

Le mur du hangar laissait passer, entre les planches disjointes, une clarté brillante. Intrigué, il s'approcha. Là se trouvait une fille, belle comme un ange. De longs cheveux châtains flottaient sur ses épaules; elle était grimpée sur un marchepied, rangeait des objets sur une tablette. Les deux mains plaquées contre le mur, l'œil collé à l'orifice, il l'observait à loisir, se laissait griser par sa voix. Voilà qu'elle perdit pied, émit un cri de douleur.

— Ah! non, s'exclama Dimitri.

La fillette s'immobilisa, promena les yeux autour d'elle; ne voyant personne, elle demanda:

— Qui est là?
— C'est moi, ici, derrière le mur; tu as mal? Es-tu blessée?
— Non, qui es-tu?
— Un voisin.

Elle regardait maintenant dans la direction d'où venait la voix, faisait un pas de recul.

— Reste, jasons un peu. C'est la première fois que je te vois. Comment t'appelles-tu?
— Dis donc! Tu es indiscret.
— C'est bien malgré moi. J'étais ici, à étudier, je t'ai entendue chanter. Tu es belle à ravir. Dis-moi ton nom. S'il vous plaît!

La voix du garçon était tendre, sincère. Catherine hésitait encore, il se faisait presque suppliant. La paroi qui les séparait lui permettait d'oser, ce que n'aurait jamais fait autrement ce garçonnet timide. Catherine vint s'asseoir sur le sol, à sa hauteur.

— Je ne te vois pas, je ne vois que ton œil qui me dévisage... Mon nom est Catherine Rousseau.

— Bonjour, mademoiselle Catherine. Moi, je m'appelle Dimitri Johannis Dracopoulos. J'habite en haut du restaurant.

— Ah! Je connais. Moi, j'habite l'autre coin de rue.

— Tu viens souvent ici?

— Que pour faire le rangement. Et toi?

— Moi, cet endroit est mon refuge, c'est ici que je me sens heureux; j'étudie, je lis, je rêve.

— T'as une chambre, non?

— Ce n'est pas pareil; ici, c'est mystérieux, solitaire. C'est ma cachette.

Elle rit. Il aimait ce rire cristallin qui irradiait son visage, faisait apparaître une fossette dans son menton têtu; reprenant son sérieux, elle faisait maintenant la moue.

— À quoi penses-tu? Es-tu fâchée?

— Je ne suis pas fâchée, je n'ose te dire ce que je pense.

Elle secouait la tête, ses cheveux s'illuminaient sous le mouvement, elle les replaçait derrière les oreilles, était pensive.

— Redis-moi ton nom.

— Dimitri.

— C'est un nom bizarre, que je n'ai jamais en-
tendu.
— C'est un nom grec.
— Oh! Tu es un immigrant...
— Grec, oui. C'est une belle histoire, j'aimerais te
la raconter.

Catherine replia ses jambes qu'elle enveloppa de sa
large jupe, elle piqua ses coudes sur ses genoux et
appuya sa tête sur ses mains.

— Alors, raconte-moi.
— Pas comme ça. Si tu permets, je vais déplacer
une planche et tu pourras venir de ce côté-ci.
— Mes parents n'aiment pas que je parle à des
étrangers...
— Je suis un voisin, pas un étranger. Soyons amis,
Catherine. Tu ne le regretteras pas! Laisse-moi dépla-
cer la planche.

Elle hésitait. Si sa mère devait un jour apprendre
ça! Aujourd'hui, aucun danger, elle sera absente pour
quelques heures, elle est allée jouer au bridge.

— O.K. Darmitri.
— Dimitri!

Le garçon était debout, regardait autour de lui,
sondait le mur. Une planche semblait vouloir céder
plus facilement que les autres. La lumière tamisée aidait
un peu, il était tout à sa joie. Le vieux bois céda enfin, il
écarta l'entrave. Catherine acceptait la main tendue, se
faufilait dans l'espace étroit, pour le rejoindre dans son
repaire. Une fois face à face, ils ne trouvèrent rien à se
dire; leur ingénuité faisait surface. Ils étaient à l'âge de

la fanfaronnade, où la bravade tombe vite car le courage est simulé. Dimitri figeait devant cette belle fille qui le troublait, l'émouvait. La hardiesse dont il avait fait preuve plus tôt l'avait abandonné; à peine regardait-il Catherine, dont les joues s'étaient empourprées. Le silence se prolongea, la tournure inattendue de cette première rencontre les bouleversait. Dimitri voulut parler, les mots ne sortirent pas de sa gorge nouée par l'émotion. Catherine se hasarda enfin.

— Que peux-tu bien faire ici, dans l'obscurité?

Elle avait posé sa question au moment même où il marmottait enfin:

— Assois-toi ici...

Ils rirent, gênés; il ajouta:

— Elle n'est pas confortable, cette chaise...

Catherine dut insister pour qu'il lui raconte l'histoire qu'il lui avait promise. Le garçon ne se fit pas prier; devenu volubile, il narra dans le détail les événements qui avaient marqué sa famille.

— Mon grand-père paternel a été tué en 1944, à Athènes, pendant la Deuxième Guerre mondiale. Mon père avait alors dix ans. Le pays tout entier était plongé dans la misère noire. Il n'y avait plus de nourriture, les citoyens étaient torturés par l'armée allemande. Au centre de la ville, on avait creusé un trou où l'on entassait les crânes des victimes pour effrayer la population et l'obliger à se soumettre au régime nazi. Ma grand-mère vivait cachée dans la montagne avec mon père. Elle faisait partie d'un mouvement de résistance organisé par des femmes braves, car les maris étaient tous au front. Depuis 1941, elles protégaient notre pays du côté des montagnes pour empêcher les Italiens et les Boches de passer. Comme ses compères, elle cachait son enfant avec d'autres dans des grottes d'où ils ne devaient pas sortir pour ne pas être tués.

Catherine, émue jusqu'au plus profond de son jeune cœur, buvait les paroles de ce garçon de son âge qui connaissait tant de choses. L'émotion se lisait sur son visage, ce qui rendait Dimitri plus éloquent car il était conscient que ses dires faisaient grande impression sur son interlocutrice.

— Ma grand-mère m'a raconté qu'un jour, une de ses amies a entendu frapper discrètement à sa porte. Elle a levé le store et demandé au visiteur ce qu'il voulait. «Un peu de pain, j'ai faim, madame.» Elle croyait qu'il s'agissait d'un vieux mendiant, car il était couvert de haillons. «Attendez», lui dit-elle. «Laissez-moi entrer un instant.» Elle est revenue avec une portion de pain qu'elle a tendue par l'entrebâillement, elle a refermé brusquement et a descendu le store. L'homme s'est éloigné. Plus tard, elle devait apprendre que ce gueux n'était nul autre que son fils déguisé, qui était venu s'assurer que sa mère vivait toujours. Deux jours plus tard, il était fusillé dans sa ville natale: Thessalonique, au nord de la Grèce. Il était un chef de la résistance recherché par l'armée allemande. La pauvre femme a pleuré ce drame toute sa vie; l'horreur de la guerre n'a jamais cessé de torturer ses nuits.

Cette fois, Catherine pleurait pour de bon. Son âme d'adolescente vivait l'émouvant récit. Il se fit un silence. La tête inclinée, Dimitri n'osait pas regarder sa compagne qu'il voulait garder sous le coup de l'émotion. Il ressentait un fort sentiment de supériorité, sentiment qu'il éprouvait pour la première fois.

— Ma grand-mère, reprit-il, savait que dorénavant, elle serait seule à protéger et à élever son fils. L'avenir serait sombre, la pauvreté la guettait puisque son mari était tombé au front. Puis, un jour, m'a-t-elle raconté, il s'est produit ce qu'elle appelait un miracle. On lui a remis un paquet contenant deux livres de riz. Il provenait de victuailles que des Canadiens expédiaient généreusement aux victimes de la guerre par le truchement de la Croix-Rouge. Elle enterra le sac de riz dans un endroit connu d'elle seule. Elle garderait cette précieuse denrée pour les jours les plus sombres. Quand les rations ne leur parvenaient pas, elle en prélevait sur sa réserve pour nourrir son fils. Malgré la faim qui la tiraillait, elle n'en mangeait pas. La guerre se termina en 1945, mais la pauvreté ne cessa pas avec la victoire des Alliés. Le reste du sac de riz servit à cette époque à alimenter son fils qui souffrait alors d'une pleurésie. Et, disait ma grand-mère, c'est le peuple canadien qui par sa générosité a sauvé la vie de son enfant.

Dimitri se tut, Catherine était maintenant assise par terre aux pieds du garçon, elle levait vers lui des yeux brouillés de pleurs. Forte était la tentation d'attirer à lui cette fille, de poser ses mains sur ses longs cheveux dorés; elle lui paraissait si belle, plus belle que toutes les filles de son école, de son pays, de son nouveau pays. Pour la première fois, il se liait avec une amie en toute intimité! Il en était tout chaviré.

— Et son fils? demanda doucement Catherine.

— Il a grandi, il est devenu... mon père. Tu comprends pourquoi mes parents ont choisi d'émigrer au Canada, ce pays généreux qui avait sauvé la vie de mon père grâce à un sac de riz?

— Toi, tu es content d'être ici?

— Oui, surtout maintenant que tu es devenue mon amie.

Les joues de la fillette rosirent; elle se redressa, subitement consciente de sa position. Elle s'éloigna, et joua nerveusement avec la pointe de ses cheveux.

— Je dois partir, s'exclama Catherine, je ne dois pas être surprise ici!

— Tu vas revenir? Dis, tu vas revenir me visiter? Je vais remettre la planche en place, sans la clouer cette fois. Si tu vois de la lumière, c'est que je suis ici.

Elle opina de la tête et, silencieusement, se dirigea vers l'issue. Dimitri la regarda s'éloigner, resta là sur son fauteuil, encore ébloui par ce qu'il venait de vivre. Jamais il n'avait pu goûter tel bonheur.

Il remit ses livres dans son cartable, replaça la porte secrète et, à regret, quitta les lieux. Ce jour-là, il ne coupa pas en lanières les contenants de bois qui alimentaient la fournaise de leur pauvre logis. Dimitri était comblé. Il rentra chez lui, le cœur en fête.

— J'ai faim, maman, lança-t-il bien haut, tout en se dirigeant vers sa chambre.

Là, il irait se réfugier pour repenser à cette charmante aventure. Il n'entendit pas la réplique de sa mère, son esprit était ailleurs.

Appuyé à la fenêtre, il ne voyait rien du triste paysage qui s'étalait sous ses yeux; le trafic dense ne le préoccupait pas; la pauvreté des lieux, le ciel gris, le vieux cadrage qui laissait passer le vent: rien ne le troublait. Son état d'âme baignait dans l'euphorie totale. Il n'aurait su exprimer ce qu'il ressentait, c'était nouveau, grisant, troublant. Catherine! Sa tendre Catherine, émotive, douce, belle, si belle! Mille questions qu'il aurait aimé lui poser trottaient dans sa tête. Il savait si peu de cette nymphe auréolée d'or qui s'était émue à ses pieds... Son cœur s'énervait, battait un peu plus vite. «Qu'est-ce qui m'arrive?»

La fillette venait d'ouvrir au garçonnet un univers inconnu, celui du monde des adultes... Il l'ignorait encore.

— Viens souper, fiston, ton père est déjà là.
— Bien, maman.

***

Les rendez-vous des adolescents gagnaient en régularité. Ensemble ils partageaient de grands secrets: celui de leur amitié, du passage dissimulé qui permettait leurs rencontres; l'impression, si valorisante à cet âge, de vivre quelque chose d'intime, d'interdit, de privilégié, qu'eux seuls connaissaient.

Catherine devenait coquette, soignait tout particulièrement ses longs cheveux que Dimitri semblait aimer.

Si Polovios était venu au hangar, il aurait été fort surpris de l'ordre qui y régnait: tout était rangé, nettoyé, balayé. Son fils quittait lentement le chemin de l'adolescence pour s'aventurer sur celui, plus tortueux, des adultes.

Étendu sur le dos il rêvassait; ce soir, après l'école, il retrouverait sa chère Catherine. C'est à ce moment que ses yeux s'arrêtèrent sur un objet auquel il tenait beaucoup, la vieille pipe que lui avait donnée son grand-père le jour de leur départ du Pirée.

Il l'avait nettoyée et la gardait précieusement sur le bureau de sa chambre. Les traits du visage de son aïeul s'étaient peu à peu estompés de sa mémoire, mais le souvenir de son geste demeurait vif. Il la montrerait à Catherine.

Il se présenta au rendez-vous avec un bol d'eau savonneuse dans lequel il plongeait le fourneau de la pipe, puis soufflait dans le tuyau. Des bulles jaillissaient, allaient choir sur Catherine qui tendait la main pour les crever.

Sous l'effet de la lumière elles s'irisaient, s'accrochaient à ses cheveux, à son visage, avant de se volatiliser. Le jeu sans malice amusait les adolescents jusqu'au moment où un globule, plus audacieux que les autres, alla se loger dans le décolleté de la fille. Simultanément, ils eurent un rire gêné, troublé. La fillette se leva, secoua sa robe et s'éloigna brusquement.

— Salut! Il faut que je rentre.

Dimitri restait là, éberlué, il cherchait à comprendre ce qui arrivait. Une agitation confuse le tenaillait. Était-ce la réaction de son amie? Et si elle n'allait plus revenir. Mais pourquoi?

Il lui fut pénible de bloquer le passage par où le rejoignait Catherine. Il rentra chez lui et rumina les faits le reste de la soirée.

Le lendemain, Catherine revint, le cœur de Dimitri se mit à battre violemment. Toutefois, une certaine retenue avait modifié leur attitude. Leur habituelle désinvolture avait laissé place à la réserve.

Dimitri revint à ses récits palpitants qui meublaient leurs conversations. Pour Catherine, il faisait revivre les Muses de la mythologie, évoquait la beauté et le charme de l'Acropole, lieu sacré par excellence. Les nombreuses photographies que sa mère possédait aidant, il voilait les déesses qui avaient foulé le sol et leur imputait des rôles féeriques.

Peu à peu, le nuage qui avait un instant assombri leurs amours s'était dissipé, ils n'y firent pas allusion. On s'accrochait aux rêveries, les rendait responsables de leur tendresse, de leurs émotions.

Chapitre par chapitre, toujours enjolivés, Dimitri livrait ses souvenirs à Catherine. Avant de connaître la jeune fille, il s'horrifiait d'entendre sa mère s'étendre sur le sujet, voilà qu'il buvait ses paroles qui alimentaient ses connaissances et, par ricochet, ses entrevues avec sa jeune amie.

Bien sûr que ses pieds avaient foulé l'Acropole et qu'il avait pénétré dans le Parthénon, grimpé les hautes marches de marbre qui y conduisaient: c'était le pèlerinage hebdomadaire de sa famille. Sa mère insistait, il devait tout mémoriser, ne rien oublier de cette merveille, tout graver dans sa petite tête, car c'est là que l'histoire de la démocratie avait pris naissance. Il se souvenait des caryatides qui avaient fait l'envie des conquérants et du célèbre théâtre grec, où il avait assisté à une tragédie qui l'avait fait bailler d'ennui, mais qu'il racontait maintenant avec verve.

Catherine buvait ses paroles. Elle se tenait assise à ses pieds, la tête posée sur ses genoux. Parfois, dans l'ardeur de sa volubilité, il osait caresser ses cheveux. Elle fermait les yeux; les caresses rendaient ses discours plus excitants. Les deux adolescents connaissaient un grand bonheur.

***

Catherine s'assagissait, l'ascendant de Dimitri influençait ses pensées et sa manière d'agir. Sa mère se réjouissait, jamais sa fille ne lui avait paru aussi posée. Parfois, elle s'inquiétait de la voir aussi coquette, elle la surprenait souvent à poser devant le miroir: elle prenait un soin fou de sa toilette. Le père souriait, rassurait sa femme. «Ta fille est arrivée à l'âge où la coquetterie est une seconde nature.»

Voilà que Catherine restait sagement chez elle, ne critiquait plus quand ses parents, ces fervents du jeu de bridge, allaient veiller chez des amis. Intriguée, la mère vérifiait la présence de sa fille à la maison, ses craintes s'estompaient bien vite car Catherine s'y trouvait toujours.

Le vendredi soir et le samedi, Dimitri travaillait comme plongeur au restaurant. Il songeait sans cesse à ses visites au hangar, dont l'ouvrage le privait.

Au retour de l'école, il s'arrêtait au restaurant, Lafont lui faisait don de glace qu'il prisait par-dessus tout. Aussi dans son repaire, il gardait deux cuillères et les tourtereaux partageaient le lait glacé.

Madame Dracopoulos s'était souvent inquiétée de cette nouvelle amitié de son fils, qui l'accaparait, puis peu à peu elle s'était rassurée: il avait de bonnes notes et s'exprimait de mieux en mieux en français. Ces amis, chez qui il allait souvent étudier, finirent par lui inspirer confiance même si elle regrettait de ne pas les connaître. «Laisse vivre ton fils, il n'a plus l'âge d'être couvé», disait le père. La mère, délaissée, geignait souvent: sa marotte de pleurer son pays d'origine indisposait Polovios. Maintenant qu'elle pouvait à loisir évoquer le passé, ce qui plaisait tant à son fils qui l'y encourageait, madame Dracopoulos avait retrouvé le sourire.

— Parle-moi du grand musée d'Athènes, tu sais? Là où il y avait des statues de marbre hautes comme le ciel.

— Tu t'en souviens, fiston?

— Oh! oui. J'en rêvais la nuit, je rêvais qu'elles descendaient de leur socle et couraient à ma poursuite.

Et la mère décrivait les personnages de la mythologie et des légendes s'y rattachant. Zeus, Apollon, Éole le dieu des vents, Alexandre le Grand, ce héros fabuleux qui vainquit les Perses...

— Pourquoi ne lui racontes-tu pas les conquêtes d'Aphrodite?

Polovios avait jeté sa phrase d'un ton moqueur et

vite dissimulé son visage derrière son journal. Vera se signa, jeta un œil noir en direction de son mari.

— Jean l'Évangéliste, maman, était-il Grec?
— Pourquoi cette question, Dimitri?
— Il est mort en Grèce, dans un cachot. Aussi, il écrivait des épîtres aux Corinthiens...
— Où as-tu appris ça?
— À l'école, aux cours d'histoire sainte.

Sa mère le sermonna. Il devait se souvenir, toujours garder en mémoire, que seule l'Église grecque orthodoxe détenait la vérité.

Ce détail n'intéressait pas Dimitri, il était beaucoup plus préoccupé par sa soif de légendes colorées qui alimentaient ses propos et gardaient Catherine en haleine. Cette fois, il attaquerait le sujet du canal de Corinthe, coûtant la vie à des milliers d'esclaves, la plupart Juifs, qui avaient taillé la pierre avec des outils primitifs, afin de relier deux mers.

***

Catherine, fille unique, eut une enfance monotone. Elle était née dans un chic quartier de la métropole. Mais un revers de fortune avait obligé la famille Rousseau à changer de train de vie. Madame Rousseau s'était repliée sur elle-même, n'avait pas pardonné l'échec de son mari qui avait englouti une fortune personnelle, héritée de ses parents. Quelques rares amis lui étaient restés fidèles, ce qui donnait un certain sens à sa vie. La dame avait accepté un poste de réceptionniste dans une grande compagnie, son salaire venait s'ajouter à celui de son époux, ce qui aidait à boucler les fins de mois.

Toute son attention se concentrait sur l'éducation de Catherine. Elle rêvait de grandes choses pour sa fille, les leçons de ballet et de musique n'étaient plus qu'un rêve! Par contre, elle lui inculquait les bonnes manières, suscitait en elle le goût de l'élégance, de la coquetterie.

Catherine avait subi bien des déboires à l'école qu'elle fréquentait maintenant. On l'avait surnommée la «snob de l'Ouest». La fillette, tiraillée par des leçons de savoir-faire, de bonne tenue prônées par sa mère, faisait contraste avec la grande désinvolture des enfants de son entourage qui pensaient surtout à s'amuser, à se taquiner, à improviser des jeux de groupe. Catherine souffrait de ces contradictions qui éloignaient ses compagnes.

— De grâce, laisse-lui un peu de latitude, priait le père, tu l'étouffes! Laisse-la respirer!

C'est à ce moment-là que Dimitri était entré dans la vie de l'adolescente. Ce fut tout un revirement. De morose, elle devint enjouée, le ressentiment de ses compagnons de classe ne l'atteignait plus. Catherine vivait un rêve merveilleux. Toutes ses pensée convergeaient vers ces rendez-vous clandestins qui l'enchantaient. L'intérêt que lui portait Dimitri la réjouissait. Elle goûtait sa tendresse, sa douceur. L'écouter relater des histoires plus fantastiques les unes que les autres meublait sa solitude. L'enchantement se prolongeait bien au-delà des heures passées à écouter son jeune compagnon. Son imagination personnelle poursuivait son œuvre, prolongeait son plaisir.

— Tu es rêveuse, Catherine, distraite, as-tu des problèmes?

— Non, je pense à mes concours, maman.

Les semaines passaient, toutes aussi merveilleuses pour ces adolescents qui vivaient dans l'irréel. La créativité aidant, ils avaient amélioré les lieux de leurs rencontres. Un pauvre décor, sans falbala, qu'on devait faire disparaître à chaque visite pour effacer toutes traces de leur présence en ce lieu afin de protéger leur grand secret.

Catherine avait déniché deux coussins, une couverture et une veilleuse qui ajoutait une note romantique à leurs rendez-vous.

Peu à peu, des silences se sont glissés entre eux. Ils n'avaient plus besoin de se créer des chimères pour être heureux. Catherine toujours très exubérante, préparait leur nid si elle arrivait la première, puis elle s'inquiétait. Et si Dimitri ne venait pas? Si elle ne devait plus jamais le revoir!

Un jour, monsieur Lafont avait eu besoin de l'assistance de Dimitri. Il aurait aimé courir informer Catherine mais son père était là, il ne pouvait s'absenter sans éveiller l'attention.

Dès qu'il fut relevé de ses obligations, Dimitri grimpa les marches quatre à quatre, enjamba les obstacles et se trouva enfin dans le recoin de ses délices. Catherine, un moment pétrifiée par l'arrivée bruyante de son copain, s'était tapie derrière la vieille armoire.

— Non! s'exclama Dimitri à haute voix, Catherine est partie!

La fillette sortit de sa cachette et s'élança dans les bras de son ami. Dimitri se cabra, le premier moment de surprise passé il l'enlaça et la serra contre son cœur qui se mit à battre à un rythme fou.

Catherine s'exclama tout à coup:

— Il est tard, maman doit être rentrée.

Elle se précipita vers l'issue, oubliant de cacher les coussins. Elle rentra chez elle tremblante et alla se réfugier dans sa chambre. Les sentiments qui l'envahissaient étaient des plus troublants. Elle ne savait plus lequel primait, de son étourderie par trop cavalière qu'elle se reprochait ou de la sensation douce et enveloppante qu'elle avait goûtée entre les bras de Dimitri. Le bruit de la porte d'entrée la fit sursauter, elle ferma les yeux; sa mère, elle le savait, viendrait vérifier sa présence. Madame Rousseau couvrit sa fille qui semblait profondément endormie. Elle ramena les cheveux en broussaille et s'éloigna silencieusement, étonnée de ce sommeil à une heure indue.

Dimitri avait traversé la cuisine en coup de vent et s'était enfermé dans la toilette. Sa mère, il le craignait, aurait lu son embarras sur son visage. Son cœur palpitait encore, l'émotion l'étouffait. Après s'être calmé il se rendit à sa chambre. C'était l'heure du souper, son père ne tarderait plus. Que n'aurait-il pas donné pour être seul avec ses pensées! Sa mère réitérait ses appels.

— Ça ne va pas, fiston?
— J'ai la nausée. Je n'ai pas faim.

Son père versa un doigt d'ouzo dans un verre, y

ajouta de l'eau, ce qui rendit la liqueur d'un blanc laiteux.

— Bois ça, fiston. Ça retape son homme. J'ai vu, tu n'étais pas très en forme plus tôt au restaurant.

Dimitri a rougi, le père s'est adossé, il a compris.

— Tu peux aller dormir si tu n'as pas faim.
— Goûte ton potage, Dimitri, je l'ai fait pour toi.
— Le petit veut la paix, Vera. La paix, tu comprends. Va, garçon!

Dimitri ne se fit pas prier. Il vola vers sa chambre, trop heureux de pouvoir enfin renouer avec les sensations fortes qui l'avaient envahi plus tôt.

Polovios hocha la tête, sourit. Son gars devenait un homme. Il se souvint de sa première fiancée, la plus petite et la plus belle brebis du troupeau qu'il avait conduite au pré à l'aurore d'un des plus beaux jours de sa vie. Elle avait gémi, la mignonne, lancé un cri niais qui l'avait grisé.

Polovios souriait à l'évocation de ce souvenir, il en oubliait de manger; le coude sur la table, la cuillère à mi-chemin entre la bouche et l'assiette, le regard perdu dans le lointain. Il n'entendait pas Vera qui le priait de manger, car le potage refroidissait... «Cette grande ville n'a pas de troupeaux, ne peut-il s'empêcher de penser. Alors? Ah! la jeunesse!»

***

Le lendemain, jour de relâche, le rendez-vous

n'aurait pas lieu. Maman Rousseau était en congé. Le désir fou de se retrouver en tête-à-tête ne cessait d'obséder les adolescents qui s'éveillaient lentement aux plaisirs de l'amour. Leur grande innocence ne faisait qu'accentuer leur rêverie et mousser leur imagination.

C'était dimanche, jour consacré à la famille, il serait long. Dimitri joua au trictrac avec son père. Aux coups calculés succédaient des phrases entrecoupées.

— Reste-t-il assez de charbon dans le hangar pour finir la saison? Ah! ce salaud qui a profité de mon ignorance pour me vendre une vieille chaudière dont l'usage n'existe plus. À l'automne, je vais faire poser un brûleur à l'huile dans la vieille tortue, c'est plus propre et moins de trouble. N'oublie pas de ratisser les cendres. Eh! fiston, c'est ton tour de jouer. La tête n'y est pas, hein? Vaudrait tout aussi bien jouer au domino avec ta mère, lança-t-il avec un sourire condescendant.
— J'ai bien des travaux d'école...
— Et plus de temps pour ton vieux père!
— Papa!
— Ça va, ça va, fiston. J'ai eu ton âge.

«Bien sûr, pense Dimitri, il ne peut pas comprendre!» Et le garçon s'efforce de se concentrer sur le jeu, son paternel est un champion; rien ne lui ferait plus plaisir que de crier victoire, mais aujourd'hui, il n'a pas la compétition en tête.

**

Madame Rousseau, dans ses plus beaux atours, perchée sur ses talons hauts, a entraîné à sa suite le papa et sa fille au Musée des Beaux-Arts. Elle déambule gracieusement, un œil sur les merveilles exposées et l'autre sur les visiteurs dans l'espoir de repérer un visage connu, ou tout simplement charmée par le plaisir de se trouver dans ce milieu culturel évocateur des beaux jours ayant précédé ce qu'elle appelle avec dédain leur déchéance.

Catherine s'ennuie! Les descriptions de Dimitri sont de beaucoup plus captivantes! Son père n'est pas sans détecter les soupirs de lassitude que laisse échapper sa fille. Il la comprend, le snobisme de sa femme n'est pas sans l'irriter.

— Qu'est-ce que tu as, Catherine? Cesse de prendre des airs de martyre, tiens-toi droite, intéresse-toi à ce qui t'entoure. Ce ne sont pas toutes les filles de ton âge qui ont le privilège...

Et le sermon est débité d'un ton monotone, alors que le visage reste souriant.

— Tu nous emmerdes, Diane, sortons d'ici.

La dame a posé la main sur sa bouche et a laissé échapper un «Ah!» horrifié.

Catherine a refusé de souper; renfermée dans sa chambre, elle étala ses cahiers de devoir tout en continuant de rêvasser... Demain, après l'école, le charme renaîtrait!

Il était là, le cornet de glace fondait dans sa main. Il le lui tendit.

— J'ai rêvé de toi, hier.

Ils n'osaient pas se regarder.

— Prends le fauteuil.

Dimitri se laissa tomber sur le coussin, aux pieds de la fille; il lui tournait le dos. Elle hésita puis posa la main dans sa chevelure bouclée qui faisait la fierté de maman Dracopoulos. Dimitri sentit le plaisir l'envahir: des milliers d'insectes aux pattes velues le parcouraient, atteignant l'échine, se propageant dans tous ses membres; il frétillait de plaisir. Il se retourna, s'agenouilla devant sa belle. Elle ferma les yeux. Sous l'effet d'une pulsion incontrôlable, il bondit sur ses pieds, renversa sa tête blonde contre le dossier de la chaise, sur ses lèvres il déposa le baiser brûlant auquel il rêvait depuis trop longtemps. Pâmé d'ivresse, le cœur en feu, il pendit ses jambes à son cou et disparut. Il sortit du hangar, s'arrêta, huma l'air frais, dévala l'escalier, et s'engouffra dans la ruelle qui courait sous les tunnels des hangars des étages supérieurs. Ce passage le plus souvent désert était utilisé surtout par les camions qui rapaillaient les ordures. Il ne redoutait pas de rencontres malencontreuses.

Catherine, aussi bouleversée que son ami de cœur, s'était levée et élancée vers l'issue. La vitre poussiéreuse de la fenêtre lui permettait de voir la silhouette de Dimitri qui s'éloignait à grands pas. Elle soupira. Cette fois, elle le craignait, elle ne le reverrait plus jamais! Elle retourna dans le cocon amoureux, prit place sur le coussin qu'avait occupé Dimitri, cacha son visage dans ses bras posés en cercle sur le fauteuil et pleura. Elle ignorait encore être sous l'emprise des feux de l'amour...

Le lendemain, Dimitri arriva à l'heure habituelle, le cœur palpitant. Catherine était là, derrière la cloison, il le sentait. Mais elle n'osait se montrer. Il l'appela doucement. Elle s'avança, hésitante. Il tendit les bras, elle vint s'y blottir.

— Sagapo, sagapo poli! Katina.

Elle ne comprenait rien à ce qu'il disait, mais la voix de Dimitri était si douce, si enveloppante, qu'il ne pouvait s'agir que de mots tendres. Ils restaient là, enlacés, grisés. Dimitri empruntait à la langue de son pays d'origine pour chanter son amour à celle qui l'émouvait tant.

Le baiser volé sous le coup de l'émotion avait éveillé chez les deux adolescents le désir d'attouchements affectueux ce qui resserrait leur amitié. Leur cœur dépouillé de toutes intentions malsaines restait pur. Leur amour idyllique suivait son cours telle une rivière limpide à l'abri de la crue des eaux.

Dimitri n'avait rien d'un garçon audacieux. L'esprit de famille et le respect d'autrui lui avaient été inculqués dès la tendre enfance. Les recommandations les plus sévères n'avaient cessé de lui rappeler que le pays d'adoption méritait respect et discipline en retour de ses portes ouvertes. Les représailles d'une conduite condamnable freinaient ses élans naturels. Studieux et affable, il se soumettait volontiers à ses obligations. À l'école, il se faisait oublier; il ne pouvait, à l'instar de ses compagnons, s'adonner aux sports, car il lui fallait participer, par ses gains, à l'entretien de sa famille.

La fabuleuse aventure qu'il vivait le transportait dans un autre monde, celui de l'irréel, du mythe, de l'enchantement qu'il savait si bien évoquer. À travers elle, il volait vers des sommets inconnus.

Lors de leur dernier rendez-vous, Catherine avait laissé entendre que ses parents s'absenteraient pour la fin de semaine.

— J'ai prétexté avoir beaucoup de travail à faire dans mes cahiers avant les examens. Je vais être seule. Si tu pouvais venir, je te ferais voir ma chambre.

Le cœur de Dimitri se mit à battre la chamade. Il baissa la tête.

— Tu ne dis rien?
— Il faut que je travaille.
— Si tu peux te libérer, viendras-tu?
— Ici, oui. Mais chez toi, ce ne serait pas correct. Moi, je ne pourrais jamais te faire entrer dans ma chambre.
— Je serai ici, je vais faire mes devoirs en t'attendant.

Le samedi vint, un samedi terne, pluvieux; la pluie tombait sans arrêt depuis trois jours. Le restaurant de Lafont était presque désert.

— Tu t'étioles, mon gars; va t'amuser avec tes amis. Je m'arrangerai bien avec ton père, ce n'est pas aujourd'hui que je ferai fortune. Tiens, prends ça.

Dimitri ouvrit de grands yeux.

— Vous n'avez pas à me payer...

— Tut! Tut! file, méchant garnement. Le grand air te fera du bien.

Se tournant vers son père, il confia:

— Il fallait voir briller ses yeux! Vous en avez de la chance d'avoir un si bon garçon.

Le père se doutait bien des raisons de la joie de son fils mais il ne fit pas de commentaires. Dimitri monta à l'étage, rasa le mur pour n'être pas aperçu par sa mère et se faufila jusqu'à son nid d'amour. Catherine était là, plongée dans l'étude. Elle s'était étendue sur la couverture et avait allumé la vieille lampe verte.

***

Les garçons pestaient. Le champ était si trempé qu'ils ne pourraient jouer leur partie de ballon. La fin de semaine menaçait d'être rasante. Le leader du groupe suggéra:

— Si vous promettez de ne pas être bruyants, je connais un coin au sec où on pourra s'amuser. J'ai trouvé la cachette où mon père cache sa bière. Surtout il ne faudrait pas se faire surprendre.

Et la meute se mit en branle. À la queue leu leu, ils se rendirent dans le hangar derrière la maison de Pierre, l'entraîneur.

Presque au même moment, Catherine tournait la tête et apercevait Dimitri qui l'observait. Elle sauta sur ses deux pieds et s'écria:

— Tu es venu! Tu es venu!

Elle se précipita dans ses bras, ils échangèrent leur deuxième baiser, Catherine, folle de joie, renversa la tête et rit, d'un rire éclatant.

L'étonnement des sportifs en herbe réunis dans le hangar voisin n'avait d'égal que leur curiosité. Ils suivirent la direction des voix et vinrent coller les yeux entre les planches disjointes.

Catherine entraînait Dimitri, ils dansaient enlacés, grisés. La jeune fille, ravie, attirait à elle son amoureux. Elle posa alors un geste étourdi qu'elle regretterait toute sa vie; elle enleva sa blouse qu'elle lança au loin.

Elle avait fermé les yeux, n'osant regarder le garçon qui voyait les seins pointus et effrontés de la fillette. Il se pencha, passa le bout de son doigt sur cette peau satinée, s'attarda au mamelon; il crevait du désir d'y poser ses lèvres.

— Que tu es belle, Katina!

De l'autre côté de la cloison, ce fut l'hilarité.

— Fais-lui une grosse bise, le Grec, une bise sucrée.

Et les voyous filèrent, laissant derrière eux deux adolescents terrorisés qui venaient de voir leurs amours piétinées, le cœur lacéré.

Catherine fit alors une véritable crise d'hystérie: debout, elle hurlait, trépignait. Dimitri, ahuri, ne sut quoi faire; il n'osait bouger. Catherine se pencha, saisit sa blouse, et fuit en courant, semant derrière elle ses gémissements.

Tout s'était passé si vite, était si inattendu que Dimitri ne parvenait pas à reprendre ses esprits. Il restait là, figé sur place. Qui était là, à les épier? Était-ce la première fois que ces voyeurs s'y trouvaient? Il pensait à Catherine.

Il savait qu'elle était seule, à la maison. Il ne voulait pas la laisser aux prises avec sa douleur. Il s'enhardit, traversa la pièce voisine, se rendit à la porte qu'elle avait claquée en fermant. Il frappa; pour seule réponse il entendait les gémissements de son amie. Il se fit violence, entra, se rendit à sa chambre. Elle criait toujours, déchirait ses vêtements, bousculait ou lançait tout ce qui lui tombait sous la main.

Il s'approcha, la saisit par les épaules, tenta de l'attirer à lui pour la réconforter. C'est alors qu'il eut le plus mal. Elle sursauta, fit un pas de côté, saisit par le manche le miroir à main encastré d'argent, leva le bras dans un geste éloquent, elle allait le frapper.

— Catherine! hurla Dimitri.
— Sors, sale Grec, lâche, va retrouver ta gang; combien de spectacles leur as-tu offerts? À quel prix? Combien de filles as-tu déshonorées?

Elle fonça sur lui, il s'esquiva juste à temps pour ne pas être touché. Il courut, revint vers leur cachette et se laissa tomber sur le sol. Il pleura comme un enfant, pleura l'insulte, pleura la perte de son amie, pleura toutes ses larmes.

Se relevant, il plia la couverture, posa dessus les deux coussins et la veilleuse qu'il déposa dans le hangar attenant à la maison des Rousseau. Le visage inondé de larmes, il cloua la porte secrète et mystérieuse qui avait laissé pénétrer le bonheur chez lui. Il le savait, il ne reverrait plus jamais sa Catherine, mais très longtemps il la pleurerait.

***

Le lundi matin, il se présenta à l'école, inquiet de ce qui pourrait se passer. N'ayant vu personne, il ne pouvait savoir qui s'était trouvé là à les épier. Lorsqu'il entra dans sa classe, les fanfarons ne purent résister à la tentation. Ils se mirent à frapper sur leur pupitre en scandant les mots: «Que tu es belle, Cathina, que tu es belle Cathina!» Pierre, le meneur de jeux, s'avança en se dandinant et turlutait: «Une grosse bise sucrée, allez! Dimitri, une grosse bise.»

Les élèves se tordaient de rire. Pas de doute possible, la nouvelle s'était ébruitée. Le professeur eut peine à rétablir l'ordre.

— Pierre, ça suffit! Reprenez votre place.

Le voisin de pupitre se pencha et dit juste assez haut pour être entendu:

— Hé!, l'enfant sage, tu es un briseur de cœur...

Il accompagna sa remarque d'un clin d'œil complice. Dimitri venait de gagner, bien malgré lui, l'estime de ses compagnons qui l'avaient jusque-là dédaigné. Il avait peine à suivre les cours donnés, son esprit vagabondait auprès de sa douce Catherine qui s'était subitement métamorphosée en tigresse, hurlait, brisait tout. L'école terminée, il rentra lentement chez lui, désabusé. Il jeta un regard en direction du hangar, mais n'osa y entrer. Cette fois il avait définitivement perdu son amie, il en était convaincu.

Il rentra chez lui aussi déconcerté qu'il avait quitté le matin, pâle, les traits tirés. Sa mère, le croyant malade, le nourrissait de bouillon de poule, ce qu'il avait en horreur. Son père souriait, il savait de quel mal souffrait son fils, le mal d'amour, qui ne tue pas.

Dimitri ne revit plus Catherine. Il fuyait maintenant son refuge qui lui rappelait trop de souvenirs.

Chapitre 3

Chez les Rousseau, les choses ne se passèrent pas aussi simplement.

Dès leur retour, la mère comprit que quelque chose s'était passé en leur absence. La cuisine était trop à l'ordre, Catherine n'était pas une fille qui lavait et rangeait la vaisselle. Elle se rendit à sa chambre, ouvrit la porte et poussa un cri d'horreur. Catherine n'avait tout simplement pas mangé.

— Roger, viens ici!

Le père accourut. Le spectacle était désolant. Catherine, réveillée en sursaut, s'était assise sur son lit.

— Mais qu'est-ce que tu as? Tu as le visage en feu. Es-tu malade? Explique-moi ce désordre. Quelqu'un est venu? Mon Dieu! elle a été... assaillie!

Le père marcha vers la fenêtre, elle était intacte et verrouillée. Il s'approcha du lit.

— Dis, ma fille, que t'est-il arrivé? Dis-moi.
— Fichez-moi la paix!

Elle se roula en boule et se remit à pleurer. Rousseau fit signe à sa femme de sortir. Il tenta de questionner Catherine, mais en vain.

— Veux-tu qu'on fasse venir le médecin?

— Fichez-moi la paix!

— Bon, ça va. Je vais prendre ta température, je suis inquiet, je ne veux pas perdre mon bébé. Demain, pas de classe, tu restes à la maison. Je viendrai à l'heure du dîner, nous serons seuls tous les deux, nous parlerons de tout ça.

Il sortit et revint, tenant un thermomètre.

— Voilà qui est rassurant. Dors, repose-toi, ma fille. À demain.

Il s'éloigna, ferma doucement la porte derrière lui.

Le sommeil ne venait pas, toute la journée du dimanche Catherine avait pleuré, dormi et oublié de manger. Sa colère tombée, sa peine s'était quintuplée: Dimitri avait été son seul ami véritable. Elle avait un chagrin fou, mais il l'avait trahie et ça, elle ne pouvait le pardonner. Ces ricanements derrière le mur lui parvenaient encore, amers, déchirants. Sa détresse n'avait pas de bornes. Elle avait même oublié le retour éventuel de ses parents, les affronter lui avait été moins pénible que la trahison de son ami. La rancœur bouillait en elle, balayait tout ce qu'elle avait ressenti d'amour pour Dimitri.

Tel que promis, le père vint à l'heure du dîner. Catherine dormait, il lui écrivit une note qu'il plaça sur sa table de nuit, remettant le rendez-vous au lendemain.

Diane connut une journée troublante, l'inquiétude l'obsédait. Elle prenait mille résolutions. Elle parlerait calmement à sa fille. Elle réussirait là où son mari avait échoué, Catherine lui ferait des confidences.

Elle revint du travail; dans le lavabo se trouvait une assiette et un verre, ce qui la réconforta. Mais Catherine ne parut pas de la soirée. Un mur de silence s'était érigé entre les époux, l'atmosphère était lourde, l'un et l'autre n'osaient attaquer le sujet de leurs préoccupations. La mésentente au sujet de l'éducation de leur fille ne datait pas de la veille. La mère exigeait trop de la fillette, elle lui adressait continuellement des reproches, ne se disait jamais satisfaite; que ce soit de ses succès ou de ses efforts, Diane trouvait toujours à redire. Sa fille était devenue son souffre-douleur.

Le père essayait de compenser, parfois maladroitement, ce qui n'aidait pas. Aussi la crise actuelle de leur fille n'était pas pour remédier à la situation.

Diane passa la soirée devant le poste de télé, ne prêtant pas attention aux images, ruminant ses inquiétudes. La première grande colère de sa fille la laissait perplexe.

Elle regarda son mari, il était plongé dans un dossier et n'en levait pas le regard. Son mutisme têtu l'intriguait et la bouleversait: «Peut-être a-t-il raison, il vaudrait mieux attendre que Catherine se calme et s'explique.» L'idée d'un viol possible effleurait toujours son esprit, hier encore elle croyait que sa fille était heureuse. «Quel grand bouleversement pouvait avoir suscité cette furie qui frise la démence?» Diane avait peur. Elle en vint à la conclusion que son mari avait décidé de prendre la situation en main. Alors elle se tairait. Elle se leva et sans un mot se dirigea vers sa chambre. «Demain j'irai travailler, je partirai tôt, je ne préviendrai pas Catherine. Je vais rester neutre dans toute cette affaire, tout au moins jusqu'à ce qu'on se souvienne de mon existence!»

Diane se leva tôt, prépara le déjeuner et dressa trois couverts.

Son mari parut enfin, les traits tirés; elle en conclut qu'il avait mal dormi. Il prit un café et sortit sur un bonjour glacial.

«Pourquoi, grand Dieu, s'en prend-il à moi?» À l'instar de son mari elle ne put manger, elle sirota un café et décida de se rendre au bureau. Elle redoutait un tête-à-tête avec sa fille qui risquait d'envenimer la situation.

Elle s'apprêtait à sortir, lorsque le téléphone sonna. Elle répondit. La direction de l'école désirait parler à son mari ou à elle-même.

— Monsieur Rousseau a déjà quitté, je serai à votre bureau; puis-je savoir...

On voulait lui parler de Catherine. Elle se présenta au rendez-vous avec un visage qu'elle voulait serein.

— Catherine, je l'ai retenue à la maison car elle n'est pas très bien.
— Ah! Vous croyez? Elle ne vous a rien dit.
— Nous nous sommes absentés, j'accompagnais monsieur Rousseau à une conférence hors de la ville.
— Je vois.
— Elle va beaucoup mieux, aujourd'hui, je crois que demain elle pourra...
— Madame, votre fille ne pourra continuer à étudier ici. Nous nous voyons dans l'obligation de la renvoyer de l'école pour mauvaise conduite.
— Mauvaise conduite! Calomnie! Pure calomnie. Pas Catherine, pas ma fille.

— Vous voudrez bien me croire si je vous affirme qu'avant d'en venir à une décision aussi grave nous avons vérifié les faits.

— Je vous écoute.

— Votre fille, c'est délicat... s'adonne à des prouesses amoureuses. Elle a été vue se précipitant dans les bras d'un jeune homme, l'a embrassé, a enlevé sa blouse alors qu'elle ne portait aucun sous-vêtement et n'eût été de l'intervention de cinq, je dis bien de cinq témoins, Dieu seul sait ce qui aurait pu se produire...

— Vous mentez!

— Et les cinq témoins mentent aussi? Nous avons questionné ces garçons séparément et avons comparé les dires de chacun. Tout coïncidait, mot pour mot.

La mère, accablée, baissa la tête, incapable de répliquer.

— Si vous me permettez un conseil, faites-lui voir un médecin sans tarder. Nous ne savons pas depuis quand dure l'aventure.

— Un médecin? Vous ne pensez pas que...

— Nous ne pensons rien. Vous avez bien un docteur de famille?

— Non, répondit-elle en rougissant.

Elle ne s'adressait sûrement pas à une connaissance pour trancher cette question! C'est alors que la directrice remit à Diane un bristol sur lequel elle lut le nom du Dr Laframboise.

— C'est vers ce médecin bien compréhensif qui se dévoue aux adolescents que nous dirigeons nos jeunes. Catherine a besoin d'aide.

Tout à coup, elle saisit le sens caché de ce conseil qu'elle trouvait effronté.

— Vous croyez que... Dieu de la toute-puissance divine!

Mue par un ressort, elle se leva et marcha vers la porte, sans regarder en arrière. Elle se sentait fondre de honte sur place. Dès qu'elle fut sortie, la directrice soupira: «La pauvre petite, pas étonnant qu'elle ait besoin d'effusion, avec une pareille chipie comme mère.»

Diane Rousseau se rendit à son travail. Elle préférait ne pas être seule, pour oublier la cruelle vérité qu'on venait de lui apprendre. Elle ne parvenait pas à y croire. «Vrai ou faux, le problème avait la même dimension: on jase, la nouvelle est véhiculée, donc l'honneur de Catherine et le nôtre sont entachés. Serait-il Dieu possible qu'elle soit enceinte?»

N'en pouvant plus, elle demanda à être remplacée. Arrivée à la maison, elle vit la voiture de son mari garée là à une heure indue. «Ça continue», s'exclamait Diane qui grimpait l'escalier à toute vitesse, elle qui le faisait habituellement avec une élégance consommée, en posant la pointe du pied d'abord. «Grimper les étages est une occasion propice à l'exercice qui garde svelte.» Cette assertion amusait bien son cercle d'amies: Diane Rousseau aurait choisi de vivre dans un deuxième étage dans l'unique but d'avoir la taille fine? Tout pour sauver la face.

Diane se renferma dans la cuisine, téléphona au bureau du Dr Laframboise. Une secrétaire prit l'appel.

— Une urgence, un cas désespéré, jeta-t-elle.

Il n'était pas question de figurer sur une liste d'attente, urgence il y avait dans l'esprit de Diane.

— J'entre en contact avec le docteur Laframboise et je vous rappelle incessamment, madame.

Appuyée contre l'armoire, elle réfléchissait. «Je dois rester calme, la visite au médecin est une priorité. Ensuite, il nous faudra s'éloigner de ces lieux maudits. Sinon, la menace nous pèsera toujours au bout du nez! Elle cherchera à revoir ce... ce.»

Elle ne trouvait pas de mot pour qualifier l'infâme. Elle se souvenait des prouesses qu'il lui fallait faire, autrefois, pour rencontrer Roger qui n'était pas dans les bonnes grâces de ses parents et qu'elle avait épousé contre leur gré. «Pour venir choir dans ce merdier!» Non, sa fille ne vivrait pas ce drame. Et ce téléphone qui ne sonnait pas!

Elle se rendit au salon, il n'y avait personne; elle se dirigea alors vers la chambre de sa fille, ouvrit la porte: qu'est-ce qu'elle voit! Roger est assis au bord du lit, sa fille blottie contre lui, qui pleure doucement.

— C'est du joli! Lâche-la!
— Elle n'a pas la lèpre, que je sache.
— Toi, salope, éloigne-toi de ton père. Des filles comme toi...
— Non mais tu vas te taire, Diane?
— Alors tu ne sais rien, elle ne t'a rien dit, tu la cajoles comme une pauvre petite victime innocente! Et toi tu gobes! C'est écœurant!

— Diane, tu deviens vulgaire, tais-toi.

Le téléphone sonnait. Diane jeta rageusement:

— Habille-toi, écervelée, tu as une sortie à faire, je ne tolérerai pas de réplique.

Elle pivota sur ses talons, fila vers la cuisine.

— Le docteur veut bien vous accorder une entrevue; pouvez-vous vous présenter à l'hôpital Notre-Dame...

«Je n'irai pas, je n'irai pas m'exposer encore une fois à de telles humiliations. Le bon papa va la connaître, la vérité, hors de ma présence cette fois. On verra bien s'il la bercera encore au retour!»

Ils partirent, Catherine ne comprenant plus rien à ce qui se passait. Sa mère semblait tout savoir. Comment l'avait-elle appris? Dimitri l'aurait trahie une deuxième fois, ou pis encore, il le faisait depuis le tout début de leur idylle! Assise bien droite, elle regardait droit devant elle, accrochée à ses noires pensées.

Son père lui tendit le bras; elle se laissa conduire, telle une somnambule; le médecin pria Roger d'attendre hors du cabinet, il parla à Catherine qui ne desserra pas les dents. Elle enfila la robe qu'on lui tendait, subit un bref examen, le docteur prit des notes, fit entrer le père.

— Il n'y a pas défloration, l'hymen...

Roger venait de comprendre. Il avait pensé à tout,

mais pas à ça. «Elle n'a que treize ans! C'est impensable! C'est donc ce qui explique la rage de ma femme!»

Le médecin recommanda une autre entrevue, parla d'un psychologue, vanta les bienfaits de la thérapie de groupe. Roger était dépassé. Il s'éloigna, sa fille le suivit, il ne pensa pas à lui donner le bras. «Nous l'avons laissée seule en fin de semaine, c'est notre faute.»

«L'état lamentable de sa chambre... le seul endroit de la maison en désordre, pourquoi? Les fenêtres... donc elle ne fut pas assaillie, c'était organisé, un petit copain qui aurait poussé trop loin? Une première offensive, ou bien ça durait déjà depuis longtemps?» Il mit la main dans sa poche, histoire de se rassurer que le carton que lui avait remis le médecin s'y trouvait. Il posa une main sur l'épaule de sa fille et murmura tendrement: «Mon bébé.»

Catherine ne réagit pas, alors le père s'inquiéta. «Rien ne l'affecte plus, elle ne desserre pas les dents, est-ce une peine de cœur? À treize ans? Tout de même! Tout porte à croire qu'elle a eu un choc terrible.»

La maison en vue, il fut horrifié à la pensée de ce qui les attendait tous les deux. Diane ne lâcherait pas facilement prise, elle réajusterait constamment son tir, jouerait dans les vieilles plaies. Il en savait quelque chose. Catherine aurait besoin de silence, de paix. Il y veillerait, cette fois il aurait le dernier mot.

Il ouvrit la portière, aida sa fille à descendre de la voiture. Diane les attendait, assise près de la table. Catherine se dirigea vers sa chambre mais sa mère l'obligea à faire volte-face, la saisit par les épaules et la força à s'asseoir.

— Alors? Et ton petit ange, qu'en pense le docteur?
— Si ça peut te rassurer, elle est toujours vierge.
— Grand Dieu! Enfin un peu de baume sur la plaie.
— Laquelle, la tienne ou la sienne?
— C'est tout ce que tu trouves à dire? Mademoiselle se jette sur les garçons, les embrasse, danse en rond, se déshabille, se pavane nue pour ensorceler telle une vulgaire effeuilleuse. Voilà, mon cher, ce qui en résulte de ton manque de cervelle. Nous sommes réduits à ça! Un quartier malfamé ne conduit pas à la vertu. Tu nous a mérité tout ça! Une fille qui a perdu sa réputation, son nom. Nous sommes la risée du quartier. La Catherine Rousseau! La putain, une pute qui s'exhibe devant tout un groupe de voyous!

Roger ferma les yeux, il ne pouvait croire ce qu'il entendait. On ne remarquait pas le désespoir qui s'était emparé de Catherine. Elle avait baissé la tête, ses épaules s'étaient affaissées, elle ferma les poings à en avoir mal.

— Écoute-moi bien, je ne vais pas me morfondre au travail pour donner une belle vie à cette garce qui prépare bien son malheur futur. Puis nous allons déménager...

Catherine, qui s'était levée, s'écria:

— Non!
— Tu l'entends, elle l'aime son taudis, elle!
— Non!

Son cri se répercuta comme une traînée derrière elle. Elle courut vers sa chambre, claqua la porte. Diane voulut la suivre, Roger l'en empêcha.

— Ferme-la! Tout de suite. Tu en as assez fait, tu en as assez dit. Un mot de plus et je ne réponds plus de mes gestes. Tu la boucles, Diane! Disparais d'ici. Va passer ta crise d'hystérie ailleurs. Je ne veux plus t'entendre. Mieux encore, j'aimerais...

Diane flancha, les larmes compensèrent pour le mutisme forcé. Elle s'enfuit vers sa chambre.

Catherine, allongée sur son lit, fixait le plafond, les yeux secs, l'âme crucifiée; Dimitri, impossible d'en douter, l'avait trahie. Hier encore, elle rêvait de se venger de l'outrage, de le faire payer tous ses affronts. Aujourd'hui, elle ne se raccrochait même plus à cette pensée.

***

Le lendemain, Roger prépara un plateau qui contenait un frugal déjeuner et le déposa sur la table de chevet de sa fille. Elle ne réagit pas.

— Si tu ne manges pas tout, je te fais hospitaliser: là on t'obligera à te nourrir. Je prends la situation en main. Je reviendrai à midi. Ta mère est déjà partie au travail. Repose-toi. Allons, dévêts-toi et glisse-toi sous tes couvertures. Bonjour, ma fille.

Les phrases, entrecoupées d'hésitations, tombèrent dans le vide. Roger se triturait la cervelle; la douceur, la fermeté, le réconfort, rien ne faisait réagir Catherine.

Elle demeurait impassible. D'une chose, cependant, il avait la certitude: elle avait été profondément marquée par un événement extérieur. Il ne pouvait s'agir que d'un amour déçu, car alors elle pleurerait. Elle lui semblait en état de choc. Devait-il la laisser seule? Le silence l'aiderait peut-être à mettre un peu d'ordre dans son esprit. Il se promit de revenir au plus tôt. Plus il ruminait, plus il s'inquiétait.

Catherine se leva, traversa la cuisine, pénétra dans le hangar. Elle vit les coussins et la couverture, s'approcha du mur, vit la planche remise en place. Elle tenta de la déplacer, en vain. Ses derniers espoirs venaient de fondre. Dimitri l'avait abandonnée.

Au moment de revenir sur ses pas, elle s'arrêta devant la fenêtre. Dimitri se trouvait là, il jasait avec un compagnon. Aurait-elle pu prévoir qu'il flânait dans la ruelle dans l'espoir de l'entrevoir? Il faisait ce détour avant et après la classe, brisé d'inquiétude. Lentement, en retrait, elle observait la scène qui se jouait devant ses yeux mouillés de larmes.

— Comment fais-tu pour savoir comment parler aux filles? Moi, chaque fois que j'essaye, je me mets à bégayer.

Le garçon riait, frappait l'épaule du don Juan.

— Les gars de ton pays sont-ils tous aussi charmeurs que toi?

Dimitri s'éloigna, malheureux. Catherine restait là, les jambes vacillantes, la tête en feu, le cœur broyé par un étau. En bas, les poubelles de métal alignées étaient vidées dans un camion, elle regardait sans voir, le bruit lui parvenait, irritant. Une pensée folle lui vint. Elle tenta d'ouvrir la fenêtre, qui résista un moment; avec rage elle s'attaqua au bois pourri du cadrage. Il céda. Elle se pencha vers l'extérieur; dès que le camion avancerait, elle sauterait, glisserait sous ses roues, en finirait avec ses tourments.

Elle prit un élan, hésita un instant, l'instant qui lui sauverait la vie, et plongea dans le vide. La cabine du camion s'était déjà engagée sous le hangar, Catherine alla choir au milieu des déchets, dans la boîte d'ordures. Une dame âgée qui arrivait sur le tard avec un sac de déchets vit l'incident tragique et se mit à hurler.

— Là, là, une enfant est tombée de là-haut, là, dans le camion!

On finit par comprendre le sens de ses paroles, elle gesticulait, criait à s'époumoner.

Catherine fut repérée, les sirènes se firent entendre; la fillette inconsciente, le visage ensanglanté, une côte brisée, gémissait. Les curieux se réunissaient, y allaient de leurs commentaires. Ironie du sort, l'appel au secours avait été lancé du restaurant de Lafont. Tout ça, parce qu'un matin de mai, la pluie tombait...

Chapitre 4

Roger Rousseau rentra chez lui. La maison était silencieuse. Il se prépara deux sandwichs, il irait manger auprès de sa fille. Le thé infusait dans la tasse, il ouvrit la radio. Le timbre de la porte d'entrée se fit entendre. Un policier lui apprenait que sa fille avait eu un tragique accident, dont il dévoila certains détails.

— Ce n'est pas possible.
— Pourtant, elle a été identifiée comme votre fille.

Roger marcha vers la chambre de Catherine. Elle était déserte.

— Est-elle blessée?
— C'eût pu être plus grave. Elle est tombée d'une fenêtre.

Rousseau l'interrompit.

— Vous êtes sûr qu'il s'agit de ma fille? Il n'y a rien de dérangé ici.
— Une fenêtre qui donne sur la ruelle; si nous allions vérifier?

Le policier s'attarda à la condition du châssis, dont le bois s'effritait rien qu'à y toucher.

— Ce ne peut être qu'un accident, elle s'est probablement appuyée trop fortement et le cadrage aurait cédé. Je vais faire mon rapport. Je ne vois rien d'anormal, tout peut s'expliquer, il n'y a pas trace de lutte ici.

— À quel hôpital a-t-elle été transportée?

— Notre-Dame, c'est le plus près.

— Je vais prévenir sa mère. Elle est au travail.

— N'hésitez pas à nous appeler si vous en voyez la nécessité. Je n'ai pu la questionner.

La porte se referma enfin. Rousseau se laissa tomber sur une chaise. «Ce n'est pas vrai, c'est de l'hallucination pure et simple.»

Il retourna au hangar, scruta l'endroit. À part la fenêtre, tout lui semblait normal. «Que faisait Catherine ici? Aurait-elle prémédité tout ça? La porte était verrouillée, alors? Elle aurait laissé entrer quelqu'un... son amoureux? Tant que je ne lui aurai pas parlé, je ne le saurai pas. Pour une fois, Diane a raison. Aussi longtemps que nous habiterons ici, ce sera le marasme. Catherine a besoin de changer d'air, de milieu; c'est trop pour une enfant de cet âge. Quelle vie, grand Dieu!»

Diane, au bout du fil, avait écouté son mari qui l'informait du nouveau drame. Après la stupéfaction, ce fut le désespoir. Roger l'aurait juré, elle était sincère. Depuis longtemps, elle n'avait pas réagi aussi calmement.

— Viens me rejoindre à l'hôpital, je vais partir tout de suite. Prends sa robe d'intérieur bleue, ses pantoufles, ses robes de nuit dans le deuxième tiroir de son bureau, sa brosse à dents, son peigne, je verrai au reste plus tard.

Catherine reposait, aussi pâle que ses draps. On avait pansé sa tête, un soluté courait dans ses veines. Roger aurait aimé la prendre dans ses bras et la bercer. Les remords le torturaient. Il se pencha, l'embrassa sur la joue, caressa sa main libre. Diane avait peine à refouler ses larmes. Désemparée, effrayée par la tournure des événements, elle se sentait impuissante, démunie. Catherine, sa Catherine gisait là. Sa colère de la veille lui revenait à l'esprit. Elle qui n'avait jamais su contrôler ses émotions ployait sous le poids de la souffrance. Roger s'approcha, lui tapota l'épaule et lui dit à l'oreille:

— Je vais tâcher de parler au médecin traitant; je reviens, ne la quitte pas.

Diane s'assit près de sa fille; appuyée contre le lit, elle déplaçait ses cheveux, mèche par mèche, d'un mouvement doux qu'elle voulait affectueux. «Demain, je vais égayer cette chambre, l'orner de jolies fleurs. Tu vas guérir très vite.»

Si la fillette avait pu saisir les sentiments qui animaient sa mère en cet instant, elle en aurait retiré beaucoup de réconfort.

Diane n'était pas méchante, loin de là. Gâtée à outrance par la vie, jamais contrariée dans son enfance, choyée par un mari faible, elle n'avait pas évolué sur le plan affectif. Mais aujourd'hui, elle était atteinte dans sa chair. Plus impuissante que contrariée, elle pliait l'échine sous le poids de ses souffrances. Elle était anéantie, brisée.

Pendant ce temps, dans le cabinet du médecin, Roger écoutait l'homme de science qui, après avoir posé le diagnostic, attaquait le sujet délicat des événements qui avaient provoqué le drame.

— Avez-vous des raisons de croire que votre fille ait tenté de mettre fin à ses jours?

Roger se crispa, hésita:

— Je ne comprends pas.
— Selon vous, est-ce que quelque chose de grave serait survenu qui l'aurait incitée à penser au suicide?
— Jusqu'à récemment, non... je ne vois pas...

La brutalité du terme avait fouetté Roger. Il ravala.

— Si jeune! Elle est si jeune! Vous ne croyez pas, docteur...
— C'est une éventualité qu'il faut envisager. Ces choses-là arrivent, à tout âge. La souffrance de l'enfant existe au même titre que la gaieté qui, je suis d'accord avec vous, est plus naturelle. Il faut se pencher sur ces questions, et leur porter l'attention nécessaire. Un drame, à leur âge, quoique moins profond que celui de l'adulte, revêt à leurs yeux la même importance, prend des proportions aussi désastreuses. En tant que parent, vous pouvez seul être juge. Tout ceci reste entre nous, bien sûr.
— Un policier est venu sur les lieux, a fait les constatations d'usage, croit à un accident.
— Voilà qui simplifie tout.
— Je note toutefois vos remarques, je ...

Roger ne put terminer sa phrase. Le médecin avait senti la réticence et les hésitations du père et compris que les événements le dépassaient.

L'homme s'éloigna, la mort dans l'âme. Il n'avait pas le courage de retourner au chevet de sa fille. Il sortit de l'hôpital, cala ses mains au fond de ses poches, courba sous le poids de sa peine; il arpenta la rue, absent à tout ce qui l'entourait.

***

Là-haut, Catherine, le nœud du drame qui affectait le couple, reposait toujours. Une infirmière s'avança, prit sa pulsation, vérifia le soluté.

— Vous avez rencontré le médecin, madame?
— Mon mari est présentement à son bureau. Dites-moi, c'est grave? Ce sera long?
— Non, ce n'est pas grave: les examens ont démontré que la côte possiblement cassée n'était que fêlée. C'est plus souffrant que grave.
— Elle ne se réveille pas!
— C'est dû aux sédatifs. Pour le moment, elle a surtout besoin de repos, de calme, elle doit demeurer immobile. Elle est très jeune, elle s'en remettra vite, ayez confiance.

Diane surveillait l'arrivée de son mari, les mots rassurants de l'infirmière l'avaient réconfortée. Pourquoi Roger tardait-il tant? Lorsque enfin il parut, elle lut sur son visage les marques de ses tourments intérieurs.

— J'ai vu l'infirmière.
— Parle plus bas.
— Catherine est sous l'effet de calmants, elle ne peut nous entendre. Qu'a dit le docteur? Rien de grave, dis-moi.
— Non, Diane, physiquement ça va.

Il se dirigea vers la fenêtre et fixa le lointain. Il n'avait pas encore bougé quand Catherine ouvrit enfin les yeux. La voix de sa femme le ramena vers la réalité.

— Bonjour Catherine. Enfin, tu ouvres tes beaux yeux. Ça va, ma fille?

Roger s'était approché, s'était penché, avait déposé un baiser sur ses joues.

— Tu n'as pas mal, dis? Tu as eu de la chance, ma Catherine. Mauvaise chute, hein? Le maudit châssis! Je vais le condamner. Tu aurais pu tomber sur le sol, sous les roues du camion; je frissonne rien qu'à y penser! Tu ne devais pas être très belle quand on t'a sortie du bourbier, mais ça t'a bien préservée. Heureusement, une dame t'a vue, on t'a secourue. Tu sais que tu aurais pu te retrouver au dépotoir...
— Roger!
— On peut en rire, c'est passé. Ma fille dans les pelures de patates... Tu imagines, Diane!

L'esquisse d'un sourire illumina un bref moment le visage de Catherine. Son père n'aurait pu souhaiter plus grande joie.

— Catherine, mon chaton, l'important dans toute cette histoire est que tu t'en sortes saine et sauve. L'ambulance est venue très vite; un employé de police-secours prenait son dîner chez Lafont, il n'a eu qu'à contourner le bloc.

Le fillette cilla, l'incident ne pouvait manquer de parvenir aux oreilles de Dimitri...

Son père, penché sur elle, continuait de la rassurer.

— Nous ne reparlerons plus jamais de cette tragique histoire, nous oublierons tout, laisserons dormir le passé. À l'avenir, plus de reproches, plus de questions, pas de ressentiments, pas d'amertume. La triste aventure nous aura réunis plus étroitement, et fait comprendre combien nous nous aimons mutuellement. À l'avenir, nous partagerons tout, prendrons ensemble nos décisions: plus de secrets, nous aurons une vie de famille heureuse.

Diane pleurait doucement. Catherine posa sa main libre sur celle de son père et la serra faiblement. Ses yeux s'embuèrent, il caressa le front de la fillette et murmura:

— Repose-toi, refais vite ta santé, nous t'aimons.

***

Diane et Roger revinrent le lendemain. La mère tenait une gerbe de fleurs printanières et Roger un ourson rose, qu'il remit à sa fille. Elle l'entoura de son bras, y appuya la joue.

— Pas trop de bobos, chaton? On s'occupe bien de toi? Tu as vu le docteur?

Catherine répondait par des signes de tête, elle ne desserrait pas les dents. Elle avait eu la même réaction à la visite du psychanalyste appelé en consultation. Celui-ci avait discuté de la situation avec son père. Ils en étaient mutuellement venus à la même conclusion: il serait salutaire à l'enfant de la changer de milieu, de l'éloigner dès sa sortie d'hôpital.

Roger, se souvenant de sa réaction lorsque sa femme avait évoqué l'idée d'un déménagement, avait pesé et soupesé chacun des mots qu'il utiliserait pour aborder le délicat sujet. À sa grande surprise, Catherine acquiesça, sans trop de peine à ce qu'il semblait. Diane était ravie. Avant de quitter sa fille, il la supplia:

— Dis-moi quelque chose, un mot, un seul mot, chaton.

— Je t'aime, papa.

Il ferma les yeux, baissa la tête, resta là, bouleversé. Puis il fit signe à sa femme de le suivre et s'éloigna pour cacher la trop grande émotion qui l'étreignait. Roger aurait été beaucoup plus troublé s'il avait pu lire dans les pensées de sa fille!

***

Le couple passa tout de suite à l'action. La compagnie qui employait Roger venait d'ouvrir une succursale à Gatineau, on lui offrit un poste avantageux. Le thérapeute fit promettre à Roger de s'assurer que Catherine voie un psychologue car, à son avis, le traumatisme était profond et il fallait aider Catherine à faire la paix avec elle-même.

Sur le plan physique, la guérison de Catherine ne faisait pas de doute, mais des séquelles d'ordre psychologique inspiraient des craintes.

***

Le dossier médical fut transféré à l'hôpital de la

ville où se trouvait leur nouvelle demeure. Ils habitaient maintenant un charmant cottage entouré d'un jardin. Catherine passa la plus grande partie de l'été assise sous un arbre qu'elle avait choisi comme ami. En retrait, sous le parapluie de verdure, elle rêvait et ressassait ses pensées malsaines. Elle avait compris qu'elle avait besoin de la confiance de ses parents pour mener à bien ce qu'elle avait en tête. Aussi, se faisait-elle conciliante, affichant souvent une belle humeur, qui voilait ses pensées morbides.

À l'automne, elle reprit le chemin de l'école. Diane ne tenait pas toujours allègrement ses promesses, il s'en fallait de beaucoup. Un nouveau cercle d'amis, des obligations mondaines, un nouvel univers à explorer, constituaient autant d'occasions d'être impatiente et de se montrer souvent agressive. Elle ne cessait d'accabler Catherine de reproches, la critiquait pour sa langueur, son laisser-aller, son irritante désinvolture. «Mets de l'ordre dans ta chambre, ne laisse pas traîner tes livres, apprends à te tenir, tu ne seras jamais une fille gracieuse.» Un jour, n'y tenant plus, l'adolescente se confia à son père.

— Maman m'étouffe avec ses histoires et ses réprimandes; seules ses amies comptent. Tout le monde est fin et beau, sauf moi. Quoi que je fasse, je ne lui fais jamais plaisir.

— À ce point?

— En ton absence surtout.

— Que peut-on y faire? C'est son caractère qui veut ça, je ne vois pas de solution.

— Moi si.

— Dis, je t'en prie, dis-moi.

— T'objecterais-tu à ce que j'aille au couvent, demi-pensionnaire? Tu es ici les fins de semaine, maman est alors plus rationnelle.

— As-tu bien dit au couvent?

— Oui, papa.

— Tu ne vas pas m'apprendre que tu te sens attirée par la vie religieuse?

Catherine ouvrit démesurément les yeux puis éclata d'un rire bruyant qui emplit la pièce, un rire puissant, de nature à éliminer tout doute s'il en existait dans l'esprit de son père.

Cette explosion surprit agréablement le père, qui retrouvait là sa fille enjouée des beaux jours.

— Chaton, tu iras au couvent. Tu viens de me convaincre. Mais ne t'illusionne pas, là aussi il y aura des réprimandes, des tiens-toi droite; penses-y.

— Bien sûr, c'est pour ça que tu devras payer, alors?

— Je regrette d'interrompre vos discours animés, mais le souper est servi.

— Sais-tu ce que Catherine vient de suggérer?

— Comment pourrais-je savoir? Vous tenez vos séances à huis clos.

— Elle désire aller au couvent, en demi-pension.

— Enfin! On réussira peut-être à l'éduquer. La prière ne lui nuirait pas, non plus.

Roger se leva, déposa sa serviette de table, regarda Catherine et dit:

— Suis-moi. Nous irons manger en paix, quelque part, ailleurs.

***

En septembre, Catherine poursuivit ses études comme elle l'avait souhaité, sur une période de trois années consécutives.

D'un physique agréable, d'une intelligence au-dessus de la moyenne, elle réussissait assez bien dans ses études. Malheureusement, sa nature renfermée l'empêchait de se faire des amies. Souvent songeuse, aux prises avec des tiraillements intérieurs qui la minaient, il lui arrivait de laisser percer son agressivité qui se traduisait par des gestes regrettables. On l'avait souvent soupçonnée d'avoir provoqué des situations embarrassantes pour ses compagnes. Elle demeurait impassible devant les reproches, si bien qu'elle finissait toujours par dominer les situations. Elle réussit quand même à se classer cinquième de sa promotion.

Elle avait atteint sa seizième année. Ses parents organisèrent une grande fête. Elle sut se montrer charmante. Diane jubilait. Elle confia à son mari que le couvent avait été une excellente décision, avec des résultats qui dépassaient toutes ses attentes.

Une semaine s'écoula, l'harmonie régnait chez les Rousseau. Catherine manifesta le désir d'aller passer une journée chez une amie du pensionnat. Elle broda toute une histoire autour de sa requête: au couvent, Julie s'était mal conduite et la maîtresse avait imposé un pensum en guise de punition. «Tu le fais à ma place et en retour, à l'été, je t'invite à venir passer une journée chez nous au bord de la piscine. Ça te va?»

Elle avait accepté le défi, et voulait recevoir sa ré-compense. Les parents s'inclinèrent; elle empila quel-ques vêtements, dont un maillot qu'elle laissa traîner pour donner du poids à ses prétentions.

— Si tu dois tarder à rentrer pour une raison ou l'autre, téléphone-nous.

— Bien sûr, voyons.

— On s'habitue difficilement à te voir devenue une adulte, chaton.

— Ah! Vous les parents, toujours aussi emmerdeurs! Si je ne grandissais pas, vous me feriez ingurgiter tou-tes sortes de vitamines.

— Tu veux que j'aille te reconduire?

— Encore! Je suis assez grande pour prendre l'autobus, non?

— Amuse-toi bien!

Elle traversa la rivière Rideau et, depuis Ottawa, elle fila vers Montréal. Son cœur battait à se rompre. Depuis trois ans, elle ruminait ce projet. Elle avait économisé sur tout pour amasser le plus d'argent pos-sible. Des projets? Elle en avait plein la tête. L'ultime: revoir Dimitri. Cet espoir lui avait permis de subir la vie, les bonnes sœurs, sa mère et tout le reste.

Elle ne voyait pas les paysages qui se déroulaient sous ses yeux. Elle allait de l'espoir le plus fou au plus grand désespoir: se retrouver dans ses bras, ne pas le revoir. Arrivée au terminus Berry-DeMontigny, elle sauta dans un taxi et indiqua au chauffeur l'ancienne adresse de ses parents. Peut-être oserait-elle se rendre au res-taurant Lafont afin de vérifier si Dimitri saurait la reconnaître.

Elle régla le prix de la course, descendit de la voiture et se sentit tout à coup dépaysée. Le nom de la rue était le même, mais tout avait changé. Même la ruelle était disparue. Catherine se mit à trembler. Elle marcha jusqu'à son école qui était toujours là. Elle se sentait sur le bord de défaillir. Un restaurant se trouvait à quelques pas. Elle entra, commanda un café. Quand on vint le lui servir, elle questionna:

— Le quartier a bien changé! Je ne m'y reconnais plus.

— Pas pour le mieux; enfin, pas pour nous. On a démoli les pâtés de maisons sous prétexte que c'était des nids-à-feu, avec hangars de bois. On a bâti à la place ces habitations à prix modiques. Ce n'est pas ce qu'il y a de mieux comme clientèle. Vous voulez autre chose?

Trois ans de rêves, trois ans d'espoir venaient de s'évanouir! Catherine prit le chemin du retour, la mort dans l'âme.

Roger qui s'était fait à l'idée qu'elle ne rentrerait pas avant le lendemain, s'exclama:

— Tu ne pouvais pas rester loin de ton papa, hein! Chaton?

— Va te faire foutre!

Roger, suffoqué, leva la main; il lui fallut un grand effort pour suspendre son geste. Catherine fila vers sa chambre en coup de vent et fit claquer la porte derrière elle.

Dans son âme révoltée, il n'y avait place que pour la haine et le goût amer de la révolte. Catherine détestait le genre humain dans son entité. Elle ne sortait plus de sa chambre, refusait de passer à table, dormait le jour, se levait la nuit, faisait jouer la radio à tue-tête, c'était l'enfer. Le pauvre père avait mis tout ce temps à comprendre que sa fille avait de graves problèmes d'ordre psychologique. La crise dura quinze longs jours, quinze longues nuits. Puis ce fut le calme plat. Catherine rentra de nouveau dans sa coquille.

Son père décida de porter le grand coup. Il pria Diane de s'absenter le lendemain; Catherine devrait expliquer ses sautes d'humeur, justifier sa conduite inacceptable. Un tête-à-tête était préférable. Il n'osa pas ajouter que sa présence ne pourrait qu'envenimer la situation. Diane éprouva un certain soulagement, à l'idée de n'être pas là pour la confrontation. Catherine devenait un fardeau lourd à porter.

Roger prépara le déjeuner, alla frapper à la porte de sa fille, la pria de venir le rejoindre à la cuisine. Il versa le café, but le sien. Catherine n'était toujours pas arrivée. Alors il retourna à sa chambre, entra sans prévenir. Elle était couchée sur le dos, les bras croisés derrière la tête, perdue dans ses rêvasseries.

— Tu ne m'as pas entendu?
— Je ne suis pas sourde.
— Qu'attends-tu pour te lever?
— Que ça me chante.
— Ah! oui. Moi, c'est tout de suite que ça me chante. Lève-toi. Tu as besoin d'aide? Je vais t'aider.

Il souleva les draps, la saisit par les épaules, et l'obligea à sortir du lit. Catherine fondit en larmes.

— Épargne-moi ta comédie. Enfile ton peignoir.

Le ton n'invitait pas à la réplique. Elle s'exécuta.

— Et maintenant, que dois-je faire?
— File vers la cuisine, allez, file.

Il lui emboîta le pas.

— Bois ton café et mange.
— Il est froid.
— Bois-le quand même. Où es-tu allée le jour de ce soi-disant rendez-vous chez une compagne?

À l'étonnement qui se lisait sur son visage, Roger comprit qu'il avait misé juste.

— On m'espionne?
— C'est moi qui questionne, aujourd'hui. Et je veux la vérité.
— À Montréal.
— Pourquoi à Montréal?
— Ça, tu ne le sauras jamais.
— Tu parleras bien malgré toi, un jour.
— Des menaces! Toujours des menaces.
— Je ne t'ai jamais menacée, mais toujours choyée et protégée. Ma patience a des limites, elles sont atteintes. Pourquoi m'avoir menti? Craignais-tu que je t'empêche d'aller à Montréal? Si oui, c'est que tu caches quelque chose de répréhensible. Tes secrets t'appartiennent, mais je veux connaître les raisons de ta conduite inexplicable.

Roger brûlait du désir de lui demander si sa chute était accidentelle ou voulue, mais les mots mouraient dans sa gorge. Il s'était promis de la laisser parler sans lui donner de porte de sortie. Elle avouerait de son propre gré ou rien du tout.

— Je m'ennuie.
— Trouve mieux, épargne-moi tes balivernes.

Catherine se taisait, elle jouait avec son couteau, lacérant la rôtie dans son assiette. Roger attendait. Elle gardait les yeux baissés; un instant il aurait souhaité la bercer comme un bébé, elle faisait pitié à voir. La minute d'après, il la voyait ruser pour la première fois. Et ça le révoltait, il sentait la colère grandir en lui. Il leva la main et la laissa tomber sur la table de toute sa force. Catherine bondit, échappa le couteau, leva des yeux horrifiés.

— Papa!

Du même ton, il répéta:

— Catherine!

Cette fois, ce fut le poing qui fit danser les assiettes.

— J'attends tes explications.
— J'avais un amoureux, je l'ai perdu. Maman a réussi à le disgracier à tes yeux.
— Ne mêle surtout pas ta mère à tes vacheries! Tu m'entends? Ta conduite est ici en cause, nous ne faisons pas le procès de ta mère.
— J'ai perdu mon amoureux.
— Et?
— Que veux-tu savoir?
— Les raisons de ta conduite.

— Je n'en ai pas. Je n'en ai pas, papa. Tu dois me croire.

— Tu agis sans raisons: c'est ce que tu essayes de me faire gober?

— Peut-être que j'ai besoin d'attention.

— C'est pour ça que tu dors le jour et nous tiens éveillés la nuit, que tu piques des crises d'hystérie, que tu mens à plein nez, que tu te conduis en insensée?

Roger se tut, subitement. Il sentait qu'il perdait du terrain, il lui fallait contrôler ses émotions. Il préférait se taire, se calmer avant de poursuivre. Catherine ne devait pas sortir vainqueur de cette première mise au point, ce serait la priver du seul point d'appui qu'elle avait: son ascendant sur elle. Elle devait continuer de croire en son père. D'une voix adoucie mais toujours ferme, il dit simplement:

— J'attends, Catherine.

— Tu ne m'aimes plus.

— Non! Tu ne vas pas recommencer à jouer au chat et à la souris?

— Vous ne me croyez jamais.

— Nous t'avons toujours crue jusqu'à ce que tu nous obliges à te retirer notre confiance. Nous en sommes là.

— Vous autres, les hommes, vous salissez toujours tout!

— Tu parles à ton père, Catherine. Je ne suis pas les hommes, je suis ton père.

— Dis-moi ce que tu attends de moi.

— Que tu cesses d'agir en étourdie, que tu te serves de ta tête, que tu te conduises comme une adulte sensée. Sinon, ma fille, je verrai à ce que tu retrouves ton équilibre.

— Comment?

— Tu tiens à le savoir?

— Oui.

— Je te préviens, tu n'aimeras pas ma réponse.

— Dis-le!

Elle avait hurlé. Cette fois encore il ressentit un désir fou de l'étreindre, de la cajoler.

— Tu vois bien, papa, que ce n'est pas facile de répondre.

— Ce ne l'est pas quand on veut épargner une grande peine à un être qu'on aime.

— Je veux savoir.

— Écoute, Catherine. Je suis prêt à passer l'éponge, à te donner le bénéfice du doute, à croire qu'une déception amoureuse est à la base de ton désarroi. De deux choses l'une, à toi de choisir. Tu prétends que ton drame remonte à plus de trois ans, qu'à cela ne tienne. Je vais te parler du futur. À partir d'aujourd'hui, tu te prends en main, pas moi, pas ta mère, toi et toi seule. Je serai là pour t'aider, tu n'auras qu'à me faire signe et je comprendrai, à demi-mots s'il le faut. Ne trompe surtout plus ma confiance. Sinon, je te préviens, tu me forceras à prendre les grands moyens.

— Qui sont?

— Il y a des cliniques qui soignent ce genre de problèmes.

Elle sursauta, porta la main à la bouche. Le premier moment de surprise passé, elle s'adossa et baissa les yeux.

Roger avait perçu une lueur au fond de ce regard qui lui faisait peur, il n'était plus sûr d'avoir réussi à toucher son âme.

— Je peux me lever, papa?
— Attends. Dis-moi, Catherine, te drogues-tu?
— Non, mais tu es fou!
— Voilà, ma fille, ce que j'appelle une réponse vraie, nette, précise, qui vient du fond du cœur. Tu vois comme ça peut être facile! Va, Catherine. Je t'aime.

Il la regarda s'éloigner, il aurait préféré qu'elle ait répondu positivement à cette dernière question qui ne lui était pas venue à l'esprit plus tôt car il ne s'était jamais arrêté à une telle éventualité. «Le vice de la drogue, ça se guérit, mais la dureté du cœur est plus difficile à extirper.»

La jeune fille qui venait de le quitter lui donnait l'impression d'être une parfaite étrangère. «Catherine n'est plus mon bébé, ni une adolescente, elle est devenue une femme. Si vite, trop vite. Elle m'échappe, je le sens; quand interviennent-ils les liens du sang, le nœud qui est censé unir la famille? Ne serait-ce qu'un mythe que l'on s'efforce de croire, surtout dans les passes difficiles, afin de ne pas perdre confiance? Où s'arrêtent les responsabilités? Le jour qu'elle prononce le oui solennel, libérant les parents, transférant du coup les obligations à un nouveau noyau familial?»

Roger se rendit au travail, il avait besoin de changer de décor.

***

Lorsqu'elle entendit la porte se fermer, Catherine laissa échapper un profond soupir. Enfin, elle pourrait penser librement.

Son père, qu'elle avait toujours considéré comme son point d'appui, venait de lui enlever ses dernières illusions.

Elle avait déjà opté pour le couvent et ses règles austères qu'elle préférait à la surveillance de ses parents, consciente que les études lui aideraient à se préparer au jour tant attendu où elle volerait de ses propres ailes.

Mais, des cliniques spécialisées, le psy et le sofa! Elle irait livrer son âme à nu, elle, Catherine Rousseau, alors qu'elle avait perdu toute considération pour avoir montré ses seins! Jamais! Ni à un psy ni à personne! Elle ne ferait jamais plus confiance à aucun être humain. L'amour, les beaux mots, la douceur et la tendresse: elle en connaissait la profondeur noire, la futilité. Aussi elle saurait les utiliser, mais en sa faveur, et en sa faveur seulement.

Elle n'avait que dix-sept ans: encore une année de soumission enjolivée des conditions que son père venait d'énumérer? «Moi, je jouerais les Catherine la sainte pendant un an? Ils auraient le temps de me rendre folle; des cliniques spécialisées... à la première gaffe, sans doute.» Elle se remémorait le roman *La fosse aux serpents*, cette histoire terrible qu'elle avait lue et qui l'avait fait frémir pendant des jours, jusqu'à perturber son sommeil.

Elle bondit. Elle partirait, tout de suite. Debout devant sa garde-robe, elle choisissait les vêtements à prendre et les entassaient séparément, afin de pouvoir précipiter sa fuite. L'occasion était belle, sa mère était absente. Elle vida un tiroir de sa commode et fit le même tri. Elle jeta un dernier coup d'œil à ses choses, afin de s'assurer que rien ne pouvait éveiller des soupçons chez ses parents.

L'état de sa chambre la satisfaisait. Maintenant, elle deviendrait la fille soumise et vertueuse que l'on exigeait. Elle rangea la cuisine, fit disparaître les traces du fameux déjeuner-causerie qui l'avait tant humiliée, et poussa la générosité jusqu'à préparer le repas du soir.

Jetant un coup d'œil sur l'horloge, elle compléta sa mise en scène. Le poste de radio répandait une musique douce. Laissant la porte de sa chambre grande ouverte, elle se dévêtit et enfila son peignoir. Sur son lit, elle posa machinalement une robe et, tout près, les souliers. Elle baissa la température du four, régla la minuterie et plaça les légumes sur le feu.

Voilà que sa mère arrivait. Elle se dirigea vers la salle de bains, ouvrit le robinet de la douche et demanda:

— C'est toi, papa?
— Non, c'est maman, Catherine.
— Veux-tu surveiller les légumes? Je me lave la tête.
— C'est bien, ce que tu as fait! Ton père va être ravi.

«Ce cher petit papa», pensa Catherine.

— Tu me parles, maman? Je ne t'entends pas.

Lorsque son mari arriva, Diane lui demanda à mi-voix:

— Qu'est-ce que tu as bien pu lui dire? Regarde-moi ça, même le couvert est dressé; elle a préparé le souper, la maison est impeccable.

— Où est-elle?

— Sous la douche.

Roger hocha la tête. Il n'aimait pas ça. Ah! mais pas du tout. Chaque fois qu'elle faisait de l'excès de zèle, elle préparait un mauvais coup en sourdine. Il garderait l'œil ouvert.

Catherine rigolait. Que ne donnerait-elle pas pour voir et entendre son père se glorifier d'avoir réussi à la mater?

Roger se hasarda, il jeta un œil dans la chambre de sa fille; un livre traînait sur son bureau; il le prit, le retourna pour en voir le titre: *La guerre des deux roses*.

Ce qui fit sourire Catherine, c'est qu'elle avait délibérément caché le titre; on avait retourné le livre, donc on l'épiait; elle en avait maintenant la certitude. «J'aurais dû choisir *La tête contre les murs* ou *Vipère au poing*... c'eût été plus de circonstance! Assez de condescendance pour aujourd'hui. Ce soir, je provoque.» Elle vint prendre place à table et demanda avec désinvolture:

— Tu as passé une belle journée, maman? Dis-moi, tu es toujours la championne de ton club de bridge? Veux-tu que je fasse le service?

La mère jeta un regard furtif en direction de son mari.

— Non, ma chérie, tu en as déjà assez fait, ça promet d'être délicieux ce repas. Surtout, quelle belle surprise tu nous as faite! Je ne savais pas que tu cuisinais si bien.

— Tu ne m'en as jamais donné le loisir.

— Je ne voulais pas te blesser...

— Mais tu le fais, non?

— Sois polie, Catherine, supplia Diane.

— Et souris, en plus, je suppose. Allons, dis-le. Va-t-il falloir que je devienne nonne pour avoir la paix?

— Catherine, tu ne vois pas que tu fais du chagrin à ton père: il n'a pas desserré les dents depuis le début du repas.

— Il aurait appris à se taire, ça vaut mieux!

— Catherine! protesta Diane.

Celle-ci se leva et entreprit de desservir la table. Sa victoire avait assez duré, elle reprenait son rôle de fille soumise; chaque geste était posé, avec une délicatesse mesurée. Sans un mot, elle retourna à sa chambre, s'appuya contre la porte qu'elle venait de fermer. Elle sourit. «Je serais gentille si je les quittais après leur avoir donné l'occasion de m'apprécier...»

Catherine ne parut pas de la soirée. Les parents, tiraillés par leurs inquiétudes, n'osaient aborder le sujet de leurs préoccupations réciproques. Roger se surprenait à espérer que sa fille soit envoûtée par la lecture de ce livre vu sur son bureau. «Il y a trop de divergences entre nous, le dialogue est impossible. Si ma fille dit la vérité, qu'elle souffre d'une peine d'amour, elle finira par oublier et tout entrera dans l'ordre... À cet âge, est-ce seulement possible?»

Roger ouvrit les yeux, sa femme n'était plus au salon; il plia le journal derrière lequel il s'était dissimulé, et le cœur contrit, il continuait de se désespérer.

***

Catherine, réveillée, gardait les yeux rivés sur le réveille-matin; enfin la voix de sa mère lui parvint:

— Je m'en vais, Catherine, sinon je vais être en retard.

Ce n'était pas trop tôt, elle attendait cette minute avec anxiété. Elle s'empressa de placer ses choses dans ses valises, brossa ses cheveux, s'assura d'avoir son billet d'avion, tout l'argent qu'elle possédait. Elle sortit, verrouilla et laissa les clefs dans la boîte aux lettres. À l'aéroport d'Ottawa, elle se réjouissait: elle réalisait un premier rêve, prendre la voie du ciel pour s'envoler vers l'inconnu. Elle regardait, le nez collé au hublot. On survolait les nuages, des ballots d'ouate qui ondulaient, et plus haut le ciel d'un bleu limpide. «Ce pourrait être une mer houleuse», pensa-t-elle. Comme destination, elle avait choisi Québec, histoire de brouiller les pistes. De là, elle reviendrait vers Montréal par la route.

À l'Ancienne-Lorette, la plupart des passagers descendirent. Elle les suivit; plusieurs étaient attendus, des cercles se formaient, on s'embrassait. L'arrivée des bagages lui créa certaines émotions fortes. Comme tous les autres, elle avait pris un carrosse qu'elle poussait devant elle. Une dame avait placé son sac à main sur l'un d'eux et attendait avec le groupe pour prendre ses valises. Catherine saisit l'occasion: elle ôta son manteau et le jeta machinalement sur le panier de la dame, saisit ses bagages, les y déposa et, le plus simplement du monde, marcha vers la sortie.

Le taxi s'empara d'une valise, Catherine prit son manteau, y dissimula le sac de la dame et monta dans la voiture.

— À quelle adresse dois-je vous conduire, Madame?
— Vous connaissez un hôtel à prix raisonnable?
— Dans la haute ou la basse ville?
— Près de la grande route.
— Un motel, ça ira?
— Oui.
— Alors en route pour Sainte-Foy.

Enfin il partit. Le sac sur ses genoux, elle tourna la tête et regarda défiler le paysage.

— Votre premier voyage à Québec?
— Non, j'accompagne souvent mon mari; habituellement nous venons par la route.

Il la regardait dans le rétroviseur, elle se demandait s'il pouvait percevoir son trouble intérieur. Aussi s'efforça-t-elle d'être désinvolte. Mais dans sa tête, des idées trottaient. Sa plus grande inquiétude avait été de pouvoir changer d'identité. La vue du sac à main de cette dame lui avait donné sa réponse. Elle avait une hâte folle de s'enquérir de son contenu. Il lui semblait lourd, ce qui l'intriguait beaucoup.

— À votre droite, vous trouverez un centre commercial et devant vous, sur la gauche, se trouve le pont.
— Je me reconnais, merci. Descendez mes bagages et je vais préparer l'argent de la course.

Elle sortit son portefeuille et enfouit le sac de l'étrangère dans le sien.

— Voilà, merci, la différence est pour vous.

L'homme porta le pouce à la casquette, remercia, et la voiture partit.

«*Les pignons bleus*. Ils peuvent bien tourner au rouge s'ils le veulent, pourvu qu'ils m'abritent.» Elle signa la carte qu'on lui présentait du nom de sa mère, Diane Montreuil, et donna leur ancienne adresse de Montréal qui, elle le savait pertinemment bien, n'existait plus. Elle frissonna d'aise: «Voilà un détail qui pourrait s'avérer très utile à l'avenir.»

La porte de son nouveau refuge fermée, elle marcha vers la fenêtre, regarda dehors, tira les volets, fit de la lumière et versa sur le lit le contenu du sac piqué si adroitement.

Cruelle déception, il contenait des bijoux, ce qui en expliquait le poids. Une pochette pleine de bijoux dont certains d'une très grande beauté. «Danger.» Le mot venait de résonner dans sa tête, telle une sonnette d'alarme. Les objets sont sûrement assurés, sa mère le faisait. Il ne fallait pas jouer avec ça, ils devenaient un embarras. Madame habitait Sillery. Mauvais, ça aussi: l'enregistrement de la voiture indiquait Lincoln. «Pas bon, ce n'est pas avec de tels papiers qu'on cherche du travail. Trois cents dollars: enfin du positif! Cartes de crédit, en dernier ressort seulement; s'abstenir. Un mouchoir de dentelle: vieux jeu! Un carton d'allumettes, Château Frontenac: à visiter. Tiens, et ça?» Elle huma: de la mari. Zut! Elle se rendit aux toilettes: trop compromettant. Elle brisa les joints, les jeta et s'assura que le tout disparaisse. «Une enveloppe, à l'en-tête de l'Assemblée nationale: une invitation. Un parfum: Joyce, le plus dispendieux au monde. Un caprice à m'offrir pour oublier mes déceptions. Un stylo en or: en tous points comme celui que maman utilise au bridge, mais qu'il était interdit de toucher.» Elle rit: «était» interdit! «Voilà que j'ai le mien!» Deux épingles de sûreté, des tissus qu'elle jeta vite à la poubelle.

Elle aurait volontiers donné tous ces objets pour un simple numéro social utilisable! Tout était à recommencer. Et voilà qu'elle avait une faim de loup. Elle rapailla cette fortune inutile, se demanda comment la faire disparaître, la glissa sous ses vêtements dans ses bagages et sortit. Elle ne se souvenait pas d'avoir eu une telle fringale. «La liberté me creuse l'estomac!»

Dans un cendrier, il y avait un carton d'allumettes; elle le pris: l'adresse du motel y figurait. D'un fichu elle attacha ses cheveux: changer de style, une autre priorité. Le trottoir était beau, le trafic agréable, les passants indifférents à sa présence, la vie était belle!

Elle marcha, marcha, la tête dans le vent, libérée. Ses pas la menèrent au Marie-Antoinette. Elle choisit une table devant une fenêtre; elle avait le goût des grands espaces comme là-haut, par-dessus les nuages. À la lecture du menu, ses papilles s'excitèrent, elle commanda et ses yeux voulurent dévorer les desserts étalés là. Elle soupirait d'aise tant elle se sentait heureuse. Elle avait l'impression d'être libérée d'un lourd fardeau. «Ah! liberté chérie!» Elle goba tout ce qu'elle avait choisi, redemanda un dessert, savoura son énième café.

Sa dernière fredaine l'avait bien déçue dans le résultat, mais quel plaisir elle avait éprouvé au moment de la faire! Elle tenait la tasse de café lorsqu'une idée naquit dans son cerveau; la coupe ne se rendit pas aux lèvres, le bras était levé, le geste suspendu. «Mais, c'est génial, ça!»

— Un autre café, mademoiselle?

Elle sursauta, regarda la serveuse.

— Non, merci, vous avez un téléphone public?
— Près des toilettes, passé la sortie.
— Apportez-moi la note.
— Je n'ai plus qu'à l'additionner.

Catherine réfléchit. Voilà, elle trouvait. «De ce que la vie peut être douce!» Elle se rendit vers l'appareil, scruta tout autour. «Idiote que je suis, je n'ai pas son numéro.»

Elle vola vers sa chambre, ouvrit le sac, consulta l'annuaire, se ressaisit: il ne serait pas prudent d'appeler d'ici. Enfin, elle repère une cabine téléphonique, s'y engouffre et signale. Une dame répond.

— Madame Saucier.
— Elle-même, oui.
— Il m'arrive une chose assez extraordinaire, chère Madame. J'arrive à peine d'Ottawa, voilà que parmi mes choses, je trouve un sac à main qui ne m'appartient pas. Je l'ai ouvert, ai pris connaissance de votre nom. Vous devez être morte d'inquiétude: tous ces beaux bijoux!

Voilà que madame Saucier remercie le ciel, parle de son désespoir, du réconfort que cet appel lui procure. Elle reprend confiance dans le genre humain, grâce à ce geste honnête.

— Ce qui m'étonne, madame Saucier, c'est qu'il n'y a qu'un billet de cinq dollars dans votre portefeuille, mais toutes vos cartes de crédit y sont, et vous en avez plusieurs. Un voleur n'aurait pas agi ainsi. J'ai beau me fatiguer les méninges, je ne parviens pas à m'expliquer comment...

— Que voulez-vous, au juste?

«Tiens, pensa Catherine, madame Saucier commence à comprendre.»

— Rien, si ce n'est avoir l'occasion de vous le remettre en mains propres. C'est trop précieux pour être posté. À moins que... c'est une idée ça, je pourrais remettre votre sac à la police.

— Non! Ne faites surtout pas ça.

— Ah! Pourtant, ce serait la façon la plus sûre...

— Non, je vous en prie. Essayez de comprendre, mon mari est politicien, je ne veux pas d'histoire.

Catherine sourit, la présence de la drogue dans le sac ne passerait pas inaperçue: là résidait le nœud de l'affaire. Un secret à protéger, envers et contre tous, était beaucoup plus important pour cette dame, sans doute très fortunée à en croire ses riches bijoux.

— Bon, nous nous comprenons. Je pars ce soir, je m'en retourne chez moi à Matane. Où pourrions-nous nous rencontrer, cet après-midi?

— Attendez que je réfléchisse.

— Faites donc, je vais vous rappeler dans quinze minutes. Car vous comprenez, je vous parle depuis une cabine téléphonique. À tantôt.

«Youpi! Si elle savait que j'ai fait disparaître les

pièces compromettantes, elle aurait l'esprit libre pour réfléchir.» Catherine avait le goût de danser. Elle se promena, regarda sa montre de temps à autre, décida de laisser poissonner Madame quelques minutes de plus. Elle savait, cependant ce qu'elle allait lui suggérer. Pas question qu'elle se jette dans la gueule du loup en acceptant les propositions de l'inconnue, quelles qu'elles soient, même alléchantes.

— Madame Saucier, bonjour.
— Je n'ai que cinq cents dollars de disponibles...
— Que c'est généreux! Voulez-vous me rencontrer devant le poste de police? Nous ferons nos échanges de façon bien candide. Mon mari a des confrères partout, je suis sûre qu'on se porterait garants de...
— Je vous en supplie.
— Vous pouvez vous absenter, maintenant?
— Bien sûr, oui.
— Je vous donne un numéro civique, boulevard Saint-Cyrille; vous vous y rendez dans trente minutes, je vous y rencontre. Soyons discrètes.
— Écoutez...
— Vous me reconnaîtrez, mes cheveux sont retenus par un fichu rouge. Trente minutes.

Catherine raccrocha, enleva le fichu rouge qu'elle jeta dans une poubelle, et héla un taxi.

— Boulevard Saint-Cyrille, à Sillery.
— Adresse plus précise?
— Je ne sais pas, mentait-elle, mais je saurai reconnaître la maison.

Tapie dans un coin de la banquette, elle souhaita de tout cœur ne pas avoir à regretter son geste. Par prudence, elle avait enroulé la bourse de cette dame dans un sac de buanderie mis à la disposition des pensionnaires du motel.

— Nous y sommes, madame.
— Ralentissez. Ça va, tournez au prochain coin.

Il n'y avait pas à s'y tromper, cette personne qui faisait les cent pas et regardait dans toutes les directions était bien sa victime. Catherine paya la note et demanda au chauffeur de repasser dans cinq minutes, au cas où son amie ne serait pas chez elle...

— Je peux vous attendre.
— Non, faites le tour du bloc.
— À votre aise.

Catherine mit ses verres fumés et se dirigea vers la dame qui la regardait venir. Mais elle ne s'arrêta pas près d'elle, la dépassa quelque peu, puis fit volte-face. La dame sursauta.

— Vous avez cette récompense?
— Et votre fichu rouge? Je croyais...

Puis la dame, confuse, lui tendit l'enveloppe.

— Voici la marchandise. Ah! J'ai gardé votre parfum.

Catherine, le cœur palpitant, s'éloigna, tourna au coin de rue et se mit à espérer que le taxi réapparaisse au plus tôt.

Il klaxonna pour indiquer sa présence. Elle reprit sa marche dès que le feu vert lui permit de traverser la chaussée. Catherine ouvrit la portière et se laissa tomber sur la banquette. Son objectif atteint, Catherine perdait subitement de son assurance, s'inquiétait, faisait des détours, s'efforçait de brouiller ses traces, se morfondait pour des détails inutiles. Tant et aussi longtemps qu'elle n'aurait pas repassé mentalement en revue chacun de ses gestes, elle serait troublée.

Sous le coup de l'impulsion, elle se sentait brave, capable de tout, ne savait pas accepter les contradictions, était incapable de générosité ou de désintéressement. Seule sa petite personne l'intéressait. Son ambition n'avait pas de limite. Ce qu'elle avait en tête devenait primordial.

La voie difficile qu'elle venait de choisir lui causerait bien des inquiétudes, mais elle s'en souciait peu, seul le but visé importait. Téméraire et impatiente, elle brûlait souvent les étapes.

Quand elle tendait une main pour donner, c'était pour recevoir en retour.

Dans le moment présent, elle vivait les minutes de la transition entre deux événements; une pause, une halte: telles les eaux de la mer étale, qui s'immobilisent un instant avant de reprendre leurs mouvements.

La voix du chauffeur de taxi la ramenait à la réalité:

— Votre amie n'est pas là?
— Elle est partie en voyage.
— Je vous ramène au point de départ?
— Non, au Marie-Antoinette.

Catherine alla aux toilettes, aspergea son visage d'eau froide, se regarda dans la glace et sourit. Elle marcha du restaurant à son motel, verrouilla sa porte et compta les billets de banque. La somme y était. Elle était tentée de rappeler madame Saucier pour lui demander si tout était en règle, mais elle se ravisa: «Il ne faut pas tenter le diable! Si papa m'avait suivie, il aurait admiré mes prouesses. Pauvre papa, il doit présentement se demander pourquoi je n'ai pas préparé le souper. Oh! la plume, j'ai oublié de lui confesser que j'ai aussi gardé la jolie plume.»

Catherine oublia vite ce détail, il y avait plus important à faire.

Assise dans la baignoire, elle revivait ces derniers jours. Elle n'avait plus la confiance de son père, c'était tout ce qui lui restait de son enfance et elle venait de la perdre. Ce n'était pas sous l'impulsion du moment qu'il avait prononcé ses menaces de la faire interner. Il n'était pas un impulsif, il avait sûrement réfléchi avant de poser ce verdict. «La confiance en sa fille ne reposait pas sur des bases très solides! Il s'est montré si cruel! Je n'avais d'autre choix que de partir, de déménager, comme ils l'avaient fait eux, pour étouffer mon soi-disant scandale. Si seulement ce maudit camion... mon père aurait pleuré, ma mère aussi, selon les convenances. Dimitri aussi, peut-être!»

Catherine prit le savon et le lança contre le mur. Penser à Dimitri la mettait en furie. «Si jamais je me retrouve devant cet ignoble personnage, il regrettera sa trahison, ça je me le jure.»

Drapée dans une serviette, elle retourna à la chambre; elle buta contre un objet, regarda à ses pieds un bijou s'y trouvait. Elle le ramassa: c'était une bague, sertie d'une turquoise enchâssée dans une masse de feuillets d'or. «Quel beau bijou! Il n'a pas la valeur de ceux que j'ai remis, mais il sera toujours mon préféré: il me remémorera mon premier jour de liberté. Cette bague est un symbole.»

Elle la glissa à son doigt; elle lui seyait à merveille. Étendue sur son lit, elle pensa à son prochain départ: Montréal serait sa destination, là elle pourrait se perdre dans la foule, devenir anonyme et peut-être retrouver les traces de son Judas. L'écran de la télé projetait une histoire d'amour. Elle ne le voyait pas, tout absorbée qu'elle était par ses pensées intimes. Seul son avenir la préoccupait.

Elle avait fui son passé, il lui fallait l'ensevelir au plus profond d'elle-même: c'est à ce prix qu'elle pourrait bâtir son avenir!

***

Ses réflexions lui suggéraient qu'elle devait rester bien sage et attendre quelques jours avant de se déplacer. Par contre, si elle partait tout de suite, elle aurait plus de chances d'organiser un peu sa vie. Son père, elle le croyait bien, ne rapporterait pas tout de suite sa disparition aux autorités. Il croirait à une simple fugue, à un coup de tête, laisserait couler un peu de temps avant de réagir. C'était dans sa nature de temporiser; il parlait fort, menaçait, mais n'était pas violent ni même colérique. Sa mère, elle s'en doutait bien, ferait tout pour l'empêcher de provoquer un scandale, ce qui travaillerait en sa faveur. Cette pensée la fit sourire.

Les faiblesses de l'entourage deviennent une force, madame Saucier venait de le lui prouver!

Après s'être choisi une nouvelle tenue pour le lendemain, elle se coucha et s'endormit, rassurée.

Elle se réveilla tôt, un instant dépaysée; la télé transmettait toujours ses images. Chez elle, on n'aurait jamais toléré telle désinvolture. «Voilà ce que c'est d'être libre: plus de remontrances!»

Elle régla la note, demanda qu'on lui appelle un taxi.

— Pouvez-vous me remettre votre clef, madame Montreuil?

Catherine ne comprit pas tout de suite.

— Oh! la clef, je l'ai laissée dans la chambre.

«Voilà, pense-t-elle, il faut plus d'aplomb quand on se permet de changer d'identité; je m'en souviendrai.»

La voiture était là.

— Prenez mes bagages, je vous prie.
— Oui, madame.
— Votre destination?
— Le terminus d'autobus.
— Mais, madame, c'est en face.
— Et alors? Vous croyez que je vais traverser ce boulevard avec ces valises?
— Évidemment!

«Le pauvre gars qui a marié cette chipie est bien à plaindre», pensa le chauffeur qui roulait au ralenti.

Catherine passa au guichet. Instinctivement elle gardait un œil sur ses effets personnels; l'expérience qu'elle venait de vivre la rendait soupçonneuse. Et ce fut le départ. «Pourquoi avoir deux ponts? Le plus vieux est beaucoup plus impressionnant.»

Catherine fonçait vers l'avenir, le passé ne comptait plus.

***

Berri-DeMontigny, encore le problème du transport: elle se jura de se procurer une automobile.

— À quel endroit voulez-vous que je vous conduise?
— Laval.
— Est ou ouest?
— Empruntez Décarie.

Zut! L'homme grommela; un instant il avait espéré être en présence d'une bonne poire qu'il aurait pu exploiter, mais la cliente connaissait la ville.

Catherine fixait le compteur: les yeux rouges du gobe-sous, toujours en mouvement, étaient gourmands; elle voyait sa fortune fondre. Il lui fallait penser vite, observer autour d'elle.

Là sur sa droite, un motel. Elle pria le conducteur de l'y conduire. De là, elle aviserait.

— Ce n'est pas encore Laval.

— Vous avez des objections?

Adieu pourboire, l'homme déposa les valises sur le pas de la porte. Elle se dirigea vers le bureau d'admission.

— Vous êtes seule?
— Oui, en transit seulement.
— Une nuit?
— Deux, je vous aviserai.
— Remplissez cette fiche.

Nom. «Vite, pensa Catherine, tu ne dois pas hésiter.» Elle inscrivit celui d'une compagne de classe et donna une adresse quelconque, à Sillery. Elle regretta le choix de cette ville, mais il n'était pas question de biffer.

— Vous payez par carte de crédit?
— Vous acceptez l'argent, j'espère.

Le garçon sourit, encaissa et reprit la lecture de son journal. Il lui faudrait se débrouiller seule avec ses bagages. «Le journal, c'est ça, il fallait y penser!»

— Vous avez *La Presse*?
— Dans la machine qui est là, répond le préposé sans lever les yeux.
— Merci pour l'accueil chaleureux!

Pour comble de malheur, sa chambre se trouvait au bout d'un long corridor. Derrière sa porte close, elle se pencha sur les petites annonces. Le plus urgent était de se loger. Après quelques appels elle trouva ce qu'elle cherchait: un *bachelor* meublé à un prix raisonnable. Elle prit rendez-vous.

C'était minable, mais c'était un abri; on acceptait de le lui louer au mois, sans bail, à condition qu'elle paye argent sonnant. L'expression, inconnue d'elle, la surprit, mais elle ne se formalisa pas, puisque trop heureuse d'être enfin logée. Elle paya le premier mois de location, elle emménagerait le lendemain. «Et de un, pensa-t-elle. Aucune signature, aucune autre obligation que de payer en argent sonnant. Piètre logis! critiquerait maman; pour le moment, ça suffira.»

***

Catherine, riche de ces dernières expériences, élaborait à l'avance des réponses aux questions élémentaires auxquelles il lui faudrait répondre éventuellement. Au logeur, elle avait donné comme nom Micheline Lavigne. L'homme avait répété le nom: «Micheline Lavigne, ça rime». Elle ne l'a pas trouvé drôle; le rire de l'homme dégénéra en grimace devant l'allure choquée de Catherine. Il se montra dès lors plus déférent.

***

Catherine enleva le turban qui dissimulait ses cheveux, plaça des objets de toilette dans la salle de bains qu'elle nettoierait avant de l'utiliser. Elle ne déballa que le strict nécessaire de ses vêtements. Le logeur se présenta à sa porte, sous le prétexte de lui apporter des ceintres. Les bagages semblèrent le rassurer. Elle s'informa: l'épicerie, le salon de coiffure, la pharmacie.

«Un centre commercial à huit minutes de marche», avait-il affirmé. L'endroit remontait dans son estime. Elle passerait d'abord chez le coiffeur.

Ses cheveux châtain clair furent sacrifiés; ils devinrent roux sous l'effet d'un colorant. Sur sa joue droite, elle avait collé une mouche. Elle se regardait dans la glace, satisfaite de l'effet.

— Vous vous métamorphosez à vue d'œil; avec votre teint, cette couleur vous ira à ravir.

La conversation devint amicale: qu'est-ce qui l'incitait à colorer ses cheveux roux? Un amoureux?

— Non, une lubie.

Catherine improvisa; elle aimait l'histoire qu'elle racontait avec tant de brio qu'elle commençait à la croire: elle avait eu dix-huit ans un mois plus tôt; à la suite d'un pacte avec sa famille, on lui avait permis de quitter la maison, d'aller vivre seule, moyennant promesse de les tenir au courant de ses faits et gestes. Depuis toujours elle rêvait d'être rousse. C'était son premier pas sur le chemin de la liberté... On lui avait remis cinq cents dollars, elle devrait se débrouiller.

— Quelle charmante histoire! Vous avez des parents compréhensifs et bien dans le vent.
— Ah! oui, de l'orgueil aussi. J'espère ne jamais avoir à perdre mon pari, car je suis convaincue que leur décision fut prise parce qu'ils espéraient me voir revenir bredouille.
— Vous avez trouvé du travail?
— Non, pas encore.
— Et la réserve baisse vite.
— À qui le dites-vous!
— Vous n'avez jamais travaillé?
— Je sors à peine des études.

— Je vois.

La dame semblait réfléchir.

— Quel est votre nom, déjà?
— Micheline Lavigne.
— Micheline, aimeriez-vous travailler dans la coiffure?
— Je n'y connais rien!
— Ça s'apprend. Je pourrais vous initier: d'abord les shampooings et tranquillement...

Catherine n'entendait plus, elle s'inquiétait car elle n'avait aucun papier; tout ça était si inattendu, si subit! Elle jouerait le tout pour le tout, elle confia ses lacunes à la dame.

— C'est normal, voyons! Vous n'en avez jamais eu besoin puisque vous étiez étudiante et, de plus, mineure. Il est facile de remédier à ça.

Catherine fut embauchée; au salaire minimum, mais tout de même, elle toucherait un salaire. Elle aurait enfin un statut, c'était un point de départ. Elle poussa la hardiesse jusqu'à demander l'autorisation de donner comme adresse celle du salon, en attente d'une adresse définitive. La future patronne s'émerveillait des éclats de joie de la jeune fille.

— Mes parents ne sauront pas que j'apprends un métier, attendez que je leur annonce que j'ai du travail. Je leur tairai les détails, quelle surprise à leur faire!
— Lundi, ça vous va? Dès neuf heures. C'est un jour plus calme, il me sera possible de vous initier. Vous pratiquerez d'abord sur ma tête.

Catherine se leva, fit l'accolade à cet ange envoyé du ciel...

Lorsqu'elle quitta le salon de coiffure, elle était rousse, coiffée à l'image d'un grand mannequin choisi dans une revue de mode, avait du travail, un nouveau nom, une patronne, un salaire en perspective, qui plus est: une identité. Elle ne portait plus à terre, elle avait des ailes.

Catherine fit une halte à l'épicerie. Cette fois encore, elle avait la fringale. Elle consacra sa fin de semaine à nettoyer son logis. La vie était belle!

***

Le soir du départ de Catherine, ses parents l'avaient attendue avant de se mettre à table, en vain. La soirée s'était étirée, Diane était de plus en plus préoccupée mais tentait de n'en rien laisser paraître. Au plus petit bruit, Roger levait les yeux de son journal. Il leur fallait en venir à l'évidence, elle ne rentrerait pas.

— Où crois-tu qu'elle est?
— Comment le saurais-je?
— Lui as-tu donné de l'argent?
— Non.
— Alors elle va revenir.
— Je n'en suis pas si sûre.
— Pourquoi? Où veux-tu qu'elle aille, sans argent?
— Elle en a un peu.
— Qu'en sais-tu?
— Il y a quelques jours, son portefeuille était sur la table. J'y ai jeté un coup d'œil. Elle avait plus de six cents dollars.

— Six cents dollars!

— Il y a autre chose...

— Dis-moi tout, Diane.

— J'ai remarqué que, depuis plusieurs mois, elle ne s'achetait plus rien; je crois qu'elle préparait sa fugue...

— Selon toi, il s'agit d'une fugue? Tu me caches quelque chose.

— Des vêtements manquent dans sa garde-robe. Elle a aussi pris ses produits de beauté.

— Bon!

— C'est tout ce que tu trouves à dire?

— J'aime mieux ça.

— Je t'avoue ne pas te comprendre. Pourquoi aimes-tu mieux ça?

— Au moins, elle a agi délibérément, c'est une simple désertion. Ce n'est sûrement pas avec ses économies qu'elle va vivre bien longtemps; elle va devoir revenir un jour ou l'autre.

— Elle est mineure, Roger, et sous ton entière responsabilité.

— Que veux-tu que je fasse? Me mettre à sa poursuite? Ça donnera quoi? Tôt ou tard, elle partirait encore. Non, ce n'est pas la solution. On lui en a assez fait voir dernièrement, vaut mieux lui laisser la liberté de choisir. Présentement, Catherine a besoin d'une certaine latitude. Elle n'est pas sotte, elle a une tête solide. Elle est déjà partie une fois; ça ne lui a pas réussi, elle est revenue. Ce n'est qu'une question de temps.

— Et si elle devait retrouver ces voyous à Montréal, tu ne crains pas qu'elle perde encore la tête!

— La tête, non...

— Roger!

— On ne peut pas l'attacher, c'est presque une femme.

— Tu te résignes à laisser vagabonder ta fille!

— C'est comme ça que les choses se passent, de nos jours.

— Ta fille n'est pas mademoiselle tout le monde!

— Ça nous prouve que nous n'échappons pas au commun des mortels!

— Roger Rousseau. Épargne-moi ton humour noir, appelle au moins la police.

— Pour lui dire quoi? Que notre fille est partie sans prévenir? Sans laisser d'adresse? Sans informer papa et maman?

— Rapporte-la disparue, c'est le moins que tu puisses faire.

— La belle histoire. La police a d'autres chats à fouetter.

— Et si elle se droguait?

— Non.

— Comment peux-tu l'affirmer avec autant de conviction?

— Nous en avons discuté.

— C'est du propre!

— Crois-moi, Diane, le mieux à faire c'est de la laisser s'étourdir à son goût. Elle rentrera au bercail, tôt ou tard.

— Mais dans quelle condition?

— Ça, c'est le risque à prendre. Elle a reçu une bonne éducation, a une certaine instruction, il faut lui faire confiance. Ce qui s'est passé à l'adolescence n'est pas si grave après tout. Nous en avons fait une salade, je n'ai pas l'intention de la détruire à tout jamais. Il faut lui laisser de la corde.

— Et si elle se pend avec?

— Il sera alors temps de pleurer.

— Je n'ai jamais rien entendu d'aussi inconséquent!

— Je lui ai donné tout l'amour que j'avais, elle doit maintenant voler de ses propres ailes.

— Qui es-tu, Roger Rousseau, pour parler ainsi?
Un papa oiseau qui laisse son oiselet menacé s'éloigner
du nid?

— Tu viens dormir? Je dois quitter tôt demain.

— Monsieur doit quitter tôt demain!

Roger se dirigea vers sa chambre. Diane resta au
salon. Le père laissa tomber le masque, il était beaucoup plus préoccupé qu'il ne l'avait prétendu. «Si seulement j'avais su me taire! Cette histoire de clinique y
est sûrement pour quelque chose dans sa décision. J'ai
manqué de jugement, gravement. Catherine est présentement très vulnérable. J'espère qu'il n'arrivera rien
de grave à ma fille, je ne me le pardonnerais jamais. Je
vais laisser passer quelques jours et j'irai à Montréal
vérifier si elle a été vue dans le quartier où nous vi-
vions. Si elle voulait revoir son amoureux, c'est vers cet
endroit qu'elle se serait dirigée.»

Roger avait mis beaucoup de temps à s'endormir,
son sommeil était agité. Quant à Diane, elle avait passé
la nuit sur le divan du salon.

***

Thérèse Labrosse se réjouissait un peu plus chaque
jour d'avoir fait confiance à Catherine. Elle mettait
beaucoup d'ardeur à apprendre son nouveau métier,
avait les aptitudes requises.

Elle savait se montrer discrète, vaillante, empressée,
toujours courtoise avec la clientèle; en un mot, elle
était sans reproche.

Pendant quelque temps, la patronne avait surveillé

les entrées de la caisse, mais bientôt elle fit entière confiance à son employée. Elle ignorait que la jeune fille n'avait pas d'appétit pour le menu fretin, que ses ambitions étaient d'une tout autre envergure!

Après l'apprentissage des shampooings et de la mise en plis, Catherine en vint à la coupe des cheveux; elle ne tarderait à atteindre le sommet, la fine pointe de l'art en coiffure: styliser, créer ses propres modèles.

— Ce soir, vous devez innover, Catherine. C'est la raison secrète pour laquelle je garde mes cheveux longs; je sers de modèle à mes élèves, ainsi je les vois progresser et je suis à même de les juger.
— Jusqu'à maintenant, ai-je répondu à vos espoirs?
— Coquine, va! En quête de compliments.
— Bon, revenons au travail; dites-moi, chère madame, qu'est-ce que vous désirez aujourd'hui!
— Un chignon, mademoiselle, un chignon bouclé.
— Je vois. Nous avons ici des modèles, je vous remets cette revue où figure ce genre de coiffure; si madame veut bien choisir...

Madame Labrosse pouffa de rire.

— C'est ainsi que vous parlez aux clientes?
— Bien sûr. Ces chères dames ont toujours une belle forme de tête, des cheveux malléables... qui ont seulement besoin de bons soins. Même celles qui n'ont que quinze poils sur la tête et voudraient le style Marie-Antoinette!
— Que vous êtes drôle!
— Après les heures de travail, c'est bien permis, autrement je suis d'un sérieux qui m'épate moi-même. J'aime ce métier.

— Ça se voit, Micheline, vous y mettez tout votre cœur.

Catherine grimaça, à Micheline allaient les compliments... Catherine, elle, n'en avait jamais eu. Tout en plaçant les cheveux, elle se reprochait de ne pas se sentir heureuse. Après tout, jusqu'à maintenant tout se passait sans anicroche: elle possédait un métier; ça, on ne pourrait pas le lui enlever!

Madame Labrosse prit le miroir à main que lui tendait Catherine: dans la glace du mur elle pouvait admirer le travail de son élève.

— Mais, Micheline! Vous avez des dons extraordinaires, c'est excellent! Sauf, peut-être, que vous tendez trop les cheveux, ce qui leur enlève leur aspect naturel. Mais pour une première tentative, le résultat est inespéré. Vous irez loin.

— D'abord souper...

— Votre enveloppe de paie sera mieux garnie cette semaine, c'est ma façon de vous témoigner mon appréciation.

Catherine eut tout de suite une pensée pour son père, il serait fier d'elle. Sa pensée était attendrissante mais non miséricordieuse.

Tout en se rendant chez elle, Catherine revivait cette dernière scène, terrible: les mots «clinique spécialisée» la faisait encore frémir d'horreur; tout comme ces rires déchirants, un certain jour de pluie, un jour de mai, qui venaient encore hanter ses rêves, la poursuivaient partout!

Chapitre 5

À quelques rues de son appartement, se trouvait une épicerie où elle allait s'approvisionner. Elle s'y rendait souvent car il lui fallait transporter ses achats.

Un jour elle se rendit compte qu'en se faufilant entre deux immeubles, elle s'épargnait un grand détour. Elle avait donc gardé cette habitude. Elle s'y trouvait et hâtait le pas, car au milieu de ses achats se trouvait un contenant de crème glacée, et il faisait tout particulièrement chaud.

Elle aperçut une dame âgée, appuyée contre un mur, qui lui semblait malade.

— Ça ne va pas, madame?
— Avez-vous quelque chose de sucré, de la gomme, n'importe quoi?

Surprise, Catherine la regardait, ne comprenait pas le sens de la question.

— Vite, du sucre, je vais tomber...

Catherine déposa son sac, prit un morceau de chocolat, le remit à la malade qui semblait de plus en plus mal en point; elle tremblait de tous ses membres. Celle-ci le saisit, le mit dans sa bouche.

— Venez par ici, la pria Catherine.

Là, se trouvait un seuil de porte élevé par où entraient les marchandises. La dame se laissa conduire, sortit son mouchoir, appuya la tête contre le mur, ferma les yeux. Catherine l'observait.

— Vous sentez-vous mieux? Voulez-vous que j'appelle à l'aide?
— Non, ça ira. Merci, mademoiselle. Si vous n'aviez pas été là...
— Habitez-vous loin d'ici?
— Non, à deux pas.
— Êtes-vous assez bien pour vous y rendre?
— Grâce à vous, oui.
— Je vous accompagne à votre porte.

Catherine se penchait pour reprendre son sac de provisions, c'est alors qu'elle vit sur le sol le sac à main de la dame. Elle le lui remit et, revenant vers ses achats, elle posa le pied sur un objet; elle se pencha, vit un bracelet, le prit et le laissa tomber à travers ses provisions, au milieu de ses victuailles.

À la dame âgée elle offrit son bras libre. La dame semblait hors d'haleine, Catherine appela l'ascenseur.

— Je vous reconduis là-haut, tant pis pour ma crème glacée.

Elle aida la dame, déverrouilla sa porte, entra à sa suite, lui rendit la clef.

— Que c'est beau, chez vous!
— Merci, vous êtes gentille!
— Vous vivez seule dans ce palace?
— On s'habitue vite à la beauté des lieux qui nous

entourent, mais jamais à la solitude. Aussi je vous invite à dîner, à moins que vous soyez attendue.

— Non. Tout comme vous, je vis seule.

— Alors mettez vos choses au frigo. J'ai une casserole de prête: trois minutes au micro-ondes et nous aurons quelque chose à nous mettre sous la dent.

— Vous devriez vous reposer.

— Allez, allez! À la cuisine, je vous reviens.

La dame sortit de la pièce, marcha vers la salle de bains. Elle en ressortit souriante.

— Ça ira maintenant, j'ai pris mes médicaments.

Catherine pensait au bracelet, elle hésitait. Par contre, il ferait bon admirer ces bibelots d'un grand chic, flâner dans ces fauteuils invitants. Elle ne résista pas, la tentation était trop forte. La conversation devenait plus personnelle. Le nom de cette dame l'amusait: Zélie Chamberland.

— Je n'ai jamais entendu ce prénom.

— Ma mère avait des idées fixes, elle ne voulait pas que nous soyons baptisés sous le vocable des saints comme c'était la mode du temps. Elle choisissait le nom de ses enfants dans les romans qu'elle lisait. Elle avait réservé celui de Zélie, la dernière lettre de l'alphabet, pour son dernier bébé – Zénon si c'eut été un garçon. J'ai toujours aimé ces noms, grâce à ces histoires qu'elle nous racontait et qui motivaient le choix de chacun d'eux.

— Peut-être souhaitait-elle que vous accédiez à la sainteté pour compléter le calendrier des saints?

La dame se mit à rire, elle prisait la répartie.

— Vous êtes charmante, Micheline.

Le souper fut des plus agréables; l'hôtesse refusa la glace que Catherine offrit au moment du dessert. «Pour raison de santé.» Mais Catherine accepta l'invitation; elle reviendrait visiter celle qui la priait de l'appeler Zélie.

Le lendemain elle téléphona, histoire de s'enquérir de son état de santé.

— Venez passer l'après-midi si vous êtes libre.
— Désolée, Zélie, je travaille.
— Dimanche, alors?
— Avec joie.

Catherine était tiraillée par sa conscience. Elle aimait bien cette vieille dame qui lui avait témoigné tant de gratitude et d'intérêt. Le bracelet qu'elle avait en sa possession lui pesait, elle se réconfortait à la pensée que Zélie avait probablement plus de bijoux qu'elle pouvait en porter. Il s'agissait d'une belle pièce, elle était signée Coreos et quelques autres indications qu'elle ne pouvait déchiffrer. Elle la plaça avec la turquoise. «Après tout, je ne les ai pas piqués ces objets, ils sont dans les deux cas venus choir à mes pieds.»

***

Zélie était ravie: être septuagénaire et avoir une amie aussi jeune que Micheline était un véritable ravissement. L'idée lui était venue de l'inviter à venir habiter avec elle. Elle attendit quelques semaines avant de lui en parler. Catherine refusa, promit de venir plus souvent. Parfois, elle acceptait de dormir chez son amie, la veille de ses jours de congé.

— En dehors de vous, Micheline, je n'ai qu'une visite, Fleurida, qui m'est bien dévouée, il faut le dire. Elle est à mon service depuis dix ans. Sans elle, je devrais aller me terrer dans une de ces maisons pour personnes âgées, ça je ne le veux pas! Je resterai ici aussi longtemps que ma santé me le permettra. Trop de beaux souvenirs me lient à ce foyer. Mon mari y a vécu ses derniers moments; alors, vous comprenez?

Zélie, pour la première fois, parla de ce bracelet qu'elle avait perdu le jour de leur rencontre.

— Un bijou que je n'enlevais jamais, même pour prendre un bain. Mais voilà que j'assombris votre beau visage, avec mes histoires de bonne femme! Je radote! Oubliez ça!

Catherine fit bifurquer la conversation.

— Votre amie, Fleurida, n'a pas elle non plus un nom que l'on retrouve dans la litanie des saints.

Zélie sourit et expliqua que c'était justement cette particularité qui les avait réunies.

— Il est difficile, arrivé à un âge avancé, de s'ajuster aux changements. On perd ses parents, ses amis, un à la fois; tout évolue dans l'entourage, nos idées font vieux jeu, notre mentalité est de plus en plus discordante, d'où l'obligation de ravaler, de se taire, de ne pas se faire remarquer car on a vite l'impression d'être encombrante. Parfois, la vie me pèse: certains jours, je vois la fin comme une libération.
— Je vous interdis de parler comme ça, encore

plus d'y penser. Vous êtes alerte, pleine d'entrain, et si charmante quand vous ne dites pas de telles idioties. La vie est un cadeau, Zélie. Qu'est-ce qui vous arrive, aujourd'hui? Qu'est-ce que c'est, ces idées sombres? Est-ce la perte de ce bracelet?

— Non, pas précisément, il y a si longtemps que je n'ai pas exprimé mes pensées tout haut; un moment de mélancolie, ça passera. Excusez-moi, Micheline. Je ne voulais surtout pas assombrir notre soirée. Parlons d'autres choses.

Au même moment, le timbre de la porte d'entrée se fit entendre. Zélie pointa l'index dans cette direction, fit un clin d'œil et affirma:

— Il ne peut s'agir que de Fleurida; je lui ai parlé de vous, elle vient espionner.

La demoiselle était là, un jeu de cartes à la main. Catherine salua et s'esquiva, les laissant en tête-à-tête. «Ouf! Qu'est-ce qui m'arrive? Je ne vais pas commencer à faire du service social! Tout de même!»

Catherine désenchantait, la grande amitié était déjà sur le déclin. Elle rêvait de nouveauté, de quelque chose de plus enlevant.

Un drame mettrait le point final à l'enjouement suscité à la suite d'une rencontre fortuite qui avait jeté beaucoup de soleil dans la vie d'une recluse que les années avaient isolée.

***

C'était dimanche. Zélie téléphona à Catherine, la

priant de lui rendre service. Fleurida était alitée, elle avait besoin d'aide.

— Si vous pouviez venir au plus tôt.

— Donnez-moi un peu de temps, j'irai. Je me réveille à peine.

Catherine se demandait s'il s'agissait d'une urgence ou d'un caprice de nouvel ordre pour l'attirer chez elle. Après avoir déjeuné, elle se présenta chez Zélie qui l'attendait près de la porte. Elle ouvrit et retourna s'asseoir.

— Je ne suis pas bien, ma prescription a besoin d'être remplie, je ne peux sortir. Feriez-vous ça pour moi?

— Où est votre prescription?

— Sur mon bureau. Prenez de l'argent dans le premier tiroir de ma commode.

Catherine marcha vers la chambre: elle prit l'ordonnance médicale, ouvrit le tiroir. Là une épaisse liasse de billets de banque s'étalait à sa vue. Elle la prit, promena le pouce sur les dollars: une fortune. Sans réfléchir, n'écoutant que ses pulsions intérieures, elle en préleva plusieurs qu'elle mit dans son sac à main.

— Où faites-vous vos achats habituellement?

Catherine prit mentalement note, promit d'être vite de retour.

— Mais d'abord, venez vous étendre sur votre lit.

Elle l'y guida et sortit. Dieu que la tentation était forte de disparaître avec le magot. Est-ce un reste de pudeur qui l'en empêcha? Elle revint avec les médicaments, les déposa sur le bureau. Zélie devait sommeiller, elle ne bougeait pas. Catherine laissa la clef confiée sur la table du salon. En la déposant, elle aperçut le calepin ouvert à la page sur laquelle Zélie avait inscrit son numéro de téléphone. Elle déchira la page et s'éloigna. Zélie était dans un état comateux, mais Catherine l'ignorait.

Rentrée chez elle, Catherine ouvrit son sac, curieuse de savoir combien d'argent se trouvait là. Elle en eut le souffle coupé. Trois billets de mille dollars, trois de cent, un de cinquante: donc trois mille trois cent cinquante dollars! Une fortune! Combien de temps lui faudrait-il travailler pour économiser pareille somme? «Et dire que je n'en ai pris que quelques-uns!»

Revenue de sa surprise, elle prit peur. Si Zélie s'en rendait compte, elle alerterait sûrement la justice. Il fallait qu'elle trouve le moyen de remettre cette somme en place avant qu'elle se rende compte de sa disparition. Elle téléphona dimanche soir, lundi, mardi. Sans résultat. La peur la tenaillait. Aussi quand les deux gaillards se présentèrent dans la porte du salon de coiffure, elle crut que sa fin était venue. Il lui fallut toute son énergie pour ne pas paniquer.

À quelques jours de là, Fleurida, inquiète de n'avoir pas de nouvelles de Zélie, lui téléphona; n'obtenant pas de réponse elle appela à l'aide. On retrouva Zélie, sans vie, couchée sur son lit. Sur le bureau se trouvait le flacon de médicament qui n'avait pas été utilisé. Il y eut enquête. Rien ne laissait soupçonner la triste vérité. Quelqu'un s'était trouvé là, Zélie avait-elle reçu l'attention que requérait son état?

La présence de l'argent dans le tiroir, le fait que tout était intact dans la maison, les clefs de l'appartement laissées sur la table, tout semblait régulier.

Thérèse Labrosse avait accueilli les policiers et leur avait désigné son employée, en ne ménageant pas les éloges à son endroit: honnête, toujours respectueuse, fidèle à son poste. Non, rien dans sa conduite à signaler.

Catherine coiffait une cliente, du miroir elle épiait ce qui se passait derrière elle. Elle s'efforçait de sourire et de garder un air naturel. Mais ses jambes vacillaient.

— Micheline, c'est vous que l'on veut voir. Je vais finir le travail, allez.
— Que se passe-t-il?
— Je n'en sais rien.

Elle déposa le séchoir, essuya ses mains et, plus morte que vive, elle marcha vers les agents.

— Mon père?
— Non mademoiselle.
— Vous m'avez fait peur!

Elle n'aurait pu dire plus vrai. Elle se pensait découverte.

— Quand avez-vous vu Zélie Chamberland pour la dernière fois?
— Dimanche, pourquoi?
— À quelle heure?

L'argent, pensa Catherine, une autre trahison. Elle blêmit et eut peine à répondre.

— Pourquoi, que lui est-il arrivé?

— Répondez d'abord à ma question.

— Laissez-moi me souvenir. Elle m'a réveillée, il devait être, peut-être dix heures. C'est facile à vérifier, je suis allée à la pharmacie faire remplir une ordonnance à son intention. Il devait être moins de midi. (L'agent prenait des notes.)

— Vous n'avez rien remarqué de spécial?

— Non. Elle s'est dite malade, je l'ai aidée à s'allonger sur son lit; quand je suis revenue, elle dormait. J'ai laissé les médicaments et suis sortie. Mais dites-moi, pourquoi toutes ces questions?

— Elle est décédée.

— Non, ce n'est pas vrai! C'est ma faute, je n'aurais pas dû la quitter! C'est ma faute, c'est ma faute!

Elle se laissa tomber sur une chaise et fondit en larmes. L'agent écrivait toujours. Il posa son crayon dans sa poche et dit d'un ton neutre:

— Ne vous éloignez pas, il y aura peut-être enquête.

Le «peut-être» lui fit un bien immense. Les policiers partis, elle pria madame Labrosse de l'excuser; elle avait besoin d'être seule, de rentrer chez elle.

— Que vous arrive-t-il?

— Une amie qui est décédée, on fait enquête, je ne sais pas pourquoi.

— Cette Zélie?

— Justement. Comment le savez-vous?

— Vous ne m'avez jamais mentionné une autre amie.

— J'ai craint qu'il s'agissait de mon père. J'ai eu si peur!

— Allez vous reposer.

Catherine sortit, s'appuya contre le mur, suffoquée. Elle vit les deux policiers dans la voiture qui discutaient. Elle poussa la hardiesse jusqu'à aller vers eux.

— Que puis-je faire pour elle? Que se passe-t-il ensuite? Fleurida va-t-elle s'en occuper? Son mari était décédé, elle aimait tant vivre!

Les questions fusaient sans attendre les réponses. Un des agents de la paix la prit en pitié.

— Il ne faut pas vous en faire, ce sont des choses qui arrivent.

Catherine s'éloigna. Dans le sac qui pendait à son épaule, se trouvaient les billets de banque volés qui la brûlaient. Elle s'éloigna, décida de ne pas rentrer chez elle; elle craignait d'être suivie. Elle entra au restaurant du centre commercial, se plaça de façon à voir si la voiture restait là. Elle commanda un café. «Noir et fort, s'il vous plaît.»

Quelques minutes passèrent, elle vit un des policiers qui se dirigeait vers la pharmacie. Là, il posa quelques questions. Le pharmacien consulta l'ordinateur. De fait, le nom et l'ordonnance remplie y figuraient. Il se souvenait: une fille jeune qu'il croise parfois dans le centre commercial, une coiffeuse sans doute, à cause de l'uniforme. Elle avait payé, avait en main le montant exact. Le policier remercia, sortit, et passa l'information à l'autre. Ils partirent enfin, au grand soulagement de Catherine.

Que faire? Fuir. N'ayant jamais eu de démêlé avec la justice, elle ne savait pas quoi redouter. Elle avait reçu l'ordre de ne pas s'éloigner en cas d'enquête; fuir serait éveiller les soupçons. Elle se félicitait enfin d'avoir changé d'identité; s'il y avait enquête, ce serait sous son nouveau nom. Oh! S'il fallait que son père soit informé de ça? Non, elle ne devait pas fuir, mais braver la situation. Ne pas gaffer surtout, s'en tenir à ce qu'elle avait dit. Puisque Zélie était décédée, le vol ne serait pas découvert. Voilà qui était réconfortant!

Les policiers rédigeaient leur rapport. Ils n'étaient pas d'accord sur tous les points.

— Une fille incapable d'avoir manigancé l'affaire, disait l'un.

— Une tête forte, prétendait l'autre. Je n'aime pas son regard, ses pauses, son audace. Elle a eu le culot de venir nous reluquer jusqu'à l'auto de patrouille alors que peu de temps avant elle sombrait dans le désespoir.

— Trop jeune, fille de bonne famille, impulsive et têtue mais pas une criminelle. Il n'y a pas eu crime, c'est ça qui nous concerne. Elle ignore sans doute tout du testament. Zélie Chamberland en était au quatrième depuis trois ans; celui-ci est nouveau, comme cette amitié qui les liait.

— Tu oublies l'histoire du bracelet qu'elle n'avait jamais enlevé selon l'avis de la vieille fille.

— Accessoire seulement. La mort de cette personne est une mort naturelle. De là à pouvoir prouver qu'il y a eu négligence criminelle, il faudra trouver d'autres éléments plus solides. La fille l'a secourue d'abord, le jour où elles ont fait connaissance: tu oublies ce détail. Ta vieille fille parle par dépit; rivalité. Sans doute qu'elle était informée du dernier testament, qui ne la dépouille pas entièrement de toute façon.

— Pourtant, mon flair...

— Ton flair, garde-le pour des cas plus corsés et Dieu sait s'il y en a! Zélie Chamberland est morte chez elle, dans son lit, était déjà vulnérable, sa maladie grave.

— Moi, je n'oublierai pas ce visage, plein de duplicité. La petite ne m'inspire pas confiance.

— Si elle avait porté ce bracelet, je ne dis pas.

— Ta! ta! ta! Elle est trop intelligente pour ça.

— On n'a pas été appelés à se pencher sur une affaire de vol, la marotte de la vieille fille t'a marqué.

— Voilà un beau cas qui excitera la patience et la curiosité de Cure-oreilles.

— Tu as bien raison, le fouineur va se délecter!

Ils éclatèrent de rire.

— Le maudit bracelet, de toute façon, elle en aurait hérité.

— Mais ça, elle ne le savait pas.

— Tu vois? Tu vois! Le testament datait de vendredi, la fille n'a pas rencontré la victime entre temps, elle ignorait tout. Ça ne se tient pas, ton affaire.

— «C'est ma faute, c'est ma faute...» Je n'ai pas aimé ça, ça sent le mélodrame.

— Tu prends la relève de Cure-oreilles, ma foi!

***

Catherine était entrée chez elle. Son piètre logis lui faisait l'effet d'une forteresse. Elle se dévêtit et fila droit vers la douche. L'eau froide lui aidait à reprendre ses esprits, elle souriait à la pensée de l'efficacité de la méthode préconisée par l'Église: calmer ses sens torturés par l'esprit du mal sous la douche froide. Ils l'avaient, eux, la solution!

Elle enfila son peignoir et s'étendit sur son lit. Elle repassait point par point les détails de l'affaire, depuis le jour de sa rencontre avec Zélie jusqu'aux questions des policiers, allant de sa conduite à l'attitude prise aujourd'hui. Elle s'innocentait, rien ne pouvait marquer en sa défaveur. «J'ai patte blanche, le reste n'est qu'accessoire. La pauvre Zélie, elle n'y pouvait rien, avait atteint le jour de la délivrance qu'elle attendait tant. Si je lui ai permis de le précipiter, elle doit m'en être reconnaissante là où elle se trouve.»

Voilà! L'histoire était classée. Il restait à faire disparaître temporairement les fruits que lui avait valus son implication dans la vie de cette femme, qu'après tout elle avait secourue. «Un acte de charité bien rémunéré.» Elle pouffa de rire. «Il me faudrait en faire un par semaine et je n'aurais plus à me salir les mains à laver les têtes de ces chipies qui crachent chichement les pourboires juste si on les chouchoute et les complimente!» Elle promenait les yeux sur les murs, le plafond pas de cachettes. Elle avait vu assez de films pour savoir que dans une fouille, les endroits les plus secrets étaient les mieux repérés.

La veille encore, elle avait pensé s'acheter une voiture d'occasion, elle avait besoin d'espace. A-t-on idée de travailler seulement pour manger et avoir un lit pour dormir? C'est tirer le diable par la queue! Elle voulait vivre! vivre! Sa mère avait assez braillé sur sa fortune perdue, elle aurait dû vivre plutôt que d'espérer voir grossir son pécule par les soins maladroits de papa! Tout ce qui est vertu est contraignant! Elle, Catherine, ne vivrait pas étouffée dans un carcan. Elle ne deviendrait pas une demoiselle Fleurida à qui l'on donne des sous pour nettoyer un appartement et jouer aux cartes. Elle vivrait, elle, Catherine Rousseau, et Micheline Lavigne aussi. Elle riait Zélie serait oubliée, comme Dimitri. Elle grincha des dents: «celui-là!».

Le bracelet était sur la table, elle le manipula. Le fermoir était usé. Elle eut la tentation de le faire disparaître. Elle se ravisa, les mauvais jours pouvaient venir. Elle pensait au sac de bijoux qu'elle avait échangé pour cinq cents dollars; comme elle le regrettait aujourd'hui! «Tu apprends, ma Catherine, tu apprends. Et ça, ça se paye.» Les billets de banque étaient neufs, n'avaient jamais circulé... pis encore, les numéros se succédaient. Pas bon, pas bon du tout! Il faudrait redoubler de prudence avant de les écouler. Tout est une question de synchronisation... en bon et dû temps, ne rien précipiter...

Elle prit le sac de sucre, le vida, y déposa le bracelet, les billets, et le remplit à nouveau. «Voilà, de la confiture, réserve pour les mauvais jours. Si on vient ici me voler, on oubliera le sucre. Si ça devait brûler? Bah! Il y a d'autres sources.»

Catherine avait retrouvé son aplomb. «Qu'ils reviennent, les policiers!» Elle se coucha et s'endormit.

***

— Je suis surprise de vous voir ici, Micheline. J'ai cru que vous assisteriez aux funérailles.
— Je ne sais pas où elles auront lieu.
— Voyez, ici, sur le journal. C'était une grande dame, votre amie.

L'article soulignait les antécédents de madame Zélie Chamberland, décédée après une longue maladie. Catherine regarda sa montre-bracelet et sortit. Elle serait à l'église à temps. Fleurida occupait le premier banc et pleurait à rendre l'âme. Catherine pensait surtout aux mots «longue maladie», tout le tra la la des policiers n'était qu'enquête de routine.

Elle se retourna et regarda l'assistance, des indifférents qui assistaient à un office religieux! La grande dame avait été oubliée. Elle se réjouissait d'être là, pour Zélie. «Disons que je suis là en tribut de reconnaissance.»

Elle suivit le cortège assez imposant par le luxe déployé, tout un landau de fleurs, des fleurs anonymes pensa Catherine, sans doute un caprice de Zélie. Elle ne put manquer de remarquer un gentilhomme, plutôt jeune, élégamment vêtu qui se trouvait au cimetière. Zélie changeait de domicile: celui-ci était de brique, la porte de fer forgé aux éperons saillants, peut-être pour protéger les occupants du caveau des Chamberland. Le luxe même après la mort; c'est ça la grande vie! Le spectacle valait le déplacement, la leçon était à retenir. Catherine serra la main de Fleurida, répondit au bref mouvement de tête du gentleman qui ne cessait de l'intriguer.

Elle n'était pas de retour au travail depuis plus d'une heure qu'elle recevait un appel téléphonique. Un notaire la convoquait à son bureau.

— Qu'est-ce qu'il peut bien me vouloir?

Madame Labrosse gémit:

— Voilà! Ça y est! Je vais perdre mon assistante.
— Vous voulez rire, non?

— Décès et notaires sont synonymes comme mariages et avocats; le premier pour t'enrichir, le deuxième pour te dépouiller.

Catherine se retrancha derrière la phrase plutôt amusante, et badina pour cacher l'espoir que les mots avaient allumé en elle. «Ça, songea-t-elle, ce serait le restant des écus!»

Elle rigolait intérieurement. Déjà, elle se voyait riche, riche, donc puissante! «Ce qui me ferait le plus plaisir, serait de voir la tête que ferait maman en apprenant la nouvelle; de quoi lui clore le bec à jamais.» L'homme au chic complet lui revint à l'esprit. «Ce serait merveilleux d'inclure le notaire dans ma corbeille; il n'était pas mal, pas mal du tout!»

Elle se présenta au rendez-vous dans ses plus beaux atours. L'ascenseur la conduirait au huitième étage du chic Reine-Élisabeth, l'odeur du prestige l'excitait déjà. Elle regarda au-dessus de la porte le panneau lumineux qui indiquait: «Marois, Lacombe, Gagnon, notaires.» C'était là qu'elle se rendait, de la fierté plein le cœur.

Sur une banquette de bois sculpté attendait déjà nulle autre que Fleurida, coiffée d'un archaïque chapeau à plumes. La fortune de Catherine venait de diminuer, ce qui affecta son humeur.

Jean Marois invita ces dames à passer à son bureau. Fleurida, impressionnée par tout ce qui l'entourait, se collait radicalement à Catherine qui aurait souhaité la voir fondre comme un banc de neige en juillet.

— Legs particulier à Micheline Lavigne: le condo-minium propriété de feue Zélie Chamberland, net de toutes dettes, taxes et dépens pour une année com-plète, du contenu dudit condo et des bijoux. Fleurida Ouellette, légataire universelle des autres biens dont assurance-vie, dépôts...

Le reste se perdit dans la crise de larmes qui se-couait mademoiselle Fleurida Ouellette.

Jean Marois tendit la main, offrit ses services; son père avait loyalement servi la famille Chamberland...

Le mot loyalement venait de foudroyer Catherine, une pensée effrayante lui était venue à l'esprit.

— Je peux m'entretenir seule avec vous, quelques minutes?

Fleurida fut confiée aux bons soins d'une secrétaire qui la raccompagna gentiment.

— Je vous écoute, mademoiselle Lavigne.
— Euh! c'est assez gênant à confesser.

Catherine cherchait ses mots, ne voulait pas gaffer.

— J'ai un problème.
— J'essayerai de trouver la solution.
— Je vais vous dire la vérité pure et simple.
— Reprenez votre fauteuil, prenez tout votre temps.
— Mon père s'est ruiné à la suite d'une mauvaise affaire. J'étais jeune, alors. Ma mère dut travailler, ils ont trimé pour me permettre d'étudier.

Elle fit une pause, leva vers l'homme des yeux mouillés de pleurs.

— À dix-sept ans, je les ai quittés brusquement. Je ne pouvais plus supporter leurs sacrifices. J'irais gagner ma vie, reviendrais avec un métier. Mon père n'a jamais voulu entendre raison. J'ai fui, en leur absence. Je savais que mon père me rechercherait par tous les moyens. J'ai... changé de nom, car j'étais mineure.

— Je vois, votre nom n'est pas celui qui se trouve sur ce document. Vous n'avez pas légalement changé de nom?

— Légalement?

— Ce qui est une chose possible, dans votre cas, en tant que mineure...

— Maintenant, je veux dire aujourd'hui, est-ce une...

— C'est embêtant, je ne me suis jamais encore penché sur un tel problème. Mais vos raisons n'avaient rien de déloyal, je crois bien qu'il ne serait pas difficile de trouver un juge compréhensif qui se pencherait sur votre cas. Vous avez été sage de m'avoir confié ce fait, je vais étudier la question. Bien sûr, ça va prolonger les procédures, le dossier restera ouvert. En somme, il ne s'agit que de votre nom: il n'y a pas erreur sur la personne, je suis là pour confirmer le fait; madame Chamberland n'aurait pu mieux vous décrire, mademoiselle Ouellette vous a rencontré chez elle, ce sont des événements notoires. Vous travaillez, présentement?

— Bien sûr, toujours au même endroit.

— Y a-t-il autre chose?

— Non, Dieu merci! C'est déjà trop.

— Madame Chamberland m'a parlé de votre générosité, vous l'avez sauvée d'une mort certaine le jour de votre rencontre. Et vous l'avez fait de façon si désintéressée, elle vous a offert le gîte que vous avez refusé.

— Elle vous a donc tout raconté.

— C'est pourquoi elle a changé son testament en votre faveur; elle s'est montrée très généreuse. Je fus touché de vous voir présente aux funérailles de cette femme que vous connaissiez à peine.

— Je l'aimais tant, cette dame.

Le tapis rouge du hall dansait sous les yeux de Catherine. Elle avait le goût de crier de joie. «Ça m'aurait mérité un oscar au cinéma. Si le nom de Micheline me vaut quelques embêtements, il m'aura donné bien des émotions! Il ne me reste plus qu'à attendre la tournure que prendront les événements.»

Elle se rendit au salon de coiffure: elle avait pris la ferme résolution d'être sage, très sage, de mettre toutes les chances de son côté. Sa patronne la félicita.

— Vous auriez fort bien pu prendre le reste de la journée, je ne vous l'aurais pas reproché vous savez. Mais cessez de me faire languir, racontez.

— Ce n'est pas le million.

— Mais?

— Un joli condo, quelques meubles, quelques bijoux...

— Incroyable! Ça fait dix ans que je me tue à l'ouvrage sans avoir réussi tout ça. Je me démène comme un diable dans l'eau bénite pour payer mes hypothèques.

Catherine planait. Ce n'est qu'une fois rendue chez elle qu'elle pensa à ses parents.

«S'il fallait qu'on s'adresse à ses parents pour quelques raisons que ce soit! Non, mais! Faut-il donc toujours tout synchroniser ainsi, dans la vie? Il n'y a pas une minute à perdre. Ce soir, il est trop tard, papa serait à la maison; c'est à maman que je dois parler.»

Et Catherine de préparer son coup de maître: précis, à effet vif, bref, sans lui laisser le temps de riposter. Voilà.

Deux heures trente. Elle plaça l'appel téléphonique, bien décidée à fermer si son père répondait.

— Maman.
— C'est toi Catherine, où es-tu?
— Écoute, j'ai peu de temps, je suis présentement à Montréal à boucler une affaire...
— Boucler une affaire, dis-tu? Quelle...
— Voyons, maman, tu devais bien t'attendre à ce qu'un jour ou l'autre quelqu'un dans la lignée soit en mesure de prendre la relève de ton père et de réussir là où papa a failli!

Diane en avait le souffle coupé, ça se sentait à distance. Catherine jubilait.

— Donne-moi ton adresse. Il s'agit d'affaires honnêtes, j'es...
— Justement, c'est à ça que je travaille présentement, une adresse définitive. Papa n'est pas là? Fais-lui la bise, je vous rappellerai bientôt. N'oublie pas, fais une belle bise à papa, une bise sucrée...

Pan! Elle avait raccroché avec rage. Une belle bise, une bise sucrée, les rires derrière la cloison! Elle venait, inconsciemment, d'évoquer une autre fois ce maudit cauchemar. «Si jamais je le localise, celui-là, j'en ferai de la bouillie pour les chats!» Une fois encore, Dimitri venait de ternir son plaisir. «Ce souvenir va donc me suivre toute ma vie?»

Ce n'est qu'au moment de s'endormir qu'elle goûta un peu la surprise causée à sa mère. «Elle n'a pas changé, elle est toujours soupçonneuse, égoïste, pusillanime, remplie d'elle-même! Inutile d'espérer qu'elle puisse évoluer. Pauvre papa! Il n'a pas de chance: une épouse impossible et une fille exécrable.»

**

— Bonjour, Micheline, vous semblez inquiète, ça ne va pas?
— Trop de choses arrivent en même temps.
— Vous êtes à l'âge où l'on commence à se rendre compte que l'adolescence n'était pas, après tout, si désagréable.

Se penchant vers son assistante, madame Labrosse lui dit à mi-voix:

— Vous avez oublié votre mouche, ce matin, dommage! Ça vous donne un petit je-ne-sais-quoi, tout à fait charmant!

Catherine porta la main à son visage.

— Mon grain de beauté s'est volatilisé! Vous voyez ce que ça apporte, les préoccupations. Heureusement que je peux remédier assez facilement à cette lacune. Voilà! mon petit je-ne-sais-quoi est revenu.
— J'aurais pourtant juré que cette tache était naturelle.

Catherine, malgré ses airs décontractés, rageait intérieurement. «Inutile de me cacher derrière un déguisement pour ensuite me dévoiler.» Le téléphone sonnait, elle alla répondre. C'était le notaire Marois, il la convoquait de nouveau.

Les questions lui brûlaient les lèvres, la gaffe qu'elle venait de faire eut l'effet bienfaisant de la ramener à l'ordre. Elle se fit douce, fit appel à ses bonnes manières.

Dans son for intérieur, elle ne pouvait que se réjouir de son oubli du matin; c'eût été plus grave si cette marque distinctive ne s'était pas trouvée sur son visage au moment de paraître devant celui qui se penchait sur sa double identité. «Il ne faut pas éveiller les soupçons, cette denrée si prisée par l'autorité, et se conformer aux règles établies.»

Papa et maman lui avaient donné sa première leçon de méfiance. Auprès d'eux elle avait appris la différence entre craindre et avoir peur. La crainte la terrorisait, elle ne pouvait la soutenir, ni lui faire face. La peur, par contre, lorsqu'elle survenait, la crispait, mais elle savait l'accepter, elle lui procurait même une sensation forte qui l'excitait, la faisait palpiter, lui donnait l'effet de pouvoir et de supériorité dès qu'elle l'avait dominée.

Cette fois, elle se sentait calme, confiante. Était-ce de bon augure? Catherine n'en finissait plus de s'analyser, de se jauger. Elle établissait les barèmes de ses comportements et des réactions de son entourage, formulait des maximes de conduite, faisait ensuite le bilan de ses échecs ou de ses victoires. Elle pardonnait mal à qui se mettait en travers de sa route.

***

— Voici, je vous remets la copie conforme de votre baptistaire...

Catherine écoutait, suivait les directives, se laissait guider: signer ici, parapher là, quelques paraphrases, des indications, des conseils légaux ou opportuns, des félicitations, une main franche, tendue par-dessus le pupitre, une secrétaire témoin qui revient avec les papiers officiels, une promesse réitérée de la dévotion de monsieur le notaire, un cœur qui bat, le tapis rouge qui danse, l'ascenseur qui la ramène vers le monde réel, et enfin le grand air pollué du centre-ville, avec tout ce que cela comporte de sécurisant, de sentiment d'appartenance à une société évoluée et en mouvement.

Catherine souriait béatement. «Me voilà héritière d'un coin du ciel, de meubles de style vieux jeu, de bibelots d'époque, tout ce qu'il faut pour une vente de garage! Hé, hé, doucement, pas trop vite ma Catherine, laisse couler du temps, il faut respecter certains délais. Calme tes ambitions: tu ne connais pas encore tout ce que tu pourrais posséder, que déjà tu t'emballes et tu veux en disposer. Le notaire a été clair, dans un an j'aurai à envisager seule les dépenses inhérentes. Qu'est-ce qu'il a énuméré? Mensualités, taxes, zut! Les factures entreront une à une, dans le temps comme dans le temps. Un an, c'est loin!»

Elle marchait le nez dans le vent, heureuse. Elle prit une résolution; à l'avenir, elle ne travaillerait que trois jours semaine. Le prétexte? C'est calme en saison froide au salon. La raison véritable? Les pourboires des derniers jours de la semaine étaient les plus rémunérateurs.

Après tout, elle n'était plus une apprentie, elle possédait son métier, même qu'elle excellait. N'était-elle pas logée? Elle possédait un meublé, des bijoux. Pourquoi s'éreinterait-elle au travail cinq à six jours par semaine?

Elle allait vivre sa vie, s'offrir du bon temps. Elle était enfin majeure, libre, avait un bon métier. Tout ça en quelques années, sans aide, grâce à son initiative personnelle. Elle ressentait une grande satisfaction intérieure et beaucoup de fierté.

Elle s'arrêta devant un restaurant, la vitrine regorgeait de pâtisseries appétissantes qui réveillaient son désir de manger. Elle prit place au comptoir; l'endroit était joyeux, on fêtait un anniversaire; elle enviait ces jeunes gens qui savaient rire et s'amuser.

— Ils en ont de la chance.
— Pardon?
— Je les écoute et ça me donne le cafard. Si j'en avais les moyens, moi, je me saoulerais.

Catherine regarda le jeune homme, à l'allure sympathique, qui venait de lui adresser la parole. La serveuse, crayon à la main, attendait que Catherine commande.

— Un café.
— C'est tout?
— Pour le moment, oui.

Se tournant vers le jeune homme, elle demanda.

— Pourquoi ce désir de vous enivrer? Un gros chagrin?

— Non, le besoin d'oublier. Le chagrin est un vain sentiment.

— De qui avez-vous emprunté cette satire toute philosophique?

— Voltaire y a sans doute pensé, mais elle est de mon cru.

Voilà que Catherine s'attardait au physique de ce garçon avec un intérêt croissant. «Il a une belle gueule.»

— Montréalais?

— Non, une lointaine épave échouée ici pour trouver une nouvelle orientation.

— Sans travail?

— Ou presque. Pour le montant pensionné du gouvernement. Le chômage, vous connaissez?

— Non, pas encore, mais je verse des primes... Pas de métier?

— Oh! si, j'en avais un, le meilleur. Six mois par année au travail, six aux études. Mais c'est le passé.

— Souvenir que vous voulez noyer dans l'alcool. Un coupable?

— Oui, les phoques.

— Pardon?

— Vous avez bien compris: les phoques. Imaginez-vous... à propos, je ne sais même pas votre nom et me voilà en train de vous raconter ma vie. Je me présente, Georges Caplan.

Catherine hésitait. «Qui suis-je ce soir: Catherine ou Micheline? Micheline me réussit mieux.» Elle lui tendit la main.

— Micheline Lavigne.

— Vous êtes libre?
— Comme l'air que je respire.
— Vous êtes sympathique, Micheline. Vous l'a-t-on déjà dit?
— Oh! oui.

Les bras appuyés sur le bar, il gardait le tête inclinée, tournée vers la jeune fille. Elle regardait ses mains, épaisses, fortes, avec un poignet vigoureux: elles avaient connu le dur labeur.

— Vous avez faim, Georges, ou seulement soif?
— J'ai ingurgité trop de bières; à jaser, comme ça, avec vous, j'oublie que j'ai soif.
— L'alcool, c'est votre péché mignon?
— Surtout pas.

Les yeux rieurs, Catherine se pencha vers Georges et lui demanda:

— Voulez-vous que je vous apprenne un truc?
— Un truc...
— Oui, un truc. Donnez-moi votre verre de bière.
— Il est presque vide.
— Justement, c'est ça l'idée.

Catherine prit le verre, après un clin d'œil à son compagnon fit mine d'en prendre une gorgée et cria «Ouatch!».

— Garçon, donnez-moi vite une serviette de table!

Elle se tourna, vida le reste du verre sur le plancher, s'essuya la bouche et se mit à gémir:

— Il y avait une mouche dans mon verre! Vous n'avez pas honte? A-t-on idée de traiter ainsi les clients?

Le barman se confondit en excuses, vérifia un nouveau verre à la lumière, le remplit et le remit à Catherine.

— Avec les compliments de la maison.
— J'espère bien! se scandalisait-elle. Tiens, bois-le, moi je n'ai plus le goût...

Caplan prit le verre, n'osait regarder la fille tant il avait le fou rire. Sans se départir de son sérieux, Catherine reprit la conversation où ils l'avaient laissée:

— J'habite tout près; si nous allions chez moi, on y trouverait bien de quoi bouffer, ça vous tente? Si oui, je vous enlève.
— J'ai une voiture.
— Tant mieux, moi pas.

Tout en se rendant à l'auto, Georges lui demanda où elle avait appris ce truc de la mouche au fond du verre.

— Façon facile d'obtenir un autre café gratuitement quand j'allais à l'école... ça prend à tout coup.
— Voilà: c'est ma bagnole; pas une limousine, bien sûr, mais un bon vieux tacot qui obéit au commandement.
— La pauvre bête!
— Vous devez m'indiquer la route à suivre.
— Tournez à droite.
— Vers l'ouest alors.
— Où est la boussole?

— Le compas, je l'ai dans l'œil.

— Peintre?

— Non.

— Dessinateur?

— Non.

— Pilote d'hélicoptère?

— Non, mais ça se rapproche.

— Navigateur!

— Si on peut dire.

— Ce qui explique le pourquoi des six mois par année au travail. As-tu essayé de trouver une place de plongeur?

— Tu me vois, toi, laver la vaisselle? Je pensais que les restaurants avaient des laveuses pour ce genre de choses.

— La vaisselle il faut la ramasser, la gratter, la ranger.

— Tu me vois faire ce métier-là, toi.

— Je lave des têtes, c'est pas beaucoup mieux.

— Je suis sûr que ça ne t'enchante pas.

— Que non!

— Tu vois.

— C'est mieux que d'avoir faim.

— Si nous parlions un peu de toi.

— De moi? Rien, sans histoires, une jeune fille banale.

— Sans passé troublant?

Catherine éclata de rire.

— Un passé? Je suis toujours vierge, c'est pas triste ça?

— Tu es bien la seule de ton âge sur tout ce continent à pouvoir l'affirmer! Aujourd'hui, à treize ou quatorze ans...

— Vas-y, raconte!

— Je t'ai choquée? Je badinais.

— Sur un sujet sacré.

— Que tu as abordé, soit dit sans reproches.

— Ralentis, nous y sommes presque.

— Tu vis chez tes parents?

— Non, dans un minable sous-sol, un meublé. Mais c'est propre, disait Catherine tout en sortant sa clef.

— C'est bien, chez toi. Plus accueillant que mon nid crasseux niché dans un troisième. Rien qu'à grimper les escaliers, j'ai la déprime. Tu vas souvent à ce restaurant?

— Non, mais ce soir je n'avais pas le goût de rentrer à la maison. Pour moi c'est un jour très spécial, quelque chose à célébrer. Peut-être deux... Dis-moi, Georges, tu sais t'y prendre pour dépuceler une jeune fille vierge?

— Tu n'es pas sérieuse? Tu as attendu jusqu'à aujourd'hui et sans mieux me connaître, tu... Réfléchis. D'abord, es-tu sûre que tu es majeure?

— Documents à l'appui. Tu me désappointes, monsieur Voltaire se serait moins formalisé! Tu as peur?

— C'est pas la peur, c'est une question de dignité.

— Dignité!

Et pouffant de rire, elle ajouta:

— J'ai perdu la mienne pour une blouse de soie.

— Que tu as volée?

— Non, que j'ai lancée. Mais ça, ça fait partie des sujets tabous.

Ce disant, Catherine commença à se dévêtir. Médusé, Georges la regardait faire.

— Ça te gêne?

— Et les M.T.S., tu n'as pas peur?

— Tu connais ton passé, moi je n'en ai pas. Agis en conséquence. Qu'est-ce que tu attends?

L'évocation du souvenir de sa blouse venait de lui ramener à l'esprit l'image floue de Dimitri, les rires terrorisants des voyeurs, ce qui avait pour effet de la rendre osée, aiguillonnait sa hardiesse. La haine et la rancune, si vivaces en son cœur, se confondaient en elle, la rendaient à la fois agressive et aguichante. Georges lui plaisait, aiguisait son appétit, piquait sa curiosité. Que pouvait-il bien y avoir de si important dans l'accouplement des corps pour rendre le sujet si difficile à aborder, si hautement controversé? Elle avait soif de savoir, ça devait se faire ce soir; elle jugerait ensuite si ça valait le coût de cette torture qu'on lui avait imposée pour s'être seulement approchée d'un garçonnet de son âge.

Sa pensée flottait maintenant dans ce hangar, elle revoyait les grands yeux, noirs: des olives mûres, les récits venus de loin que lui narrait le garçon à la voix chantante, nuancée d'un accent étranger, l'attention qu'il lui portait, le surnom de Katina qu'il lui donnait, qu'elle seule connaissait. Son appétit sexuel s'éveillait, elle transposait sur Georges cette nouvelle fureur amoureuse qui l'étreignait.

Georges voyait se refléter sur son visage toute une gamme d'émotions qui la traversaient.

— Nous nous connaissons à peine, Micheline, donnons-nous le temps.

— C'est toi que j'attendais, toi, et tu es là.

Toute nue, elle vint se blottir contre l'homme, se faisait entreprenante; elle moussait l'appétit de Georges, brisait sa résistance. Il se dévêtit tout en reculant vers le lit où elle le poussait.

Violemment, elle s'accrocha à ce nouveau compagnon qui avait la virilité de son âge. Le contact fut brutal, manqua de douceur, de chaleur, de flamme. L'union n'avait rien de sentimental, de romantique; c'était l'accouplement pur et simple, au sens animal du mot, un simple réflexe de la nature auquel le cœur n'avait pas participé.

Catherine se dégagea enfin du corps de Georges qui pesait sur elle, de plus en plus lourd. Elle se leva, cria son indignation:

— C'est ça, rien que ça! Une douleur cuisante, trois gouttes de sang, un homme qui s'essouffle, trois ou quatre soupirs... La merde! Ce n'était pas la peine de faire tant de chichi!
— Je t'ai déçue?
— Déçue? Je m'attendais à ce que le ciel nous tombe sur la tête ou qu'il nous attire à lui, mais ce n'est que ça? La vache! À mon tour d'avoir le goût de prendre une cuite.

Catherine se versa un verre de vin qu'elle avala d'une traite.

— Tu en veux?

Georges se taisait, pas très fier de lui, étonné de la réaction de cette fille qui criait sa cuisante déception, affichait son âme de femme passionnée, belle à ravir dans son désespoir, si attirante aussi. Le désir de l'aimer, de la posséder s'éveillait en lui; avec chaleur, cette fois.

Il lui enleva le verre de la main, l'attira sur la couche; elle se débattait, résistait. Il la laissa le gifler, se fit doux, caressant, attendit que sa colère s'apaise et que de nouveau elle le prie de l'aimer; il réussit enfin à attiser en elle le désir, le véritable, le seul qui permette l'unisson nécessaire à l'amour senti. Alors seulement il lui fit l'amour.

Elle s'éclata. Georges prit le drap et la couvrit. Elle ferma les yeux. Catherine goûtait le bonheur. Blottis l'un contre l'autre, ils se taisaient. Elle se roula, il posa le bras sur sa taille, elle ferma les yeux.

— Ça va? C'est bien, ne réponds pas. Savoure ton bonheur. Tu es une femme exquise! Belle et enivrante comme la mer. C'est ça, Micheline, le charme des sens; tu as surmonté tes frustrations et c'est bien ainsi. Vaut mieux vivre sans sexe, seul avec soi-même, que d'accepter les demi-mesures. Le corps a besoin de détente, de compréhension, d'entière participation. Ne te satisfais jamais de moins, ne te sacrifie pas aux compromis, aux simulacres, afin de ne pas perturber cette soif sacrée dont tout ton être a tellement besoin pour s'épanouir.

Elle buvait ses paroles, aurait aimé pleurer. Pour la première fois, on lui parlait de ses besoins intimes, avec respect, sur un ton affable, sans la commander, sans chercher à l'impressionner, sans la flatter dans le but de l'amadouer, de s'attirer ses faveurs ou ses bonnes grâces. Elle en était profondément remuée.

— Pourquoi m'as-tu comparée à la mer, Georges?

— Elle est si belle, si mystérieuse, si attirante!

— Serais-tu poète?

— Non, simple pêcheur.

— Ce qui explique les deux saisons, pêche et études.

— La mer, quand elle nous possède, elle nous domine.

— Pourquoi l'avoir abandonnée, alors?

— À cause des phoques...

— Tu badines.

— Peux-tu croire que Bardot, dans un de ses rapports à la cour d'Angleterre, aurait indiqué que les eaux de l'Atlantique étaient autrefois si poissonneuses à l'approche du Canada qu'il fallait à cet endroit ralentir le navire?

— Les phoques dans tout ça?

— Notre pays est peu peuplé, pourtant on nous reproche d'avoir vidé de son contenu de poissons les eaux territoriales. C'est à crever de rire. Les bateaux viennent d'aussi loin que de la Russie pour pêcher ici. Mais c'est nous qu'on accuse, qu'on pénalise.

— Les phoques alors?

— La dernière trouvaille pour excuser les quotas, on contingente les prises. Il faut des coupables, ce sont les phoques qu'on ne tue plus parce que Bardot a su se faire entendre du monde entier soi-disant pour protéger ces gros consommateurs de poissons. Alors qu'apparemment, la dame aux bonnes intentions aurait des intérêts dans l'industrie de la fourrure synthétique; celle-ci prend jusqu'à cent ans pour se désagréger alors que la fourrure est biodégradable et que la faune a ses règles de reproduction pour se perpétuer. On a un jour fait cette erreur avec les castors, ils se sont multipliés au point de tout détruire sur leur passage, à cause de leur trop grand nombre. Conséquemment, il a fallu en éliminer, cette fois inutilement, le manteau de fourrure étant passé de mode.

Georges, une fois assis, s'était versé un verre de vin, elle le voyait de dos. Il parlait avec conviction, traduisait ses états d'âme à travers les modulations de sa voix. Présentement, il souffrait. Il reprit:

— Alors j'ai vendu mon chalutier. Des lois mal pensées: quelques fonctionnaires zélés et inexpérimentés ont réduit les quotas de pêche à un tel point qu'elle n'est plus rentable. Un bon matin, découragé, j'ai vendu la rengaine. J'en suis là: au chômage, baptême! Je ne connais rien d'autre que la mer: depuis l'âge de douze ans je faisais ce métier, l'étudiais sous tous les angles. De mes avis, tu crois qu'on en a tenu compte? Alors que moi, le pêcheur, j'ai vécu l'évolution des situations année après année, et avant moi mon père!

— Pourquoi, comment expliques-tu la rareté du poisson?

— Des bancs de poissons se forment, ils fuient la pollution. On infeste la mer, le privilège des gouvernements va aux grands de l'industrie. Aussi, on déverse les égouts dans le fleuve. Va là-bas survoler le fleuve, tu le verras de là-haut: les eaux des rives sont grises, brunâtres. La mer saurait par ses éléments naturels combattre le phénomène si on l'aidait. Pense au Gange, en Inde, une quasi-rivière, que des millions et des millions de population n'ont pas réussi à polluer, alors qu'ici on n'est qu'une poignée de monde! Ça se dit savant, plus avancé, évolué, ça se promène de la lune à la terre, raffine les armes, achète des sous-marins et des hélicoptères, consulte des ordinateurs remplis de demi-données par des demi-têtes à demi faites; on s'enlise.

De la merde! Moi, j'ai perdu toute motivation. Je n'ai plus le goût de rien!

— Tu l'aimais, la mer!

— La mer! C'est, c'est un mélange du ciel et de la terre, elle est riche, cache ses trésors et les protège, elle est à la fois généreuse et conservatrice. Elle est puissante, douce ou déchaînée selon qu'elle tient tête à la lune. Elle se gonfle, se repose, étale, divine. Elle nous nargue, nous berce, nous enveloppe de son sfumato, nous caresse de ses humeurs, nous force à reconnaître que l'homme est petit. Elle nous oblige à prendre conscience qu'entre elle et le pêcheur, il n'y a que la mince épaisseur du fond d'un bateau. Un jour, Micheline, je te la présenterai.

— Ah! non, si tu crois que je vais décrocher des poissons gluants de l'hameçon, qui me glisseraient entre les doigts, que j'aurais à supporter leurs regards vitreux qui nous fixent et crient pitié, jamais!

Georges riait: «voilà ce que les non initiés croient», pensait-il.

— Mais, Micheline, on ne prend pas le poisson à l'hameçon. Non, ça c'est du sport d'amateur, on les prend au filet; de beaux grands filets qui s'emplissent et les poissons qui viennent choir à nos pieds, par milliers, à condition bien sûr qu'on sache où et comment suivre les mouvements des bancs.

— Par milliers? Et vous vous plaignez que la mer se soit vidée!

— À t'entendre, je croirais que tu as lu les rapports des petits gars en petits souliers et à gros budgets qui viennent faire de savantes enquêtes pour rédiger de savants rapports à remettre aux savants ministères. Tu as l'excuse de ne pas avoir vécu la situation. Eux n'auraient qu'à vivre l'expérience parce qu'ils sont payés pour ça. De temps à autre tu en croises quelques-uns qui sont plus professionnels, plus attentifs, plus sensés, mais trop souvent leurs données se perdent sous un flot de paperasses. Le pêcheur, malheureusement, on ne le croit intéressé qu'à sa réussite personnelle; de plus il n'a pas les qualifications nécessaires pour se bien faire comprendre. Pourtant, nous, les pêcheurs, nous aimons la mer, nous la respectons. Tu comprends pourquoi j'avais le goût de me saouler. Je pleure une vie, passée et future. De père en fils, maudit! Alors je dis c'est à cause des phoques... il faut bien trouver un coupable!

Georges se laissa tomber sur le dos; les bras derrière la tête, il fixait le plafond.

— Micheline, ça m'a fait un bien fou de laisser sauter la soupape. Micheline, fais-moi l'amour.

Elle s'arqua, il lui sourit... Il laissa plus tard tomber le compliment flatteur:

— Tu apprends beaucoup plus vite que certains fonctionnaires!

Georges s'endormit. Elle se leva, prépara des sandwichs et une salade en attendant qu'il se réveille. Jamais encore, depuis sa tendre enfance, elle n'avait connu plus grande paix.

***

— Le lit est trop étroit pour être confortable, c'est ennuyeux.

— Par contre, il y a beaucoup d'espace entre le matelas et le plafond...

— Tu ne penses qu'à ça, dis donc? J'ai une proposition à te faire. Le prix est raisonnable ici, l'endroit très propre, tu pourrais garder le logis car moi je déménagerai bientôt. Penses-y, je parlerai au propriétaire si ça t'intéresse.

— Il me faudrait trouver du travail dans les environs.

— Il y a dans le quartier beaucoup de magasins, bien des stations de service.

— Bonne idée, ça. J'ai certaines facilités avec les engins. Un moteur, c'est un moteur: je m'y connais.

— L'argent de ton chalutier, tu l'as?

— En grande partie, oui, une réserve pour les mauvais jours.

— Ou pour louer un poste d'essence bien à toi.

— Ne me fais pas rêver.

Micheline marcha vers le téléphone, demanda à madame Labrosse de lui donner quelques jours de vacances, histoire de déménager. Georges l'aiderait à transporter ses affaires. Elle se retourna, Georges ouvrait le sac de sucre.

— Qu'est-ce que tu fais?
— Le sucrier est vide. J'allais le remplir.
— Dis donc, je suis chez moi.
— Excuse-moi, Micheline. En mer, on n'a pas l'habitude de se faire servir, tu comprends.
— Oublie ma saute d'humeur, je devrais t'avouer que trop souvent, je m'emballe.

Elle referma le sac. «Après tout, il ne pouvait pas deviner ce que j'y cache. Il aurait pris la moutarde que je ne me serais pas formalisée! Tes nerfs, ma fille, tes nerfs!»

— Je suis en vacances, on va en profiter pour visiter les environs.

Lorsqu'ils se retrouvèrent devant l'église, Catherine pria Georges de s'arrêter.

— Attends-moi, je rentre à l'église prier Dieu de nous fournir le pain quotidien. À propos, tu es catholique?

Tout en parlant, elle prit un billet de deux dollars qu'elle pliait et repliait en tous sens et laissa son sac à main sur la banquette.

— Pratiquant, oui. Et toi?
— Quelle question. Tu ne bouges surtout pas, quoi que tu voies, quoi que je fasse, tant et aussi longtemps que je ne te ferai pas signe.
— Que de mystères!
— Les mystères font partie de notre culte, n'est-ce pas?

Micheline s'éloigna en riant, entra à l'église, traversa la nef. Le temple était désert. Elle alluma un lampion, sortit par une porte latérale qui donnait sur le presbytère, un prêtre à la fenêtre la regardait venir.

— Je voudrais parler à monsieur le curé.
— Il n'est pas ici, puis-je vous aider?
— Ah! monsieur le vicaire, qu'est-ce que je vais faire! Non, mais, qu'est-ce que je vais faire?!
— Entrez, peut-être que je pourrais vous aider.
— Je l'espère, vous ne savez pas ce qui m'arrive! C'est terrible.

— Allez, mon enfant, parlez en toute confiance.

— C'est que... ma mère est malade, elle m'a priée de m'arrêter faire brûler un lampion devant Saint-Joseph, avant d'aller faire l'épicerie. Par mégarde, j'ai mis le billet de cinquante dollars dans le tronc et voilà ce qui me reste. Il faisait sombre, j'ai inséré le mauvais billet, qu'est-ce qu'on va faire à la maison?

— Et le sacristain qui est absent jusqu'à demain.

— Demain! Ah! monsieur le vicaire!

Le vicaire fouillait dans ses poches: il en sortit des dollars froissés. Il les comptait; Catherine gardait les yeux baissés, humble, confuse d'allure, jouissant dans son for intérieur.

— Je n'en ai que quarante-cinq, hélas!

— Et ce deux que voilà, je n'aurais pas tout perdu. Le lait des enfants serait assuré. Je pourrais revenir demain, chercher la différence quand le sacristain...

— C'est, je crois, la seule solution possible.

Catherine remercia et avec conviction:

— Je vous en prie, priez pour maman, elle n'est pas bien et l'homme de la maison est en chômage!

Elle retourna à l'église, le prêtre crut-il qu'elle allait remercier Dieu! Elle traversa la nef et ressortit par la porte avant. Elle fit une dizaine de pas, s'arrêta et fit signe à Georges de la rejoindre. Une fois dans la voiture, elle ouvrit la main sous les yeux exorbités de Georges, étala son avoir.

— Tu as forcé un tronc!

— Tu es fou, non? Ce serait un sacrilège!

— Où as-tu pris ça?

— Tu ne crois pas aux miracles, homme de peu de foi? Tu n'as jamais été exaucé pour tes prières? Moi si, tu le vois bien.

Georges la questionnait:

— Tu donnes des rendez-vous à l'église? Non, j'ai trouvé: ton patron, c'est le sacristain.

— Les poissons, mon cher, ne sont pas tous dans la mer. Mais fais-moi la faveur de ne pas me casser les pieds avec tes interrogatoires qui n'en finissent plus. Je n'ai pas l'intention de faire mon purgatoire sur terre!

Il haussa les épaules, elle ne badinait pas. Il attaqua un autre sujet, anodin, impersonnel. Catherine retrouva sa gaieté. Il crut alors qu'elle avait monté une histoire pour l'épater. Elle ne l'impressionnerait plus, il se le promettait.

— Allons manger une pizza, Georges, avec l'argent du Seigneur.

— Tu es désarmante, Micheline, désarmante mais surtout distrayante.

— Tu m'aimerais plus, dis, si je versais dans la neurasthénie? Les psy ne pourraient rien pour moi.

Elle frissonna: «les cliniques spécialisées». Puis elle poursuivit tout haut sa pensée:

— Et toi tu serais bien seul, sans ta Micheline. Tu ne crois pas?

— Je commence à le croire, oui. Dis-moi, Micheline, par simple curiosité, es-tu une adepte de... de la drogue.

Catherine reprit son sérieux; elle plissait les yeux, se mordait les lèvres.

— Tu es beau garçon, de bonne compagnie, intéressant, qui sait faire l'amour, du moins c'est ce que je crois, car je n'ai pas de point de comparaison. Tout ça c'est bien beau. Mais ne répète jamais le mot drogue devant moi. Si tu as ce caprice, finis de manger la pizza et disparais. Moi, je n'ai pas besoin d'artifices ni de béquilles pour vivre. Ni dure, ni douce, la drogue ça mène on sait où. Moi, mes émotions je sais me les procurer sans artifice.

Elle s'était levée, le silence s'était fait, on se mesurait.

— Le sujet est clos, tu peux te rasseoir. Je cherchais seulement à te mieux connaître, ma question était bien innocente; on s'entend bien sur ce point, je pense exactement comme toi.

Georges avait machinalement posé la question, il cherchait à comprendre la nature primesautière de cette nouvelle amie à la fois déconcertante et rassurante. Boute-en-train dont les humeurs variaient d'un extrême à l'autre, elle le fascinait, l'intriguait. Un semblant de paix était revenu.

Ce soir-là, Catherine s'excusa de s'être emportée et expliqua:

— Voici trois sujets qui m'horrifient: les bises sucrées, les cliniques spécialisées et la drogue.
— C'est enregistré.
— Le ciel t'entende! Demain, nous irons faire une

randonnée, nous localiserons les stations de service, avec service à la clientèle. Tu trouveras sûrement du travail. Ne parle pas de ton expérience de la mer mais de tes connaissances en mécanique et de ta capacité de faire monter leur chiffre d'affaires.

— Quelle femme avertie!

— J'eus, paraît-il, un ancêtre très doué...

— Le tien, ton travail, Micheline, il te plaît?

Elle ne répondit pas tout de suite, il vit passer dans ses yeux une lueur qu'il avait appris à détecter mais ne parvenait pas à s'expliquer. Cette fois elle ne se fâchait pas, et répondait simplement.

— Pour le moment, oui, c'est une bonne porte d'entrée. Mais j'ai des ambitions plus féroces.

— Tu rêves d'avoir ton propre salon?

— Oui, et pas n'importe lequel, répondit Catherine, prenant bien garde d'exprimer le fond de ses pensées.

— Tu es belle quand tu affiches ce sourire amusé. Tu ressembles à la Joconde.

— Pouah! C'était un homme.

— Non!

— C'est ce que l'on prétend.

***

— Tiens, tu vois, ici, c'est toujours achalandé. Je ne serais pas surprise qu'on trouve à t'occuper. La rentrée des chèques d'assurance-chômage, ça achève?

— Dans un mois.

— Parfait! Ensuite, tu prends mon logis, tu m'aides à déménager; ce sera simple, je n'ai pas grand-chose à transporter.

Georges fut tenté de la questionner au sujet de sa famille, mais craignait de gaffer. Il attendrait qu'elle aborde elle-même le sujet. Se contentant d'exploiter plus à fond l'idée de posséder son propre commerce, il lui confia avoir le montant initial nécessaire, ce qui était déjà un acquis.

— On s'aidera mutuellement, si on finit par accorder nos caractères.

Il ne répondit pas, se contenta de sourire. Son opinion concernant Micheline était faite, c'était une fille gâtée qui se plaisait à jouer les aguicheuses, elle ferait tout pour l'épater. Ça lui plaisait. «Sa franchise peut ressembler à de l'effronterie, elle aime jouer les braves. Au fond, elle n'est qu'une enfant sans défense et sans expérience de la vie.»

— Pourquoi souris-tu?
— Je pensais à toi.
— C'est ce qui t'amuse?
— Non, Micheline, je me félicite de t'avoir trouvée sur mon chemin. Tu aurais pu rencontrer un dur de dur. Toi, la sentimentale, et devenir sa chose.
— Et qui ai-je rencontré?
— Un bon gars, qui t'aime bien, telle que tu es: impulsive, vaillante, intelligente, moqueuse, intrigante, rusée; somme toute, un rayon de soleil.
— Pourquoi ces flatteries?
— Pour me faire pardonner à l'avance ce que je mijote.

Il s'était levé, l'avait prise par la taille, fait pivoter sur ses pieds; elle se débattait, il resserra sa prise, la jeta sur le lit. Il tenait ses mains au-dessus de sa tête et d'une jambe retenait les siennes. Plus elle se débattait, plus il riait.

— Quelle furie! On dirait la mer déchaînée, ta face est rouge comme le homard qui sort de l'eau bouillante, un goéland qui s'énerve, non, une belle petite mouette en soif d'amour.

Il l'embrassa, elle continuait de lutter, cherchait à lui échapper. Surpris, il la regarda, se leva, recula. Subitement, elle était devenue furieuse. Elle rageait, elle avait retrouvé la liberté de ses mouvements et continuait de tempêter.

— Si tu crois, Georges Caplan, que tu peux me dominer avec des mots doux et tes muscles de mâle, tu commets une grave erreur. On ne me mate pas aussi facilement. Tu es ici chez moi, tu l'oublies.
— Alors, je n'ai plus qu'à partir!
— Ou à changer d'attitude.
— Je croyais que tu avais le sens de l'humour; toi, et toi seule, aurais donc le droit de jouer de vilains tours qu'il faut priser? Je me suis trompé. Je m'excuse, Micheline.

Elle s'accrochait maintenant, se faisait repentante.

— On reste amis? La rancune, c'est méprisable.
— Comme tu le disais si bien, il faudrait ajuster nos caractères, peut-être aussi apprendre à faire des concessions; c'est ça, l'amitié. Es-tu méfiante? Tu es toujours sur la défensive.
— Georges, j'avais une mère qui radotait. C'est une période de ma vie que je veux oublier.
— Ne t'en prends pas à moi, je suis ton ami.

— Toi et moi pouvons faire de grandes choses. Je ne veux pas marcher dans les traces de la dernière génération qui nous impose ses façons de voir, de penser, comme si c'étaient les seules qui soient bonnes, irréprochables.

Catherine continuait de maugréer, elle mesurait le café, l'eau, sortit deux tasses, puis se retourna. Georges n'était pas là; près de la chaise se trouvaient ses souliers, devant la porte de la chambre son pantalon, plus loin sa chemise. Il était à poil, couché sur le dos, lui tendait les bras.

— Georges, je t'en prie, ne fais pas la gaffe de me mettre enceinte!

Elle lui tapotait le bout du nez de l'index. Il le mordit.

— Avant de grimper dans votre lit, mon général, prenez une provision de parapluies, dans la poche gauche de mon pantalon.

La journée se termina dans la joie.

***

Au réveil, Georges trouva le couvert dressé, le café fait; sur le plancher se trouvaient deux gallons de peinture, des pinceaux, une calotte de toile, tout près une note: «J'ai emprunté ta voiture, mets-toi au travail.» C'était signé "ton général". Il sourit. «Cette fois encore elle a pris la décision pour moi. Je ne lui ai pas dit que je prenais le logis. Elle n'a pas reparlé de ce soi-disant nouvel appartement, c'est peut-être une ruse pour rafraîchir celui-ci. Quelle fille! Une véritable furie! Une bourrasque, plaisante ou amusante?»

Catherine offrait à Georges une image bien différente de celle de sa mère, qui était d'une grande douceur, soumise, voire même résignée, d'une santé précaire, si pleine d'amour. Elle aurait souhaité que son fils dédaigne la mer qui lui avait causé tant de tourments avec ses tempêtes, ses incertitudes, ses caprices saisonniers. Georges devrait étudier plus, fréquenter les grandes écoles, choisir une profession.

Mais il vouait à la nature un amour hérité de son père, et l'achat d'un chalutier avait englouti les économies de cette famille, fait basculer son beau rêve; son fils avait, lui aussi, fouillé la mer, cueilli en son sein. «La manne est là, je n'ai qu'à tendre mes filets, c'est le mystère de la pêche miraculeuse de l'Évangile que je revis.»

Madame Caplan s'était inclinée, avait accepté. Maintenant, elle s'inquiétait. Il était parti, son fils, vers la grande ville, cette sorcière, qui arrache les enfants aux mamans, les attire, les amadoue et les engloutit. Le drame ne cessait de se répéter, semant la solitude qu'évoquaient les goélands fidèles à l'accueil des barques de pêcheurs de retour sur la rive. Les épouses les y attendaient aussi, et parfois les enfants. Aux grands oiseaux blancs on jetait en pâture les viscères des poissons qu'on vidait et dont ils festoyaient tout en criant leurs remerciements.

Ces moments, les plus beaux, ceux qu'on n'oublie pas, dont l'image nous poursuit, ramèneraient Georges, elle le croyait fermement. Son Georges, si doux, si bon, si affable, toujours joyeux et si vaillant! Et la maman priait, suppliait Dieu de protéger son fils, seul, là-bas, qui lui avait promis de revenir.

Chapitre 6

Catherine s'était rendue à ce futur foyer qui était le sien. Elle en avait franchi le seuil avec une certaine allégresse, contente d'elle, de ses prouesses. Le souvenir de Zélie la figea un instant, il lui semblait que l'âme de la vieille dame rôdait encore là, ce qui freinait sa hardiesse. Elle n'osait entrer dans cette chambre où elle était décédée, des sentiments confus la troublaient. Des remords? La peur? Des regrets? Elle ne savait pas, elle ne savait plus. Elle prit place devant la fenêtre, elle n'était pas sitôt assise qu'elle se releva: c'était le fauteuil que Zélie occupait toujours lors de ses visites.

«Catherine, ma fille, prends-toi en main, ta tête te joue des tours. Moi, Catherine Rousseau, je vais permettre à cette chère conscience de s'interposer entre moi et Micheline, me brimer, m'imposer des limites! Non, ni toi, ni mon père, ni la loi, rien ni personne ne peut et doit m'atteindre. Je suis au-dessus de toutes ces conjonctures. Je domine les situations; c'est, et ce sera. La gouverne, je l'ai subie, je sais où ça mène. C'est fini, c'est le passé! L'incertitude... l'incertitude? Ce serait l'incertitude qui me troublerait ainsi? Je n'ai jamais pu m'y faire. Je dois la bannir, chasser une fois pour toutes mes faiblesses en les combattant afin d'être la maîtresse absolue des situations. C'est à ce prix que j'aurai une vie accomplie, pleine, heureuse, épanouie.»

Elle s'est rassise dans le fauteuil, il ne la brûlait plus. Elle ébaucha un sourire de satisfaction. Elle marcha vers la chambre de Zélie, regarda le lit, haussa les épaules. Dans le tiroir la liasse de dollars avait été déplacée, fait des policiers, sans doute. Ces billets, elle pouvait les dépenser sans inquiétude, ils étaient siens.

«Comment vais-je me défaire de tous ces encombre-ments dont les vêtements?» Elle pensa à Fleurida. Elle se ferait sans doute un plaisir de tout posséder. Cathe-rine passa en revers le contenu des bureaux et des penderies. Elle garda un manteau de vison femelle, elle le ferait retailler et ajuster à sa taille. Elle fouilla les poches, les sacs à main, entassait ce qui avait quelque valeur. Quelle joie elle aurait d'y placer ici ses choses! Les souliers, elle n'en avait que faire, elle ne s'en préoc-cupa pas. Les bondieuseries, qui abondaient, seraient aussi mises au rancart. Elle s'arrêta devant la peinture représentant madame Zélie dont les couleurs avaient été patinées par le temps. C'était vieillot, mais elle la supporterait. «Une miette de mes sentiments de recon-naissance affichée au mur de cette maison serait de mise.» Oui, elle, Catherine, ferait cette concession à mademoiselle Zélie; ce geste témoignerait de sa bonne conscience.

Elle quitta l'appartement sur la fin de l'après-midi. Avant de quitter le building, elle consulta le tableau des occupants. Fleurida habitait le sous-sol. Elle la con-tacterait plus tard. Les relations seraient froides, il n'était pas question de se faire empoisonner la vie par cette antiquité ambulante.

***

— Tu n'as pas peinturé!
— Non, mais regarde.
— Qu'est-ce qu'on fête?

— J'ai trouvé du travail.

— Tu as quoi?

— Marché, d'abord; ma voiture étant disparue, donc j'ai marché; j'ai suivi tes conseils, et jasé avec le gérant de la station de service que tu m'as désignée. Sur le chemin du retour, j'ai acheté des crevettes fraîches que j'ai fait cuire, et voilà, un bon vin blanc frappé. Contente?

— Oui.

— Répète-le.

— Contente!

— Et toi, ta journée?

— N'anticipons pas.

— Oh! Oh! Encore un mystère. Mais tu sembles heureuse, plus détendue.

— Ne te soucie pas de mon système nerveux, je suis en possession de mes moyens.

— Cette mise au point faite, viens te régaler. J'aurais préféré avoir de l'eau de mer qui est salée pour cuire les crustacés. Attends de goûter à mes moules! C'est sérieux, tu déménages?

— Oui, incessamment.

— Tu m'inviteras chez toi?

— Pas avant que tout soit à mon goût, là-bas.

— Tu ne veux pas garder cette peinture, tu en auras peut-être besoin?

— La couleur ne conviendrait pas, répondit Catherine avec un certain sourire.

— Que prendras-tu avec toi de ce qui est ici?

— Rien, sauf mes vêtements et cette vieille lampe verte.

— Un souvenir?

— Ne me coupe pas l'appétit.

— Pourtant, tu y tiens à cette lampe.

— Georges, tu recommences!

— Pas coupable, votre honneur, je ne sais pas de quoi on m'accuse; lampe verte à ajouter aux sujets tabous! Voilà, c'est enregistré dans mon cerveau. Hé! attends. Dépose ta fourchette.

Une à une, il lui servait les crevettes après y avoir déposé un baiser, le visage sérieux, le geste affectueux; l'homme sentait la chaleur de la passion l'envahir.

Subitement, Catherine devint triste, son visage se durcit, il était évident que quelque chose la troublait encore. Le charme était rompu. Il lui remit sa fourchette. Elle la lança, courut vers son lit et fondit en larmes. Il l'entendait pleurer, n'osa pas intervenir. Passé le premier moment d'attendrissement, les attentions de Georges ramenaient dans l'esprit de Catherine un autre lieu, un autre moment, une situation similaire: la crème glacée autrefois partagée avec Dimitri venait de se substituer aux gâteries de l'instant. Catherine entra en fureur.

Georges sortit, marcha sans but, la colère de sa compagne l'attristait. Ce soir il a compris qu'il n'était pas le responsable de ses sautes d'humeur. «Une grande souffrance intérieure la trouble, la bouleverse, lui fait perdre ses moyens.»

Il n'aurait jamais pu imaginer la profondeur de ce traumatisme et moins encore le tragique impact qu'il aurait sur leur avenir!

**

Catherine se levait tôt, emballait ses choses, utilisait la voiture de Georges pour aller les déposer à son appartement et revenait garer la voiture à sa place.

Un matin, Georges s'était réveillé et avait épié son manège; elle marchait sur la pointe des pieds, se faisait silencieuse le plus possible. La tentation fut forte de la faire sursauter, de l'effrayer, histoire de rire, comme elle le disait si souvent, mais il se retint: il respecterait ses enfantillages, anticipait déjà l'enjeu de ses cachotteries.

Puisqu'elle partirait, il viendrait habiter ici, près de son travail: l'endroit était plus agréable car déjà plein de beaux souvenirs.

Étendu sur le dos, les bras croisés derrière la tête, il pensait à cette fille vers laquelle il se sentait de plus en plus attiré. Il en oubliait presque la mer et ses charmes.

Pendant qu'il rêvassait, Catherine s'entretenait avec Fleurida, lui faisait part de ses décisions, l'invitait à venir chercher ces choses qu'elle lui réservait.

Celle-ci s'était montrée très coopérative et plus avenante qu'espéré. Après avoir libéré la maison de tout ce que Catherine ne voulait pas garder, la vieille demoiselle avait fait le nettoyage complet des lieux. Elle refusa l'argent que lui offrit Catherine pour les services rendus.

— Je l'ai fait pour madame Zélie.

Elle leva les yeux vers la peinture qui ornait le mur, ses yeux se mouillèrent.

— Vous l'aimiez beaucoup, n'est-ce pas?

Fleurida tourna les talons et sortit de l'appartement, sans répondre. «Ma foi, elle me haït! Sans doute m'en veut-elle, elle avait sans doute rêvé de posséder tout ça.»

Mais les regrets de Catherine ne s'éternisaient jamais, elle en revint à ses plans immédiats. Elle dressa la table, l'orna de chandelles, plaça le candélabre en plein centre. Elle révisait: champagne, moules, fromage, fruits, baguettes croustillantes, beurre frais.

Elle promenait les yeux autour d'elle, toutes ces belles choses lui donnaient une sensation de puissance, de supériorité. Elle rêvait d'améliorations futures, elle moderniserait les lieux: elle aimerait s'entourer de cuirs confortables, de tableaux gais, d'une moquette blanche et douillette, d'une vie agréable. Georges était de bonne compagnie, un peu vieux jeu mais si malléable! L'important est de ne pas troubler sa conscience timorée, de respecter son âme délicate, son âme de poète; un sourire malicieux accompagnait ses pensées. «Qui sait, peut-être qu'un jour je vivrai une douce romance, voire même un grand amour.» Elle ferma les yeux. «Un amour fou, enlevant, passionné qui sortirait de l'ordinaire, une passion enivrante. Pour le moment, j'ai d'autres chats à fouetter.»

***

Catherine trouva Georges en plein travail; il terminait la peinture, le deux-pièces était sens dessus dessous.

— Tu te décrottes, tu t'habilles, nous sortons.
— Tu en as de la chance de n'avoir pas été ici quand j'ai commencé à peinturer.
— Pourquoi?

— Je t'aurais grémie!

— Grémie? Je n'ai jamais entendu cette expression.

— Je t'aurais défaite en charpie, si tu préfères.

— Pourquoi?

— Regarde.

— Mais quoi?

— Tu crois que je vais vivre ici, dans un appartement rose.

— Ah! C'est ça?

— Tu ris, je ne t'ai pas trouvée très drôle.

— Je voulais rendre l'endroit agréable, chaleureux, tendre. Le rose est doux, invite à la romance. Toi, tu poétises; moi, je me laisse émouvoir. C'est toi, Georges, qui m'a inspiré ce choix.

— Si tu m'avais laissé la voiture, je serais allé l'échanger.

— De grâce, n'en fais pas toute une histoire, pas ce soir surtout. Fais-toi beau. Ça empeste, ici; partons. Je t'invite à dîner.

Elle entra dans la salle de bains, fit couler le robinet de la douche, tira le rideau, mais ne se doucha pas. Elle fit un brin de toilette, changea de robe. De toute façon, elle avait prévu un bain mousseux dans les bras de Georges.

Ils se dirigeaient ensemble vers son nouveau domicile.

— Tu as ton visage des beaux jours, tu souris, ton air vainqueur cache des secrets. Que mijotes-tu cette fois?

— Tu veux un avant-goût? Attends au prochain feu rouge.

Lorsqu'il freina, elle se pencha, l'embrassa avec fougue; un klaxon se fit entendre, Catherine resserra son étreinte. La voiture dépassa, le chauffeur eut, à leur endroit, un sourire indulgent et salua de la main.

— L'amour, tu as vu? L'amour, langage mondial, compris de tous.
— Chipie!
— Toi, tu es émoustillé. Attends que je vérifie...
— Micheline! C'est dangereux ce que tu fais!
— Ah! là là! Va plus vite si tu ne veux pas être violé ici, en place, publiquement!
— Où allons-nous?
— Eh! Tu as dépassé, retourne.

Ils arrivèrent à l'appartement le cœur en fête.

— Georges, ferme les yeux, donne moi la main, je vais te guider. Voilà, mon grand, nous entrons chez moi.

Georges émit un sifflement d'admiration.

— Je me suis longtemps demandé ce que cachaient les gratte-ciel, quel luxe! quel confort! Tu es à l'aise, toi, dans un tel environnement? Ce doit être merveilleux par temps ensoleillé. Tu ne dis rien?
— Je savais que ça te plairait.
— C'est l'appartement d'une riche amie?
— Non, mon cher, tu es chez moi.
— Tes parents sont absents?
— Encore tes questions? Tu es incorrigible! Viens, suis-moi.

Elle prit sa main et l'attira dans la cuisine. Après

avoir déplié un tablier, elle le somma de se dévêtir, le lui enfila, fit la boucle pour le retenir en place et sortit les crustacés du réfrigérateur.

— Prépare le souper, mais ne mets rien au feu, pas encore.

Elle s'éloigna en riant, se dirigea vers la baignoire qu'elle emplit, versa le savon liquide, et disparut sous la mousse.

— Georges, viens vite. Georges!

Il parut dans la porte.

— Viens, c'est l'heure des ablutions. Tu sais, aux leçons de catéchisme, quand on nous parlait du péché mortel, c'est à ceci que je pensais: être nue dans la mousse auprès d'un beau garçon.

Si les murs de madame Zélie aimaient la gaieté, ils ont dû se réjouir ce soir-là. Ils ont festoyé, bu le champagne, rigolé, et pris leurs ébats sur le tapis sous l'œil sévère de madame Zélie.

— Viens, Zélie, joins-toi à nous, tu les auras tes médicaments; viens, Zélie.
— Qu'est-ce que tu racontes?
— C'est une histoire entre nous deux: des secrets, ce sont des secrets. Hein, Zélie? Fais un feu de cheminée, Georges, j'ai le frisson.

Il porta la jeune fille sur le grand lit, la couvrit.

— Celui-ci est plus hospitalier, reste à...

Elle s'était endormie. Il la regardait, les cheveux épars, inoffensive, détendue.

«Je m'attache à cette fille, pleine d'inattendus, entourée de mystères, qui charme et fait peur à la fois; je me réveillerai peut-être un de ces quatre matins avec un gros mal de tête.»

Catherine grogra. Il sourit: «Voilà qu'elle conteste même dans son sommeil.»

Demain l'un et l'autre reprendraient le chemin du travail.

***

Au réveil, Catherine tenta de se lever, sa tête tournait. Elle ferma les yeux. Elle marcha vers la douche en frôlant les murs. Georges était déjà parti. La maison était dans un désordre incroyable. Lorsqu'elle entra au travail, sa patronne la pria de se rendre au centre-ville car elle ne pouvait s'absenter et des documents à rapporter lui étaient nécessaires.

«Ça n'aurait pu mieux tomber; avec ce mal de tête, tout plutôt que l'odeur des solutions fortes, du poli à ongles.»

— Vous avez votre permis de conduire, n'est-ce pas?
— Bien sûr.
— Prenez la voiture, Micheline, soyez prudente.

Catherine se dirigeait vers son destin.

***

Catherine tenait à la main une enveloppe brune qui contenait les documents à remettre à sa patronne. Elle marchait vers le terrain de stationnement où elle avait garé l'automobile de madame Labrosse. Elle prenait tout son temps, profitait de cette halte au milieu des heures de travail, prisait ces moments de liberté; elle pensait à la soirée de la veille, le sourire sur les lèvres. Ce soir, il faudrait tout nettoyer.

Tout à coup, elle s'immobilisa. Devant elle, de l'autre côté de la rue, écrit en toutes lettres sur une grande enseigne, elle lisait:

«D. J. Dracopoulos, Cie, inc. Assurances générales.» Elle s'appuya contre une vitrine, lisait et relisait le panneau, ne parvenait pas à en croire ses yeux. «Ça ne peut qu'être lui, un tel nom n'existe pas à la douzaine, il faut que ce soit Dimitri.» Elle ne parvenait pas à le croire; le passé lui revenait par bouffées brutales qui l'assaillaient, un véritable cauchemar. Elle gardait les yeux fixés sur les lettres qui dansaient sous ses yeux.

Une pluie légère se mit à tomber, ce qui eut pour effet de la réveiller. Elle traversa lentement la rue, s'approcha, tenta de voir à l'intérieur. C'est alors qu'une jeune fille sortit. Catherine hasarda.

— C'est bien le bureau d'assurances Dracopoulos?
— Oui, vous venez postuler pour le poste offert?
— Et vous-même?
— Oui, mais ce n'est pas ce que je cherche. Ils veulent une simple commis de bureau, un travail qui

paye mal, ce que j'ai fait trop longtemps pour vouloir y revenir; ça m'horripile.

— Le patron est là?

— Je ne l'ai pas vu, j'ai parlé à sa femme seulement. Bonne chance.

— Merci.

Catherine marcha vers un restaurant, ses jambes ne la portaient plus. Elle commanda un café. Il lui fallait se recueillir et penser. Si longtemps elle avait espéré localiser Dimitri, voilà qu'il était là, à deux pas, que l'occasion lui était donnée de s'approcher et elle n'en trouvait pas la force. Son désir de vengeance se serait-il volatilisé? Elle frissonna.

Elle avait maintenant faim, comme à chaque fois qu'elle éprouvait une émotion forte. Elle commanda un sandwich, le dévora. Ses pensées se bousculaient dans sa tête, la laissaient bouleversée, incapable de réfléchir. «Si je me présente dans cet état d'esprit, je perds toute chance d'obtenir la position offerte.» Elle aurait aimé voir l'homme à son insu, s'assurer qu'il s'agissait bien de lui. La reconnaîtrait-il? Quelle serait sa réaction? «Puisqu'il est marié, il raconte maintenant ses boniments à une autre. Si je lui parlais d'abord au téléphone, est-ce que le timbre de sa voix pourrait me renseigner sur son identité? Peut-il vraiment s'agir du même personnage?»

Catherine serra les poings, elle jouerait le tout pour le tout. Elle paya la note, traversa la rue et fonça.

— Mademoiselle?

Catherine s'avança, tendit la main. Elle se présenta:

Micheline Lavigne, elle venait au sujet de cette offre d'emploi. Les deux femmes se jaugeaient, pour des motifs différents. L'une curieuse, l'autre inquisitrice.

— Prenez la peine de vous asseoir.

Voilà: bien en vue sur le pupitre, nulle autre que la photo de Dimitri, avec ses cheveux foncés, en boucles folles, ses grands cils arqués, son sourire bon enfant.

— Mon mari... le patron de la boîte.
— Bel homme, se surprit à répondre Catherine.
— Oui, regardez, sa réplique: notre fille Maria. Elle a les yeux noirs de son père, les parents de mon mari sont Grecs.
— Malheureusement, je ne parle pas cette langue.
— Ne vous en faites pas, les affaires sont conduites en français et en anglais seulement. Vous êtes bilingue?
— Bien sûr.
— Vous travaillez, présentement?
— Oui, j'occupe le même poste depuis quatre ans, mais je veux changer de domaine.
— L'ordinateur, vous êtes familière?
— Quelques notions, mais puisqu'il s'agit du champ d'action d'une catégorie bien spécifique, ça devrait être assez facile de s'y retrouver.
— C'est juste. Le hic, ce sont les classeurs: il y a toujours énormément de paperasse à ranger.
— J'ai une certaine expérience, au couvent j'étais préposée à la bibliothèque dont j'étais la responsable.
— Voilà qui simplifie tout. J'aurais aimé que vous rencontriez mon mari, malheureusement il est à Boston et n'entrera que demain soir. Vous me plaisez bien, je suis sûre que nous saurions nous entendre. Vous semblez déterminée et avide d'apprendre. Ce sont là des atouts.

Le téléphone sonna.

— Faites le tour du domaine pendant que je réponds à cet appel.

Catherine se leva, elle avait vite recouvré son sang-froid et sa hardiesse. Le bureau du patron, sans doute; elle resta dans l'embrasure de la porte, jeta un coup d'œil circulaire à l'intérieur. Elle se sentait observée, elle marcha vers l'ordinateur, fut effrayée à la vue des imprimantes, des photocopieuses. «Bah! se dit-elle, en temps et lieu.»

— Tous ces endroits se ressemblent, n'est-ce pas?
— Seules les implications diffèrent, c'est vrai.
— Écoutez, mademoiselle Lavigne, j'aimerais que Dimitri vous rencontre. Après tout, c'est sous ses ordres que vous travaillerez. Prenons rendez-vous. Jeudi, ça vous irait?
— Il faudrait compter une semaine d'avis pour permettre à mes patrons actuels de me remplacer.
— Cela va de soi.
— Je vous téléphonerai pour confirmer le rendez-vous.
— Vous vous entendrez bien avec mon mari; il a la réputation d'être un bon patron, vous verrez. Peut-être qu'un jour, qui sait, vous pourriez participer aux bénéfices en travaillant comme agent.

On échangea une poignée de mains. Catherine sortit, contente de se retrouver sur le trottoir, elle avait la nausée.

«Tout ce temps, il était ici! Il est marié, il a un enfant, son propre bureau, est prospère. Il a brisé ma vie, par sa faute j'ai failli perdre la mienne; et monsieur est heureux, monsieur voyage, file le parfait bonheur! C'est ce qu'on va voir!»

Elle retourna au salon de coiffure, remit les documents à madame Labrosse, prétexta un mal de tête et alla s'enfermer chez elle.

En ouvrant la porte, elle sursauta. L'appartement était parfaitement rangé. Ça alors! Georges? Impossible, il n'a pas la clef. Fleurida, alors. Elle descendit, frappa chez elle.

— Vous êtes entrée chez moi?
— Bien sûr. Comme à chaque jour. Je l'ai toujours fait, madame Chamberland le voulait ainsi.
— Vous avez la clef?
— Bien sûr.
— Remettez-la-moi. Quand j'aurai besoin de vous, je vous ferai signe.
— Comme vous voulez. Vous n'êtes pas satisfaite de mon travail?
— Ce n'est pas ça: je suis surprise, c'est tout, et je suis lasse, aujourd'hui.
— Il y a un sac à glace sous le lavabo, dans le cabinet de la salle de bains.
— Merci, Fleurida. Bonsoir.
— Bonsoir, mademoiselle.

«Ouf! S'il eût fallu qu'elle s'aventure de venir ici hier soir!» Une fois dans l'ascenseur, elle pensa au sac de sucre. Il n'était pas dans la cuisine, là où elle l'avait laissé. Elle regarda dans toutes les armoires, rien. Une porte, en retrait, attira son attention; un garde-manger dont elle ignorait jusque-là l'existence. Elle ouvrit,

«Grand Dieu!» Il y avait là assez de conserves pour la nourrir toute une année. Et quelle variété! Des truffes à la sardine! Près des condiments, trônait le fameux sac de sucre; Fleurida l'y avait rangé. Elle le vida dans la poubelle, repéra la fortune qu'elle y avait enfouie.

Allongée sur son lit, elle fit un retour dans le passé. On sonna à sa porte, elle ne bougea pas. Elle consulta sa montre. Ce devait être Georges qui rentrait du travail. «Son règne achève, celui-là, j'ai d'autres préoccupations!» Puis elle se ressaisit. Il pourrait lui être utile. Non, elle ne s'en ferait pas un ennemi. Qui sait? Les pensée les plus folles lui traversaient l'esprit.

Elle se rendit à la cuisine se faire une tasse de thé qu'elle oublia de boire. «Dimitri ne doit pas me reconnaître, à aucun prix. Je dois d'abord le ruiner, ce chanteur de charme, ce mystificateur, lui et ses discours mirobolants, ses sorties mythiques puisées dans quelques bouquins de son pays et brodées dans ses mots fulgurants! Je vais lui rabattre le caquet, celui-là.»

Elle fut soudainement secouée par un rire nerveux. «L'idéal serait de l'amadouer, de lui inspirer un amour fou, irrésistible, de l'attirer puis de le repousser, de jouer avec son cœur comme le chat joue avec la souris. Lui faire perdre littéralement la tête!»

De ses ongles, elle lacérait le bras du fauteuil; le mal de tête reprenait, cette fois ce n'était pas dû au champagne.

Elle se mit à arpenter la pièce. Elle pensa au sac à glace. Elle l'emplit et s'allongea sur le lit. Sur la table de chevet se trouvait un téléphone. Elle appela Georges.

— J'étais fou d'inquiétude. On m'a dit que tu étais partie tôt du travail, je me suis rendu chez toi, sans obtenir de réponse.
— Je dormais. J'ai le bloc! Présentement, je suis au lit, un sac de glace sur la tête. Fini, le champagne. Fini, à tout jamais.
— La modération, ma chère, ça existe.
— Oui, monsieur le curé. Quoi d'autre?
— Tu n'es pas malade, dis?
— Non, mais j'ai le goût de dormir. Tu t'habitues à tes cloisons roses?
— C'est vrai que c'est gai mais moins que tu l'étais hier...
— Sais-tu, je ne me souviens pas m'être couchée.
— Et pour cause...

Sur la fin de la conversation, Georges lui demanda son numéro de téléphone qui ne figurait pas dans l'annuaire.

— J'avais oublié ce détail.
— Quand te reverrai-je?
— À propos de ton travail, Georges, tu es satisfait?
— Trop tôt pour le dire. Je suis, pour le moment, préposé aux pompes.
— Donc, des pourboires.
— Il en faudrait beaucoup pour régler la note d'hier.
— Ne t'en fais pas, Georges. Bonsoir. Je te rappellerai bientôt, mais présentement j'ai besoin de sommeil.

Catherine se dévêtit, éteignit la lumière et se glissa sous ses couvertures. Elle ne parvenait pas à se détendre, le drame de sa jeunesse affluait à son esprit, son désespoir d'alors refaisait surface, ces rires narguants derrière la cloison retentissaient dans sa tête; elle appuyait sur ses oreilles avec force dans l'espoir de les faire taire, mais n'y parvenait pas. Alors elle gémissait. Dieu qu'elle avait mal! Des frissons d'horreur la secouaient. Peu à peu sa souffrance fit place à la révolte. Elle rumina les supplices auxquels elle soumettrait le coupable, les uns plus cruels que les autres. Maintenant qu'elle avait repéré l'ennemi, elle consacrerait toute son énergie à le punir. Elle finit par s'endormir et rêva d'une petite fille qui portait le prénom de Cathina et qui jouait sur les nuages.

***

Georges s'interrogeait: Micheline lui semblait lointaine, préoccupée, morose même. Ses propos manquaient d'entrain, son habituelle désinvolture laissait place à un repliement.

Il conclut que ce revirement était dû à cette maison nouvelle, à des obligations accrues, à des inquiétudes qu'elle refoulait. Jamais elle ne parlait du passé, de sa famille, de son enfance. Y avait-il une liaison entre ces faits?

Il préférait de beaucoup la fille saugrenue à la fille triste de ces derniers jours. Aussi décida-t-il de tenter de l'égayer. Il lui téléphona, la pria de l'accompagner dans les grands magasins du centre-ville qu'il désirait parcourir. Le souvenir des catalogues de son jeune âge l'avait souvent fait rêver, prétextait-il. Un peu d'évasion serait bénéfique à sa belle.

— Donne-moi quinze minutes, je descendrai te rejoindre en bas. C'est gentil, j'ai justement des achats à faire.

Georges raccrocha, content. Enfin, un peu de gaieté avait percé dans sa voix.

Catherine dressait mentalement la liste des achats à faire tout en se faisant une beauté. Sa préoccupation première, Dimitri, continuait de la hanter. Des draps de satin, elle en avait toujours rêvé. Ils attendraient dans la lingerie, jusqu'à la visite de Dimitri. L'idée la fascinait; elle commençait et finissait habituellement ses journées dans ses projets de l'ensorcellement, avant de passer à ceux de la destruction.

— Bonjour Micheline, toujours aussi belle!
— Bonjour Georges, répondit-elle en prenant place dans la voiture.
— Alors, et mon baiser? On ne m'aime plus?
— Prends-le.

Elle avait avancé son visage, tendu la joue.

— L'autre joue...

Micheline dut sourire. «Le cœur n'y est pas», pensait Georges. Il s'efforçait de jeter une note gaie dans la conversation. Peu à peu Micheline se détendait.

— J'ai des choses à acheter, dans des rayons sans intérêt pour toi. Je vais te conduire au département des vêtements pour hommes et filer. Dans deux heures, viens me rejoindre à ce restaurant qui est situé au dixième étage; si je n'y suis pas déjà, je ne tarderai pas.

Georges la vit là, attablée; il s'arrêta au comptoir et commanda un café. Elle les avait choisis pourpres, ses draps, avec une robe d'intérieur assortie, des mules à hauts talons. Près d'elle, elle avait déposé le sac à poignées dans lequel s'entassaient ses achats. Elle écoutait d'une oreille les propos de deux voisines.

— Tu n'as pas peur de te promener avec une telle somme d'argent? Ce n'est pas prudent.

— Comment veux-tu que je paye la laveuse et la sécheuse autrement? Ils ne prendraient pas mon chèque.

— Demande une carte de crédit.

— Non, non, non. Charles ne veut pas entendre parler de ça.

Catherine avait rassemblé ses factures, elle faisait ses calculs. Elle regarda en direction de la porte d'entrée. Georges était en file et attendait pour payer son café.

La voisine s'informait à sa compagne:

— Les toilettes sont là, derrière toi.

Subitement intéressée, Catherine réfléchissait vite. C'était risqué, il y avait des caméras dans les salles de toilette. Georges venait vers elle, les yeux de sa belle brillaient enfin. Elle se pencha, lui dit:

— Dans trois minutes, tu t'approches de la salle de bains, dépose mon sac d'emplettes près de la porte. Dès que je suis sortie, tu le prends et tu vas m'attendre au restaurant qui est situé en face, de l'autre côté de la rue. Ne bouge pas de là avant mon retour. Tu as bien compris?

— Je te pensais assagie, encore un de tes trucs?

La voisine finit son café, s'adressa à sa compagne:

— Je vais au petit coin et je reviens.

Elle prit son sac à main et s'éloigna. Catherine l'avait précédée. L'arrivante se dirigea vers les cabinets. La dame portait le pantalon, ça faciliterait les choses. Catherine marcha vers le lavabo, observa sous la porte depuis le miroir. Le pantalon tomba: «c'est le temps, la dame a sûrement la tête baissée». Catherine sourit: elle bougeait les lèvres mais ne parlait pas, c'était pour la photo. Elle voulait laisser croire qu'elle dialoguait avec celle qui était derrière la porte. Elle passa la main, prit le sac qui, c'est merveilleux, était sur un crochet à sa portée. Elle babilla encore un peu et sortit lentement. Il ne lui restait que quelques instants avant que la victime ne réagisse. Pas une minute elle ne doutait de la présence de Georges, qui faisait le pied de grue près de la porte, les sacs à ses côtés. Son plan devait réussir, sans faille, elle en avait décidé ainsi.

Au moment de sortir, Catherine tira sur le fichu rouge qui parait ses épaules et, avec dextérité, enroula le sac de sa victime, le jeta furtivement au milieu de ses emplettes.

Silencieuse, elle passa devant Georges sans le regarder et revint sur ses pas en direction du restaurant. Elle leva un bras, tira sur le peigne qui tenait son chignon; ses cheveux glissèrent, s'éparpillèrent, lui donnèrent une autre tête.

En ligne, mêlée à d'autres clientes, elle commanda un café et un croissant. Elle se trouvait à la caisse au moment où se fit entendre un hurlement.

Catherine choisit une table qui lui donnerait une

vue oblique sur celle qu'occupaient les deux dames, dont sa victime.

Elle demanda à une personne voisine, d'une voix placide:

— Qu'est-ce qui se passe?
— Je ne comprends pas très bien, je crois qu'une femme a perdu son sac à main.

On échangeait des commentaires, chacun y allait de ses observations et interprétations. On se coudoyait dans le malheur. Sa victime était debout, gesticulait, sa compagne allait et revenait; enfin la sécurité alertée se présenta.

Catherine observait, mangeait sa gâterie, buvait son café. «Georges doit être rendu au restaurant, je peux partir sans contrainte.»

Elle se leva, fit un sourire à sa voisine et, affichant une allure désinvolte, elle souligna:

— C'est une bonne leçon à prendre, il ne faut jamais se départir de son sac à main, jeta-t-elle, complaisante.
— Vous avez raison. Peut-être l'a-t-elle échappé quelque part, tout simplement.
— On le retrouvera sûrement, conclut Catherine.
— Ça, je n'en suis pas certaine.
— Bonjour, soyez prudente.

Catherine s'éloigna, le cœur un peu troublé par les émotions fortes qu'elle venait de se donner. Elle s'arrêta au département des draperies, jeta un œil sur les nouveautés, s'informa des prix et conclut qu'elle reviendrait en fin de semaine avec la mesure de ses fenêtres...

Au restaurant en face, Georges l'attendait.

— Où étais-tu passée, Micheline?
— J'ai dû m'attarder au rayon voisin.
— Au rayon voisin, tu en as de bonnes, toi, qu'as-tu fait? Que s'est-il passé? Qu'as-tu encore fait, Micheline?
— Moi, rien. Rien d'autre que d'aller satisfaire certains besoins dégoûtants, mais tout à fait naturels. As-tu des achats à faire?
— Non, merci, j'ai perdu le goût.
— Alors, partons. J'ai assez dépensé pour aujourd'hui.

Une fois dans l'automobile, Georges demanda:

— Qu'as-tu jeté dans le sac?
— Mon fichu, pourquoi?
— Laisse-moi voir.

Elle tendit le bras vers le siège arrière, tira lentement sur le fichu, le lui montra. Georges fit remarquer que l'impact n'était pas celui qu'aurait fait un fichu.

— Ah! trancha-t-elle, mes peignes d'écailles sans doute ont fait du bruit, mon chignon s'était défait... Et alors, qu'est-ce que j'ai à tout expliquer, de quoi aurais-je à me justifier?

Catherine changea de sujet, mais prit bien garde de raconter l'anecdote de ce vol d'un sac à main qui avait soulevé tout un émoi. Elle noyait ses émotions fortes sous un flot de banalités.

— Tu viens souper avec moi, finit-elle par conclure, j'ai préparé un léger goûter. Mais je suis lasse, je devrai me coucher tôt.

En arrivant chez elle, elle déposa le sac qui contenait ses achats au vestiaire, se dirigea vers la cuisine. Georges était sorti sur le balcon, s'émerveillait de la vue qui s'offrait à lui.

— Je me sens plus près du ciel que je ne l'ai jamais été.
— Avec un ange à tes côtés.
— C'est vraiment le paradis sur terre.

L'arôme du café leur parvenait. Georges huma, se dirigea vers la cuisine et plaça les assiettes sur la table.

— Pas de champagne, ce soir?

Catherine ne répondit pas, elle était perdue dans ses pensées. Il hocha la tête. Il s'était habitué à ses sautes d'humeur, présentement elle semblait plus triste que confuse. Il prit un bâton de céleri, marcha vers elle, lui en caressa les lèvres, ce qui la fit sourire.

— Ouvre le bec. Suis-moi, l'heure est venue de te ravitailler si tu veux continuer d'être forte et belle. Allons, un peu de gaieté, ça stimule l'appétit et favorise l'eupepsie.
— La quoi?
— L'eupepsie: la bonne digestion.
— Quel numéro tu es! Et tu te contenterais d'être pompiste avec tes capacités!
— Je n'ai pas tes ambitions.
— Avec les résultats que tu connais. Réveille-toi,

Georges, tu l'as dit toi-même, tu étais roi sur ton bateau, la mer ton empire, ses eaux ton pourvoyeur, les horizons illimités les frontières de ton royaume. Et vlan! Tout s'est écroulé, comme un château de sable. Dans la vie, de deux choses l'une: on est dominé ou dominant.

— Et ton choix?

— Ni l'un ni l'autre, mon confort, la paix, la sécurité et... le reste.

— Et...

— Une reconnaissance de dettes à percevoir.

— Quel ton! Je ne voudrais pas être l'offensant!

Catherine tourna la tête; elle plissait les yeux; la photo représentant Dimitri s'imposait à sa pensée. Elle serra les poings sous la table.

— Eh! Reviens vers moi. Eh! Hello, Micheline... tu es là?

— Oui, avec une décision à prendre.

— Tu veux en parler?

Cette fois elle s'attaqua à la nourriture. Elle s'empiffrait littéralement. Georges souriait. «Quelle furie! Une véritable walkyrie, toujours prête à bondir, assoiffée de sang! L'instant d'après, une simple midinette.» De sa fourchette, Catherine prélevait les miettes au fond des plats. Impossible d'en douter, elle était mentalement absente.

Georges se leva, desservit la table, lava la vaisselle; elle ne bougeait toujours pas. Un plat de noix se trouvait près de l'évier, il le prit et alla le déposer devant elle. Elle s'y attaqua, inconsciemment.

— Micheline, je crois que je vais m'en aller.

Elle sursauta.

— Non, reste!
— Tu es si loin!
— Reste, Georges. J'aimerais avoir ton opinion. Ferme la radio, veux-tu?

Après une pause, elle reprit:

— On m'a offert un nouveau travail, dans un domaine qui m'est tout à fait inconnu, mais sûrement aisé à apprendre. J'hésite. Pourtant, j'en ai assez de laver des têtes, de curer les ongles.
— Le salaire vaut-il la peine de plonger dans l'inconnu?
— Il n'en fut pas question, le sujet n'a pas été abordé. Par contre, l'occasion me sera donnée de grossir mes revenus à partir du jour où je serai assez documentée pour faire de la représentation. Ça revient à dire salaire plus commissions.
— C'est ambitieux, mais réalisable.
— Tout ce que je veux, c'est ma place au soleil.
— Tiens compte des éclipses possibles...
— Je ne me laisse pas facilement décourager.
— Ta décision semble prise. Qu'est-ce qui te fait hésiter?
— Les implications, les mauvaises surprises, certaines incertitudes.
— Insurmontable, crois-tu?
— Bien des facteurs entrent en ligne de compte.
— Je ne m'étais jamais imaginé que tu prenais les choses autant à cœur. Te voilà d'un sérieux! Tu ne cesses pas de m'étonner. Puisque tu as fait tes preuves

dans ton métier actuel, tu pourras toujours y revenir, tente ta chance. Dans tout il y a du pour et du contre, il t'appartient de faire la part des choses; toi seule le peux. C'est pour bientôt? La décision presse?
— J'ai rendez-vous avec le directeur général jeudi.

Un nerf de son visage sautait, elle y passa le doigt; une lueur de fureur perça dans son regard.

— Je comprends ton anxiété. Je me sentais comme ça, j'étais exactement dans cet état le soir que nous nous sommes rencontrés. Tout s'est tassé. Le temps règle les choses, travaille en notre faveur. Laisse-toi guider par ton bon jugement.

Catherine eut un rire amer. Elle comptait beaucoup plus sur les circonstances favorables que sur son jugement pour mener à bien son projet monstrueux.

— Une bonne nuit de sommeil t'éclaircira les idées. Tu connais le bon vieux proverbe: la nuit porte conseil. Demain, au réveil, tout te paraîtra plus simple. Prends une douche pour te détendre et va dormir. On en reparlera à la prochaine occasion. Moi, je retourne dans mon cocon.
— Merci, Georges, tu es un bon ami. Je ne suis pas sans me rendre compte que souvent je t'agace; je te rendrai tout ça au centuple, un jour.
— Tu m'embrasses?
— Non. Tu t'embrases trop facilement et j'ai besoin de repos. File, avant que j'aille chercher l'oubli dans tes bras.
— Enjôleuse!
— Mauvais garnement!
— Coquine!

— Voyou, file!

Georges sortit, heureux d'avoir réussi à l'amuser, à la distraire. Catherine pensait à cette rencontre, si lointaine et à la fois si rapprochée. L'incertitude, une fois encore, lui pesait. Elle songea à se déguiser, à ressembler le moins possible à la petite fille de treize ans. C'était si loin, tout ça. Elle se reprenait à espérer. «Il ne doit pas me reconnaître, ça éveillerait des doutes.» S'il ne se méfiait pas, elle saurait quand et comment le démolir. «Il me faudra une voiture: ce qui était autrefois un désir devient une nécessité.» C'est cette pensée qui l'avait motivée, au restaurant, quand elle avait vu la somme d'argent que la dame exhibait sous ses yeux, de la table voisine. Elle se leva, chercha le sac à main dérobé, l'ouvrit: le double d'un bordero estampillé, une facture d'électricité, quelques mouchoirs de papier, la somme d'argent roulée, attachée d'un élastique: des billets qui avaient souvent et longtemps circulé, donc utilisables. Un total de mille et un dollars. Elle les ajouta à sa réserve. Le sac à main était de qualité minable. Rien qui valait la peine d'être retourné à sa propriétaire. Elle fit un feu dans l'âtre et y jeta l'encombrante pièce à conviction. Elle la regardait brûler, rêvait de voir ainsi griller son ennemi acharné, un de ces jours.

***

Lorraine s'entretenait au téléphone avec son mari Dimitri.

— Je crois qu'elle saura te plaire, elle est très délurée, se présente bien. Elle a beaucoup de classe et sait reconnaître son inexpérience. Je la crois aussi franche que spontanée. Ce n'est pas le genre jeans et chandail, elle est élégante.

— Une poupée gâtée, alors?

— Non, quatre ans au même travail qu'elle occupe toujours et elle demande un délai d'une semaine afin de donner un avis à ses patrons actuels.

— Elle est de toutes les personnes rencontrées celle que tu sembles préférer.

— De beaucoup, Dimitri. Ma seule réserve est que cette fille est trop jolie...

— Alors, embauche un secrétaire, du sexe mâle... Et ce sera à moi de te surveiller. À propos, cette grossesse?

— Ça va, Dimitri, ma santé est bonne. C'est pourquoi je me réjouis. Cette fille semble aimer les défis: j'aurais le temps de la mettre au courant des différents dossiers, elle te seconderait jusqu'à mon retour.

— Tu as discuté salaires et bénéfices?

— Non, c'est à toi que revient la décision finale. Elle viendra te rencontrer jeudi. Tu rentres demain, tel que prévu?

— Prends soin de mon fils.

C'est sur ces mots que se termina la conversation. Pendant ce temps, Catherine pensait métamorphose. «Je dois garder à l'esprit le fait que sa donzelle m'a vue telle que me voilà.»

Elle enleva le peigne qui retenait ses cheveux. «Mes cheveux qu'il aimait tant!» Elle se pencha vers le miroir. «La mouche fut une trouvaille extraordinaire, je devrai ne pas l'oublier et toujours la poser au même endroit. Et s'il devait me reconnaître, quelle attitude devrais-je prendre? Peut-être a-t-il oublié jusqu'à mon existence. J'ai ce nouveau nom, plusieurs années de plus; non, c'est impossible.»

Catherine reprenait confiance en elle-même. «C'est le hasard qui a permis que je le retrouve; j'ai bien fait de me présenter au bureau en son absence; l'occasion n'aurait pu être plus propice, rien ne pourrait éveiller de soupçon. De toute façon, je sais maintenant où il se trouve. Moi, je ne lâcherai pas prise; moi, je n'ai rien oublié; moi, je me vengerai!»

DEUXIÈME PARTIE

Chapitre 7

Des années s'étaient écoulées depuis la tentative de suicide de Catherine. L'événement avait alors fait du bruit, suscité bien des commentaires. Le départ précipité de cette famille n'avait fait que confirmer certains soupçons, surtout chez les garçons qui se sentaient un peu responsables de la tournure des choses. Puis tout avait sombré dans l'oubli.

Aujourd'hui, il y avait grande fête. Les êtres qui vivaient entassés dans ce quartier se réunissaient pour un ultime rendez-vous. Le pâté de maisons serait bientôt rasé. Pour certains, ce n'était qu'un au revoir, pour d'autres des adieux. Lafont avait ouvert ses portes à tous ces voisins qui s'étaient coudoyés, là, à travers les années. Les liens étaient étroits ou distants selon la personnalité de chacun.

Lafont prenait sa retraite, il était au poste depuis plus de quarante ans. Tous le connaissaient, il en avait aidé plusieurs. Ce quartier n'étant pas des plus fortunés, on comptait souvent sur un voisin. Un îlot d'intimité au milieu de l'anonyme grande ville de Montréal: les liens de la misère.

Demain le pic des démolisseurs viendrait, impitoyable, éventrer ces murs qui avaient été les paravents d'autant d'êtres, d'espoirs, de rêves et de luttes. Des cellules où bougeait la vie, où se faufilait furtivement la mort.

Bientôt des maisons nouvelles seraient érigées, on viendrait y vivre et parfois y mourir. Les clochers seraient les mêmes, les maisons d'enseignement reprendraient les mêmes thèmes, les obligations et droits de chacun auraient force de loi, les luttes resteraient autant de défis à relever.

L'histoire de la masse s'oublie: ici et là un individu se détachera de la société et laissera des empreintes, fera des remous.

Polovios Dracopoulos était de la fête avec sa famille, une certaine nostalgie l'étreignait. C'était ici qu'il avait emménagé à son arrivée au Canada. Il ne connaissait pas ou presque les environs. Dans ce quartier, il s'était adapté à ce pays, à ses us et coutumes, avait appris le français et l'anglais, avait gagné sa pitance.

Il regardait ces gens qu'il avait si souvent croisés sur la rue, salué d'un bref mouvement de la tête, avec la retenue de l'arrivant qui veut être accepté sans faire de vagues. Il était devenu le Grec; sa femme, la femme du Grec; son fils, le fils du Grec. Un patriarche, quoi! Il venait de loin, avait vécu sur les bords d'une mer douce, se défendait du froid, de la neige, des obstacles que le pays d'adoption offrait. Ça, il le taisait, c'était sa souffrance intime, il en avait la pudeur.

***

Un jour, Polovios avait croisé sa chance. Au nord de la métropole, on *lotisait* les terres, la ville s'étendait, la construction connaissait un essor. L'occasion lui fut donnée de retrouver son métier, de mettre son expérience à profit. Le maçon reprit truelle et marteau. La pierre et la brique le jour, la tuile décorative le soir. Ce fut le début de l'ère prospère.

Maintenant propriétaire d'un charmant cottage, d'un carré de verdure, le Grec offrait aux siens confort et sécurité. Vera, sa femme, n'osait plus gémir tout haut; elle avait son Parthénon.

Dimitri était à la hauteur, faisait de hautes études; il avait la réserve de son père, la fierté de sa mère.

Un jour, il invita chez lui Lorraine, la fille d'un professeur. Vera les observait. Sur la table de la cuisine ils travaillaient à des problèmes de mathématiques; des sourires se mêlaient aux calculs et aux théories énoncées; la mère comprit: son fils s'amourachait.

C'était bien: la jeune fille avait de la classe, était légèrement corpulente, juste ce qu'il fallait pour dénoter une bonne santé. Elle aurait des enfants sains. Lorsqu'elle fit part à son mari de ses déductions, celui-ci eut un sourire entendu: «En voilà un qui est bien de sa race, mais il aurait pu attendre, il est trop jeune!»

Astucieuse, Vera invita la jeune fille à dîner, elle la cuisinerait. Moussaka et Baklava seraient au menu. Lorraine dédaigna le potage additionné de citron. Vera s'inquiéta; les traditions doivent se transmettre. Lorraine, respectueuse, sut écouter.

Sa mère était récemment décédée, son père enseignait; il était de plus dans les assurances, comme son grand-père l'avait été; il initiait Dimitri au métier; ensemble ils en discutaient, ça rapportait bien. Vera se taisait. Occasionnellement elle soulevait une objection.

Dimitri expliquait, Polovios se réjouissait. La pierre et la brique, c'est plus lourd que le crayon, ça éreinte l'homme. Le problème de la Sun Life fut évoqué, le succès de la boîte cité en exemple à l'appui du rendement des assurances: les Québécois étaient les mieux assurés au monde. Ils assuraient leur vie, leur voiture, leur maison, s'assuraient pour eux-mêmes, pour autrui, pour protéger leurs contrats, leurs dents, leur vieillesse. Dimitri cita des noms d'actrices qui assuraient leurs jambes, des fermiers qui assuraient leurs semences.

— Continue, Dimitri: plus on s'assure, plus tu me rassures.

Lorraine avait prisé le mot d'esprit, elle le répéterait à son père.

Dimitri conclut vite que Lorraine était acceptée par ses parents. Ses visites se faisaient plus fréquentes. La jeune fille revenait de plus en plus souvent. Les deux familles s'étaient liées d'une grande amitié. Vera se surprit à rêver: elle serait grand-mère! Du coup, Lorraine lui devenait chère.

Le point épineux à régler fut le choix de l'église où s'échangeraient les serments.

Dimitri évoluait à son rythme dans le domaine de l'assurance. Plusieurs dossiers lui furent légués, il prenait la relève.

Le pays d'adoption tenait ses promesses, il donnait une belle fille à marier au jeune immigré, et dans la corbeille de noces un métier rémunérateur, une clientèle déjà établie et des prospects éventuels.

***

Les débuts furent marqués par l'incertitude. On veut réussir, ne pas déplaire; on devient maladroit, on s'interroge. Jean Martin conseillait son gendre, il lui sacrifiait ses fins de semaine; le travail avait ses secrets, ses ambiguïtés. L'ennuyeux était surtout qu'il fallait toujours recommencer, attirer une nouvelle clientèle, et pour ce, satisfaire l'existante. Nouveau client, nouvelle police; nouvelle police, grosse commission: l'art de la vente. Dimitri assimilait bien; il était courtois, patient, savait écouter. Martin l'exhortait à être plus agressif. «C'est la loi de la jungle, fiston, la mode est aux soumissions; bats le fer quand il est chaud, ne laisse pas le client te filer entre les doigts. Le plus beau parleur l'emporte. Fonce.»

Les leçons portaient, Martin avait le doigté de l'enseignant et l'ambition du père qui veut le bonheur de sa fille.

Ce fut Lorraine qui, bientôt, par un geste plus courtois qu'intéressé, poserait la pierre angulaire qui devait asseoir les affaires de son mari sur une base solide.

Dimitri était rentré pour dîner les yeux brillants.

— Qu'est-ce qui t'arrive?
— Tu ne saurais imaginer. J'ai trouvé un local idéal, situé au centre-ville, dans le milieu des affaires. L'endroit est délabré, mais j'y vois tant de possibilités.
— Ton père se fera un plaisir de calculer le coût des réparations, consulte-le.
— Ça signifierait certains sacrifices. Dont celui d'une

voiture: ça m'embête d'utiliser la tienne pour gagner notre vie.

— Ma voiture, la tienne, c'est la même chose. Un jour nous en aurons deux, ce seront les nôtres; alors, où est le problème?

Lorraine sourit, elle cachait une déception: on lui avait confirmé sa grossesse le jour même, ce soir elle voulait annoncer la bonne nouvelle à son mari. Elle tairait sa joie, permettrait à Dimitri de lancer son projet avant de le mettre en face d'une autre obligation qui lui échouerait. Ayant grandi dans l'aisance, elle s'expliquait mal les hésitations de Dimitri. Elle se devait de le supporter, de lui inculquer confiance, vertu que les néo-Canadiens mettaient beaucoup de temps à acquérir.

Dimitri parlait avec son père de la découverte d'un local et du projet de restauration, il prit rendez-vous pour qu'on puisse évaluer les frais sur place.

Polovios écoutait son fils: ces jeunes avaient le culot que sa génération n'avait jamais eu. Ils devenaient chefs d'entreprise à l'âge où même le mariage était une décision majeure.

— Compte sur moi, mon fils, tout se restaure. J'irai plus loin, je verserai trois mois de location pour t'aider à partir sur le bon pied.

Dimitri se leva, tendit la main à son père.

— Tu es trop généreux! Je te le rendrai, papa.

Le père se leva, fit l'accolade à ce fils qui le tutoyait pour la première fois; il devenait un homme.

Les réparations majeures étaient terminées, il ne restait qu'à mettre la touche personnelle, à classer les documents; on pourrait bientôt ouvrir les portes au public.

C'était dimanche, Lorraine avait garni un panier, du fromage, des fruits, une variété de légumes à déguster.

— Serais-tu devenue végétarienne?
— C'est ce que conseillent les médecins dans ma condition.
— Les médecins? De grâce, de quoi parles-tu?
— Je laisse ça à ton imagination; quand tu auras deviné, nous nous réjouirons...
— Cure d'amaigrissement?
— C'est ça, profites-en pour me passer tes remarques désobligeantes. Non, je crois même que je vais prendre du poids, beaucoup de poids!
— Lorraine! Tu es sûre de ce que tu essayes de m'apprendre? Il ne s'agirait pas du vœu pieu de maman?
— Tu te souviens du jour où tu m'as fait part de ton désir de louer ces locaux? J'avais vu le médecin, ce matin-là. Je voulais te communiquer la bonne nouvelle, mais devant ton enthousiasme, j'ai décidé d'attendre l'occasion favorable. C'est mon cadeau, à l'occasion de ce jour. Viens, suis-moi.

Dans le bureau se trouvait l'éternel sofa de cuir qui en imposait par sa seule présence. Ce jour-là, il devint le témoin de touchants moments de tendresse. Le couple oublia le travail, les obligations, le monde entier. Leur amour occupait tout l'espace, suspendait le temps.

Dehors, la neige tombait, abondante, tassée, pressée, une tempête qui surprenait par son arrivée soudaine; la première de cette fin d'automne. Lorraine et Dimitri dormaient, enlacés.

**

De l'autre côté de la rue, un exécutif entrait au travail. Il avait pris la route avant le lever du jour, voulant éviter le trafic. Malheureusement, le stationnement attenant n'avait pas été déblayé, la porte du garage intérieur était inaccessible. Il descendit de sa voiture et par mégarde y enferma son trousseau de clefs. Il était dehors, sans chapeau, dans la neige jusqu'aux genoux, et le jour pointait à peine. De l'autre côté de la rue il vit une lumière qui brillait; il releva le collet de son manteau et entreprit la traversée.

Lorraine s'était réveillée, légèrement ankylosée mais combien heureuse. Elle préparait le café. Un bruit attira son attention, elle réveilla Dimitri. Celui-ci marcha vers la porte, ouvrit.

— Je vous en prie, ouvrez votre porte à un bonhomme de neige qui va perdre le nez et les oreilles.

Lorraine s'approcha en riant, une tasse de café fumant à la main.

— Secouez-vous, homme des neiges, venez vous joindre à nous.
— Vous êtes nouvellement arrivés, je ne vous ai jamais rencontrés avant aujourd'hui.
— Nous emménageons.

L'homme déclina son nom, Nikos, et il raconta sa mésaventure. Dimitri tendit la main, ils échangèrent quelques mots en grec.

— Nikos, les fourrures n'est-ce pas? Ironique, lança Lorraine: un fourrurier qui grelotte de froid!

— J'ai joué les héros, je croyais pouvoir vaincre la nature.

— Donnez-moi votre paletot.

— Vous êtes aussi prisonniers? Qui aurait pu prévoir une pareille tempête? Hier encore le temps était tempéré; je ne m'habitue pas aux sautes d'humeur de la nature dans ce pays.

Lorraine sourit. Prisonniers, oui, mais pas des forces de la nature déchaînée...

— Nous ignorions qu'il neigeait. Nous rangions, préparions l'ouverture du bureau.

— Dans quel commerce vous lancez-vous, si je peux demander?

Dimitri expliqua. Lorraine s'éloigna et alla préparer un snack qu'elle plaça devant les deux hommes lancés dans une sérieuse conversation.

Lorraine, assise devant le classeur, consultait les chemises, les rangeait. Ses pensée allaient de la joie de Dimitri à la monotonie de sa tâche.

Mike Nikos vint saluer Lorraine, la remercia pour le chaleureux accueil.

La porte se referma. Dimitri leva les bras au ciel, s'écria:

— Youpi!
— Qu'est-ce qui se passe?

Dimitri se pencha, baisa le ventre de sa femme et déclara:

— Si c'est une fille, elle portera le prénom de Maria. C'est l'enfant des miracles, miracle qui s'est déjà manifesté.
— Qu'est-ce que tu racontes?
— Tu n'en croiras pas tes oreilles, Lorraine. Mike Nikos, le grand propriétaire; importation, exportation, marchandises, entrepôts, transports, édifices, assurances collectives, le paquet!
— Et?
— Et moi, Dimitri Dracopoulos, je suis invité à soumissionner! Un client comme ça, même si je n'obtiens pas tous les contrats, c'est l'avenir assuré.
— Tu crois que... J'ai une idée: si tu te faisais assister par papa, il se fera un plaisir de te diriger. Tu as raison, c'est une occasion unique!
— Vive la neige, vive le voisin, vive l'amour!

Les semaines qui suivirent furent remplies de joies et d'espoir. Dimitri taisait son anxiété, chaque jour surgissaient de nouvelles situations qu'il devait affronter et solutionner. La compétition n'avait pas de limites, et les concurrents faisaient foule.

Mike Nikos avait la poigne ferme, l'œil exercé, des exigences strictes. Dimitri vivait une expérience difficile, il apprenait que le monde de la finance est sans pitié. La vie le mettait au pas. Il employait toute son énergie à relever les défis.

Le jour de l'ouverture des soumissions, Dimitri ne tenait plus en place. Son père lui servit une semonce:

— Tu manques de foi. Quand un homme a fait ce qu'il devait, au meilleur de ses capacités, il doit s'en remettre à Dieu. Quels que soient les résultats, il faut les accepter.

— La compilation des soumissions faite, Mike Nikos assisté de son aviseur prendra les décisions finales, alors seulement je saurai si j'ai pris la bonne route. Tu dois comprendre mon inquiétude.

— Dans dix ans, mon fils, tu te souviendras de tes misères d'aujourd'hui et tu en riras. C'est le métier qui rentre. Je me souviens du premier mur que j'ai érigé avec mon père. Je le voulais solide, d'une durée millénaire. Je polissais chaque pierre avec tant de zèle que mon père me reprochait de les flatter inutilement. «Le mortier a plus d'importance que la pierre, c'est lui qui tient tout en place. Le détail important est souvent négligé au profit de l'illusion!»

— Heureusement, papa, que tu ne m'as pas tenu ce raisonnement la semaine dernière, j'aurais perdu courage. Je n'oublierai jamais cette leçon.

— Fiston, c'est de ses erreurs et de ses échecs que l'on apprend. L'adversaire de force égale n'a rien à t'offrir. Mais devoir faire face à un as, ça, c'est du positif.

Le résultat vint enfin. Mike Nikos informa Dimitri personnellement.

— Tu m'as ouvert les yeux, jeune homme: je me suis penché sur ton dossier, beau travail. Il faut toujours être alerte. J'avais une confiance aveugle dans mon broker. Mais en recevant ta soumission, je me suis attardé à comparer prix et avantages avec mes anciennes polices.

On parla affaires, Dimitri décrochait une tranche relativement importante du contrat. Il ne lui restait qu'à faire ses preuves. Un grand pas était franchi, il avait le pied dans la maison d'un lion du monde des affaires. C'était une belle victoire.

***

La naissance de Maria était venue resserrer les liens de cette famille déjà très unie. La grand-mère, Vera, ne s'ennuyait plus. Là-bas, son père était maintenant décédé. Dans ce pays d'adoption prenait racine la descendance: elle vouait un amour fou à cette enfant qui ensoleillait ses jours. Cette dévotion permettait à la jeune épouse de seconder son mari au travail.

Dimitri voyait ses affaires prospérer, la bonne marche de son entreprise exigeait beaucoup. Il lui fallait voyager, assister à des séminaires, suivre les nombreux dossiers. Il en était à l'étape importante de sa vie, qui assure le présent et prépare l'avenir. Son beau-père s'épatait du succès de ce gendre actif. Ensemble, ils tenaient de nombreux cocus, cherchant continuellement à offrir un meilleur produit. D'agent, Dimitri devint courtier.

***

Lorraine, de nouveau, était enceinte. Elle l'annonça d'abord à son mari, puis à sa belle-mère.

— Cherchez un prénom masculin cette fois, belle-maman.

— Je n'ai pas à chercher Lorraine. Le plus beau nom dans mon cœur est Alexandre, en honneur de notre grand conquérant. Mais cette naissance vous imposera de grands sacrifices, vos obligations vont se multiplier, il vous faudra renoncer à votre travail de bureau.

Lorraine ne put s'empêcher de sourire, elle connaissait bien l'idée de sa belle-mère sur le sujet. L'épouse doit être au foyer, à s'occuper de ses enfants. Le marché du travail est un domaine réservé aux hommes seulement.

Sa belle-mère s'était montrée très généreuse en s'occupant de l'aînée, la tâche lui pesait peut-être.

— Rassurez-vous, je suis de votre avis. Nous recherchons présentement une secrétaire pour prendre ma place et assister adéquatement Dimitri.

Cette conversation coïncidait avec cette rencontre qui obligerait Dimitri à affronter une ennemie tenace qui surgirait de son passé.

Ce soir-là, Vera Dracopoulos s'endormit heureuse à la pensée qu'elle serrerait bientôt sur son cœur un autre poupon rose. «Un fils», souhaitait-elle. Elle fit un très mauvais rêve; elle se réveilla bouleversée et confia ses inquiétudes à Dieu.

Chapitre 8

Le moment du rendez-vous approchait. Catherine s'attardait à des détails anodins, ne voulait surtout pas que Dimitri la reconnaisse. Pourtant! Que restait-il de cette Catherine qui avait charmé son adolescence? De cette fillette douce et simple, qui s'extasiait pour des bulles de savon miroitantes, se laissait bercer par des contes de fées, attentive aux désirs de ses parents?

Elle avait maintenant sacrifié son chignon, avait demandé qu'on lui fasse une coupe de cheveux moins sévère.

Son âme, traumatisée, la faisait osciller entre sa volonté bien déterminée d'assoupir ses idées vengeresses et le plaisir que lui procurait l'assurance de voir l'ennemi à genoux devant elle, à la supplier.

Quelle tournure prendrait sa revanche? Elle l'ignorait encore, mais elle serait prête le jour où l'occasion se présenterait!

Demain, demain le rendez-vous. Elle arpentait la pièce, de long en large, s'efforçait de tromper son impatience; une visite s'annonçait, ce ne pouvait être que Georges. Elle se regarda dans la glace, aspira profondément, éteignit le plafonnier, alluma une lampe plus discrète, puis ouvrit.

— Bonsoir, Georges, il fait bon te voir, j'ai les bleus.

— Micheline! Qu'est-ce que tu as fait? Tes beaux cheveux!

— Ah! ça, un caprice. Ça te plaît? Ça me va?

— Pourquoi! Pourquoi avoir fait ça?

— C'est démodé, rétro; je veux être belle: nouveau visage, nouveau travail, nouvelle vie. Dis, ça me va bien?

— Tu es toute... différente.

— Tant mieux. Voilà, mon cher, tu vas devoir faire ma conquête à nouveau. Je suis une autre Micheline, la vie est belle!

— C'est demain, ce rendez-vous? Ça tient toujours?

— Oui, c'est confirmé, j'ai parlé à cette dame. Je crois que c'est chose faite, du moins je l'espère.

— Et voilà! Nouvelle vie, nouveaux amis. Bientôt, tu m'auras oublié. J'ai si peu à t'offrir.

— Ah! Georges, comment peux-tu dire une chose pareille? Toi, mon seul ami. Tu as peu à m'offrir, dis-tu? Qui sait, qui connaît l'avenir? Quoi qu'il en soit, moi je serai toujours ton amie. Tu fus mon premier amant, ne l'oublie pas, nous avons connu de grandes joies ensemble. Georges: mon premier amant, mon premier verre de champagne, le seul et unique complice de mes fredaines...

— Voilà, un discours; après, ce sera la fringale.

— Oh! non, pas de fringale ce soir, j'ai l'estomac noué.

— Encore et toujours l'incertitude qui t'assaillit. Pourtant, tu réussis toujours ce que tu entreprends. Est-ce à cause de ce rendez-vous que tu as coupé tes cheveux? Promets-moi de les laisser repousser quand l'épreuve du test sera passée.

— Ce jour-là, mon cher Georges, toi et moi allons faire une bombe que tu n'oublieras jamais, devrais-tu vivre jusqu'à mille ans.

— Petite fille!

— Tu ne m'as jamais dit que tu m'aimes!

— Tant et aussi longtemps que je serai pompiste, que j'habiterai dans mon cocon rose, il sera difficile de rêver: je ne crois plus au père Noël.

— Ça va changer, tout ça va changer. Nous méritons plus. Fais-moi confiance.

— As-tu pensé au salaire que tu vas demander?

— Non.

— Fais-toi une idée avant l'entrevue, sinon tu as de grandes chances que ce nouvel employeur t'offre le minimum. Crois-moi, n'aie pas l'air anxieuse d'obtenir le poste; tu as toujours ton emploi, c'est un avantage.

— Quoi qu'il en soit, j'en sortirai vainqueur... Georges, j'aimerais que tu dormes ici, ce soir.

— Tu veux trouver calme et réconfort dans mes bras, ma jolie? Tu pourras toujours t'appuyer sur moi.

***

Catherine faisait les cent pas, elle arpentait le trottoir sur une rue transversale, les aiguilles de sa montre semblaient s'être arrêtées. Son cœur battait. Rien ne pouvait calmer le tumulte intérieur qui la tenaillait.

«Allons, Catherine, du cran! Il ne s'agit pas du jugement dernier! Souris, ma belle. Imagine-toi que tu entres en scène, que tu joues un rôle secondaire dans une pièce de théâtre; compose-toi un visage et fonce.»

— Bonjour, Micheline; ponctuelle: un autre point en votre faveur, dit Lorraine en l'accueillant.

Catherine s'appuya contre le bureau, sourit à Lorraine; elle voyait Dimitri qui s'entretenait au téléphone.

Il fit un geste de la main, coupa court à l'appel, s'approcha.

— Micheline, n'est-ce pas? Cette perle dont ma femme chante sans arrêt les mérites.

— J'aimerais mettre mes capacités à votre service: la position m'intéresse, j'aime les défis.

— Ce n'est pas le travail qui manque, les possibilités d'avancement sont grandes. Le poste que nous vous offrons n'est pas des plus intéressants, mais bientôt vos responsabilités augmenteront. Il est parfois préférable de gravir les étapes une à une; ainsi on connaît les obligations du métier dans tous les détails et ça simplifie la tâche.

Le reste ne fut que verbiage. Catherine était à la hauteur, elle avait recouvré son calme plat dès qu'elle eut la certitude qu'il ne l'avait pas reconnue. Elle répondait avec brio, étonnée de pouvoir le regarder de si près, tout en restant calme.

Ce n'est qu'au moment de lui tendre la main qu'elle frémit. Il sentit la réticence.

— Quelque chose ne va pas?
— Si, sauf que je me dois de donner un avis à mes patrons actuels: je suis avec eux depuis si longtemps, je leur dois cette courtoisie.
— Ça vous honore, confirmez la date de votre disponibilité à mon épouse.

Cette fois c'est Catherine qui tendait la main, sans défaillir. «Je garderai toujours un pas en avant de lui», pensa-t-elle.

— Merci, madame Dracopoulos.

— Je vous en prie, appelez-moi Lorraine. Nous passerons beaucoup de temps ensemble, soyons un groupe uni où l'amitié règne.

— Merci, Lorraine. Au revoir, monsieur Dracopoulos.

— Vous avez la mémoire des noms, le mien n'est pourtant pas facile.

— Vous croyez? Je l'ai écrit pour le mémoriser et j'ai dû le relire cent fois avant de réussir à me l'ancrer dans la tête...

Catherine aurait dansé de joie. Cette dernière remarque avait failli la déboussoler: elle se demandait encore comment elle avait pu riposter aussi brillamment. Enfin, elle avait posé la première pierre de son ultime projet. Pour le reste? Ce ne serait qu'une occasion propice à saisir. La patience venait à bout de tout. Ne rien brusquer, éviter les faux pas.

Catherine se rendit au travail. Elle avait déjà prévenu madame Labrosse de son départ éventuel, prétextant la maladie de son père qui l'appelait auprès de lui.

— Vos amis ont aimé votre nouvelle coiffure?

— Ah! non, pas du tout.

— Ça vous va comme un charme; bien sûr, ça change le visage.

— Maman va être en furie.

— Des nouvelles de votre père?

— Ça ne va pas mieux.

— Vous me reviendrez si sa santé s'améliore?

— Soyez-en assurée.

— Vous ne serez pas facile à remplacer, Micheline.

— Je l'espère bien!

— Vous semblez de belle humeur. Vous étiez triste depuis quelques jours. Tout finit par s'arranger.

— Je garderai toujours un bon souvenir du temps passé ici.

— Ça ressemble à des adieux!

— Je supporte très mal l'inquiétude. Et dans le moment, Dieu sait si j'en ai.

— Prenez congé, demain, reposez-vous.

— Ce serait bien, je dois préparer mon départ.

— Revenez chercher votre chèque, j'espère que ce ne sera pas le dernier. Je vous dois aussi une partie des vacances que vous n'avez pas prises.

***

Catherine compta l'argent dont elle disposait. Elle achèterait sa première voiture. Elle demanderait conseil à Georges, car elle n'y connaissait rien.

— Viens souper, un festin t'attend.

Il pouffa de rire et raccrocha. «Voilà, elle a la fringale, ça ne manque pas.»

Le candélabre au centre de la table, deux couverts, une énorme salade; Catherine regrettait ne pas s'être procuré du champagne. Après tout, ce soir, elle avait une victoire à célébrer.

Georges l'avait prévu, il arriva avec un vin blanc et des pâtisseries.

— Tu es un ange! Tu devines mes désirs, très cher Georges; que ferais-je sans toi?

— Sais-tu que tu es une fille gâtée?

— Non.

— Alors dis-le, annonce-moi la nouvelle: pourquoi as-tu la fringale, hein? Pourquoi?

— Oui, j'ai décroché la position.

— Le contraire m'aurait surpris. Une chose m'intrigue, Micheline: quand nous nous sommes connus, tu habitais là-bas, dans le cocon. Pourquoi? Tout ce que tu as apporté ici à part tes vêtements est cette lampe verte qui est au salon, et pour la première fois je la vois allumée?

Elle prit quelques gorgées de vin; elle voulait lui donner une réponse qui aurait quelque vraisemblance.

— Je ne pouvais plus sentir cet appartement. Alors... j'avais loué le meublé que tu occupes.

— Pourquoi?

— Mes parents... venaient de décéder; trop de mauvais souvenirs, cet accident!

— Excuse-moi.

— Tu m'as permis de revenir sur terre. Comprends-tu pourquoi tu es mon ami?

— Pourquoi n'avoir rien dit? Alors, tu as grandi ici: j'aurais dû deviner, ton goût des belles choses...

— Je n'ai pas grandi ici.

— Alors? Tu as hérité, non?

— Je n'ai pas grandi ici car mes parents me gardaient pensionnaire dans un couvent.

— Pauvre Micheline! C'est pourquoi tu ne parles jamais d'eux, tu n'as pas pardonné. Cette peinture, au salon, c'est ta mère?

— Non, ma grand-mère. La comtesse, que je l'appelais. Elle seule m'aimait!

— Ça explique bien des choses.

— Qu'as-tu dit? Je n'ai pas compris.

— Rien, je me passais une simple réflexion. Et la lampe verte, elle a aussi une histoire?

— C'était la lampe préférée de la comtesse, jeta-t-elle froidement.

— J'ai réveillé de mauvais souvenirs, alors que je voulais célébrer avec toi dans la joie.

— Dis-moi, je veux m'acheter une voiture: que me conseilles-tu?

— Tout dépend de la somme dont tu disposes. Je peux t'avancer un certain montant, histoire d'entrer en contact avec la banque de mon village et de faire un transfert d'argent ici.

— Non, merci. Garde l'argent de ton bateau. Tu as trop travaillé pour que je dilapide ton bien.

— Fais une location dont les déboursés sont applicables à l'achat, c'est un moyen confortable de se procurer une première voiture.

Catherine mémorisait les informations. Enfin, ses plans prenaient forme, son esprit opérait; elle était de nouveau capable de maîtriser ses émotions troublantes, elle reprenait confiance.

Il ne lui venait pas à l'idée que Georges ressentait une grande tristesse à cause des confidences qu'elle venait de lui faire. Elle avait inconsciemment réussi à le lier encore plus étroitement à elle. Et ce à travers une abominable série de mensonges plus aberrants les uns que les autres.

Seul le but visé la préoccupait; le reste était négligeable, elle ne s'y arrêtait pas. Elle était obsédée, vivait dans un état d'esprit qui la distrayait de tout ce qui n'était pas pertinent à ses pulsions intérieures. Le reste du monde n'existait plus. Elle oubliait Georges, s'oubliait elle-même, se laissait guider par ses haines profondes, n'écoutait plus ses sentiments personnels et était prête à sacrifier ceux d'autrui.

***

La nouvelle position qu'occupait Catherine était fortement intéressante, elle se surprenait à y prendre goût. Pour une non-initiée, les défis ne manquaient pas. Elle aimait mettre ses capacités à profit.

Dimitri s'absentait souvent, ce qui facilitait le plan d'action de Catherine. Il lui fallait gagner l'entière confiance du couple, étudier discrètement leurs allées et venues, s'insinuer subtilement dans leur vie privée. Lorraine n'était pas un obstacle, ni une ennemie; Catherine ne lui prêtait pas d'attention plus que nécessaire. Elle était même une précieuse intermédiaire. Les éloges laissaient Catherine froide. Elle remerciait poliment, glissait sur le sujet et le ramenait à des questions plus pertinentes.

Un jour elle se retrouva seule avec Dimitri. Un dossier ouvert sur son pupitre retenait son attention. Elle s'approcha, le regarda. Si à cet instant il avait vu les yeux sombres qui le fixaient, il aurait été effrayé. Il mâchouillait son crayon. Il se leva, prit la chemise et se dirigea vers l'ordinateur.

— Tiens, vous êtes là. J'ai un problème.
— Un problème, dites-vous. Un seul?
— Dans l'immédiat, oui.
— Nous en avons tous, il s'agit d'être alerte mentalement.

Il ne l'écoutait pas, restait concentré sur ses données. «Je ne compte pas, il ne me voit pas, quoi que je fasse n'a pas d'importance, il me paye pour ce que je fais, je suis sa chose! Je ne suis là que pour servir sa cause, l'aider à progresser, à s'enrichir. Un pion sur un jeu d'échecs, comme autrefois. Un objet, rien d'autre. Lorraine répète sans cesse que son mari s'épate de mes capacités, il prend garde de m'en souffler mot.»

Elle s'éloigna, la vue du coupe-papier qui traînait là, à portée de sa main, avait fait surgir dans sa tête des pensées affreuses, les seules que Dimitri lui inspirait.

Elle marcha vers les classeurs, cherchant à se calmer; le dos à la porte, elle ne l'avait pas entendu venir.

— Micheline...

Elle sursauta, échappa ce qu'elle tenait à la main. Il s'avança, se plia, ramassa la paperasse; il se releva, leurs regards se croisèrent. Elle recula.

— Je n'ai pas voulu vous effrayer, Lorraine, pardon, Micheline.
— Dimitri, je vous en prie, gardez vos distances, je déteste la familiarité!
— Vous vous méprenez!
— Je sais jauger mon monde.
— Je reconnais vos capacités, votre dévotion au travail, mais il faut plus. Nous devons pouvoir nous faire confiance mutuellement, vivre dans l'harmonie. Sinon la vie deviendra intenable. Bientôt, vous et moi serons temporairement seuls à travailler ensemble. Ma femme s'absentera; je dois être, dès maintenant, rassuré sur ce qui vient de se passer. Rien ne saurait

asseoir votre réaction, croyez-moi. Je suis heureux en ménage, j'ai des enfants, nous formons une famille unie. Ceci dit, à vous de décider.

Dimitri retourna à son écran. Catherine ne put réprimer un sourire. Une fois de plus, elle marquait un point. Elle n'avoua pas au patron que son épouse l'avait prévenue de son éventuelle absence car elle attendait un bébé. Bientôt elle aurait le champ libre.

Elle marcha vers l'endroit où il se trouvait, resta dans la porte et demanda:

— Puis-je vous aider à solutionner ce problème?

Il se retourna, lui fit non de la tête et lui sourit. Elle s'éloigna. Ce sourire l'avait troublée, c'était ce même sourire bon enfant qui l'avait conduite au désespoir.

***

— Je m'épate moi-même, avait-elle confié à Georges, je contrôle toutes les données; s'il y a des questions inhabituelles, des bouquins spécialisés sont mis à la disposition des assureurs pour y répondre. C'est un jeu d'enfant. Le hic de l'affaire est de parvenir à toujours dénicher de nouveaux clients, à augmenter sans cesse la clientèle. La concurrence est forte, les grandes compagnies jouent de rivalité, les polices sont nuancées.

C'est alors que Georges lui suggéra d'en faire son premier client: «une assurance-vie, ce n'est pas un luxe». Catherine, ravie, remplirait les formulaires; elle surprendrait Dimitri par cette nouvelle prouesse.

— Qui serait ton bénéficiaire en cas de décès?
— Pourquoi pas toi, Micheline?
— Tu n'es pas sérieux.
— Pourquoi pas, je serai mort quand tu l'encaisseras. Tu me pleureras davantage...
— Non. Je refuse. Non, c'est non!

Elle n'allait pas lui expliquer que Micheline Lavigne n'était qu'une identité empruntée.

— Tes parents, ils en ont plus besoin que moi. Tu as de la famille, toi. Verse la prime, ma récompense sera là; de plus, j'épaterai la patronne.

Le lendemain, elle était entrée avec les formulaires, son calepin d'informations, trois différents projets et les calculs à l'appui. Elle déclina âge, adresse, conditions de vie, bénéficiaire. Du côté santé, il passerait l'examen requis.

Catherine plaça le formulaire rempli et dûment signé sur le pupitre de Dimitri, dont il fallait la signature pour entériner le document.

— Vous n'avez pas signé l'espace réservé à l'agent vendeur, Micheline.
— Parce que je n'en suis pas, je suis simple secrétaire.
— Allez, signez et apposez le sceau de la maison.
— Non, je préfère ne pas m'impliquer.
— Mais, pourquoi?
— Il s'agit de mon ami intime; pour le moment, ça va, mais qui sait de quoi sera fait demain? C'est pourquoi j'ai aussi refusé d'être bénéficiaire.
— Certaines polices permettent un changement futur.

— Je sais, dont celle-ci. Voici, le chèque est tiré au nom de votre firme. Vérifiez le tout, s'il vous plaît.

«Décidément, pensait Dimitri, cette fille a de la suite dans les idées. Elle est d'une logique désarmante. C'est à se demander comment, à un si jeune âge, elle en est venue à atteindre une telle maturité. J'en ferai un agent extraordinaire, elle inspire confiance et ne lésine pas au travail. Lorraine avait raison, c'est une perle. Je craignais que sa crise psychologique ne soit la résultante de quelques mauvaises expériences avec les hommes, mais voilà qu'elle vient de m'avouer candidement qu'elle a un amoureux. Je me dois de susciter ses intérêts, c'est le genre de bonne femme qui reste à son poste longtemps: elle n'a rien d'une fille frivole.»

***

Il pleuvait, l'air de la maison était étouffant. Catherine, étendue sur le divan, jasait avec Georges.

— Tu aurait dû voir la tête du patron; je l'ai senti frémir; je te gage qu'il rêve déjà de me voir en salopette sur les chantiers à préparer des soumissions. Il a la gueule des ambitieux, de ceux qui finissent par s'enliser dans leur propre bourbier.

— Tous et chacun rencontrent une opportunité dans la vie. Si on ne la saisit pas, elle pourrait ne jamais se représenter; il ne faut pas confondre vaillance et ambition.

— Je maintiens qu'il n'est rien de plus qu'un opportuniste aux mains apparemment propres mais au cœur noir.

— Alors pourquoi cherches-tu à l'épater?

— Tu vois ça? C'est le creux de ma main. Je veux le

posséder, le tenir, là, solidement. Puis, je marcherai vers un ravin, j'ouvrirai la main lentement, le laisserai glisser, le retiendrai par une cheville afin qu'il voie bien la profondeur du gouffre avant de l'y laisser tomber.

— Ma foi! Mais tu haïs cet homme!

— Tous ceux de son espèce.

— Dont je ne suis pas, j'espère.

— Toi, Georges...

— Oui, moi?

— Toi, tu es adorable. Rien ne me plaît plus que de t'observer quand je te tiens les propos les plus loufoques et que je réussis à t'effrayer. Tu croyais, jeune, au bonhomme sept heures?

— Je suppose, comme tous les enfants.

— Et tu obéissais à la lettre, j'en ai la certitude. Les émotions fortes sont stimulantes, moi je les provoque. C'est sans malice et ça amuse bien. Viens, suis-moi.

Elle ouvrit la porte patio qui menait au balcon.

— Allons faire l'amour sous l'averse; en plein ciel, les nuages nous préserveront de la vigilance de nos anges gardiens.

Elle riait à gorge déployée; elle se dévêtit, sortit, tendit les bras vers son amoureux.

— Viens, c'est froid, ça fouette, ça grise; viens, Georges.

Elle dansait, levait les bras au ciel, se faisait provocante. «La mer qu'on voit danser», chantait-elle, les paupières baissées, alors que la pluie ruisselait sur son corps.

— C'est bon pour le teint, la pluie: les Anglais lui doivent leur peau satinée et la verdure de leurs campagnes. Viens chercher des joies nouvelles, goûter une passion jamais ressentie; viens, Georges.

— Tu n'as pas l'intention de me lancer par-dessus bord?

— Idiot! Et toi, ta belle-mère, tu te souviens? C'est toi qui m'as inspiré cette pensée. Le malintentionné, c'est toi, Georges Caplan.

Ils s'aimaient. Georges sentait Catherine s'adoucir sous le plaisir de ses caresses; elle devenait tendre, merveilleusement douce, tout son être se vidait de l'aigreur qui la hantait si souvent. Elle fondait, tel un enfant sans malice, tout amour, se livrant sans calcul. Elle se laissait dominer, s'abandonnait, goûtait l'ivresse.

— Ne bouge pas, suppliait-elle.

Il marcha vers la salle de bains, ses pas laissaient des traces mouillées sur le tapis; il prit une serviette, revint vers sa belle, l'épongea doucement. Puis il la transporta sur le divan, où il la laissa tomber. Elle s'endormit, les couettes collées à son visage, un sourire sur les lèvres, la bouche mi-ouverte. En cet instant, elle était belle, belle à croquer.

Georges prit une douche, se rendit à la cuisine et prépara un gueuleton. Catherine ne se réveillait pas. Il tira la couverture, plaça son assiette dans le réfrigérateur, alluma la lampe verte, leva les yeux vers Zélie, dit tout haut:

— Comtesse, protège ta petite-fille.

Il retourna chez lui.

***

La grossesse de Lorraine la retenait maintenant chez elle. Catherine s'occupait seule du bureau lors des absences de Dimitri. Souvent elle travaillait jusqu'à des heures avancées. Les réclamations des clients lui causaient bien des maux de tête. La plupart se montraient intraitables, attachant beaucoup d'importance à des détails insignifiants.

Elle entreprit de fouiller les tiroirs du patron, le contenu du coffre-fort, ne sachant pas au juste ce qu'elle espérait trouver. Elle dénicha son adresse personnelle et découvrit qu'il possédait une maison de campagne. Elle prit note de l'adresse: elle irait constater sur les lieux, un de ces jours. Peut-être l'endroit serait-il isolé, près d'un lac, propice à un accident. Faire sauter sa voiture, dans ce cas, serait chose simple; son imagination lui suggérait mille clichés tous plus morbides les uns que les autres. Bientôt elle aurait en poche l'argent pour régler le paiement final de sa voiture; il serait temps de passer à l'action. Elle n'avait que trop tardé.

Le téléphone sonna, elle sursauta. Son front était moite, ses mains suintaient, comme à chaque fois qu'elle sortait subitement d'une transe. Elle prit le combiné, c'était Lorraine.

— Quelque chose ne va pas, Micheline?
— Non, pourquoi cette question?
— Votre voix... Avez-vous des problèmes?
— Non, j'étais plongée dans des calculs compliqués.

— J'ai une grande nouvelle, vous êtes une des premières personnes à l'apprendre. Micheline, j'ai un fils, un bébé adorable!

— Et votre mari qui n'est pas là!

— S'il téléphone, ne lui dites rien. Je lui ferai moi-même la surprise. Mais je tenais à vous faire partager ma joie. Vous avez été magnifique. Avoir su prendre la charge sur vos seules épaules, relève du miracle.

— Bah! Ce n'est rien de bien mystérieux. Alors vous reviendrez bientôt au bureau?

— Je l'espère. L'accouchement...

Catherine prétexta l'arrivée d'un client et coupa court aux propos de Lorraine. Elle n'avait pas le cœur à entendre susurrer sur un sujet aussi simplet et usé que les joies de la maternité, son esprit était ailleurs.

Dracopoulos assistait à un séminaire qui regroupait les courtiers. La série de conférences se tenait au siège social d'une grande compagnie de Boston. Pour Dimitri, c'était une consécration; il avait vite gravi les échelons qui mènent au succès; son bureau prendrait sans cesse de l'essor.

Il avait entretenu Micheline de ses espoirs, il lui réservait un rôle de choix. Elle s'était contentée de sourire; son enthousiasme ajouterait au plaisir que lui procurait sa vengeance future.

Le téléphone sonna de nouveau, cette fois c'était Dimitri.

— Vous avez parlé à votre épouse?

— Je n'ai pas obtenu de réponse à mon appel, la famille est absente, au grand complet. Même ma mère n'est pas à la maison. Lorraine vous a-t-elle parlé de leurs projets?

— ...

— Pourquoi ne me répondez-vous pas? Me cachez-vous quelque chose de grave?

— On m'a fait promettre de me taire.

— Et moi je vous prie de tout me dire.

— C'est un garçon.

— Ai-je bien entendu?

— Non, puisque je n'ai rien dit.

— Ah! Micheline! Entendre ça de votre bouche, quelle joie vous me faites. J'aurais dû y penser. Mais l'enfant n'était pas attendu avant dix jours.

— Votre épouse voulait vous l'apprendre elle-même.

— Ce sera un secret entre nous deux. Ce sera le premier.

— Non, le deuxième.

— Confiez-moi l'autre.

— Ce qui s'est passé entre nous, il n'y a pas si longtemps, vous vous souvenez, ici, au bureau?

— Je ne vous suis pas.

— Je n'aime pas les retrousseurs de jupons, ni les cachottiers; bonjour, monsieur Dracopoulos.

Elle déposa le combiné, elle riait à la pensée de l'expression qu'il devait présentement avoir. Petite victoire insignifiante mais qui lui servirait peut-être un jour. La sonnerie se fit de nouveau entendre. Elle ne répondit pas. Il était plus de cinq heures, elle rentrerait chez elle, ce qu'elle n'avait encore fait depuis qu'elle occupait ce poste.

Pendant ce temps, les Dracopoulos père et mère faisaient des projets. Le baptême serait célébré en grande pompe, surtout qu'il s'agissait d'un garçon.

Catherine tenta de se dérober à cette invitation, en vain. Lorraine insistait: «C'est une fête à caractère religieux, vous ne pouvez nous offenser en refusant de vous joindre à nous. Tous veulent faire votre connaissance, soyez gentille. Venez au moins à la réception; votre ami, cela va de soi, sera aussi le bienvenu.»

«Tiens, songea Catherine, il m'a encore trahie, le salaud. Il n'aurait pas pu tenir sa langue? Non, il a sans doute publié sur tous les toits le fait que j'ai vendu un contrat d'assurance à Georges.»

Georges accepta d'accompagner Catherine, il croyait que sa présence lui ferait plaisir.

— Que vais-je offrir? Il faut faire un cadeau de naissance.
— Pourquoi pas ce que tu as de plus précieux? badina Georges: ta lampe verte.

Catherine bondit; il lui fallut faire un effort pour ne pas se fâcher. Georges enchaînait:

— Je suppose que la famille sera là au grand complet?

Catherine baissa la tête, il ne lui était pas venu à l'idée qu'elle croiserait là-bas le père de Dimitri, et qui sait si celui-ci n'était pas toujours en relation étroite avec ces gens qui avaient marqué son enfance! On pourrait facilement la reconnaître. Georges lui parlait, elle n'entendait pas, perdue dans ses pensées. «Et qu'à cela ne tienne! Si on me reconnaissait, je pourrais tout raconter, faire éclater un beau scandale, le démolir à tout jamais, le briser, lui, son ménage, son bonheur, son esprit de famille. On verrait bien comment il s'en sortirait, peut-être aurait-il lui aussi le désir de se jeter sous les roues d'un camion.» Oui, elle irait. Ils veulent sa présence, ils insistent, elle les charmerait!

Georges l'avait observée quelques minutes, il tenta de la ramener sur terre, mais en vain. «Elle est encore aux prises avec des inquiétudes, tantôt elle aura faim.» Catherine souriait, le regard perdu. Elle secoua la tête, regarda Georges; de la main, il lui fit un geste amical.

— Viens, allons manger chez le Chinois.

Elle se mit à rire, avait recouvré son calme. Il lui restait quelques jours pour ruminer son projet.

Chapitre 9

Catherine portait une jolie toilette, un maquillage discret. Par coquetterie, elle mit à son bras le bracelet que madame Zélie aimait tant. Elle le portait pour la première fois.

À la main, elle tenait un paquet joliment emballé et enrubanné. Elle offrirait un joli châle blanc, tissé de laine et de soie, dont le motif ressemblait à une immense toile d'araignée. Le symbole avait inspiré son choix. Elle se tenait dans l'entrée du building où elle attendait l'arrivée de Georges.

Fleurida parut tout à coup et s'exclama:

— Pour qui le joli cadeau? Tiens, vous avez retrouvé le bracelet précieux que madame Chamberland avait perdu. Où était-il?
— Dans sa garde-robe, sur le plancher.

Fleurida recula, ouvrit brusquement la porte et disparut. «La chipie, toujours jalouse», pensa Catherine. Fleurida rentra chez elle, se laissa tomber sur une chaise. «Elle a menti, j'ai moi-même vidé la garde-robe quand j'ai appris qu'elle l'avait perdu. Il n'était pas là, j'en suis certaine. Je l'aurais trouvé, madame Chamberland avait tant de peine. J'ai fouillé partout, partout! Le bracelet n'était nulle part! Je hais cette fille!»

***

Catherine repassait dans sa tête ses réflexions amères. «Si on me reconnaissait, personne ne voudrait croire qu'il m'a embauchée à son bureau dans la plus grande ignorance à mon sujet. Surtout que je relaterai sans pitié ce qui s'est passé au bureau, et sa suggestion de partager le secret concernant la naissance de ce fils si précieux. Ah! que la victoire serait belle! Belle et facile.»

— Que dis-tu?
— Je n'ai pas parlé.
— Si, tu marmonnes.

La réception avait lieu sur la terrasse, une vingtaine d'invités étaient réunis. La cérémonie religieuse avait eu lieu un peu plus tôt. On servait le champagne.

— Vous arrivez juste à temps, Micheline. Soyez la bienvenue.

Les présentations faites, le couple vint rejoindre les invités. Le grand-père Polovios serra franchement la main de Catherine, c'est lui qu'elle redoutait le plus. Elle évoluait au milieu de ces gens qui célébraient l'arrivée d'un bébé dans ce monde. La grand-maman présenta son petit-fils.

— Alexandre est son nom, tout comme notre héros grec.
— Alexandre le Grand: n'a-t-il pas perdu son empire aux mains de ses généraux?
— Vous connaissez l'histoire grecque? Tu as entendu, Dimitri? Là, vous me faites plaisir!

Dimitri la regardait, elle soutint son regard. Lorraine remerciait pour le joli présent. Elle lui glissa à l'oreille: «votre présent est le seul qui ne soit pas bleu». Des groupes se formaient, les hommes occupaient une grande table circulaire. Georges était en grande conversation avec son voisin de droite. Catherine choisit une chaise qui se trouvait entre les deux groupes. Elle appuya la tête, ferma les yeux.

— Vous aimez le soleil?
— C'est si bon, surtout qu'on ne le voit pas de la semaine.

Dans la fièvre du champagne, le ton montait. On parlait de Dimitri, de ses réalisations.

— Tu oublies le principal, Polovios: il fait de beaux bébés.

Le grand-père riait aux éclats.

— Mon fils? Il fut toujours un don Juan hors pair. Laissez-moi vous en raconter une bonne. Il n'avait pas plus de quatorze ou quinze ans quand il s'est amouraché d'une copine du voisinage. Ce fut le grand amour. Il avait les yeux rêveurs, disparaissait à toute heure, négligeait ses devoirs. Je n'ai jamais su pourquoi, un bon jour, bang! finies les amours. Même que la fille a fait une tentative de suicide, elle s'est précipitée du premier étage, est tombée dans un camion plein d'ordures; elle a eu la vie sauve, mais par la suite la famille a déménagé et on n'en a plus jamais entendu parler.

On riait, on applaudissait. «Raconte-nous les détails, Dimitri.»

— Papa exagère, se contenta-t-il de répondre.

— Les homme s'amusent bien, on devrait se joindre à eux, suggéra Lorraine.

Catherine avait tout entendu. Elle tenta de se lever mais fut prise de nausées. Elle porta la main à la bouche.

— Mademoiselle n'est pas bien! s'exclama une dame. Le soleil et le champagne, mauvais, très mauvais!

On s'empressait autour de Catherine, Georges accourut.

— Viens, Micheline, je te ramène à la maison. Vous nous excuserez. Elle a beaucoup travaillé dernièrement, des heures trop longues. Elle doit être fatiguée. Tu peux marcher jusqu'à la voiture?

Elle fit un signe de la tête.

— Entrez, venez, il y a une salle de toilette tout près, de l'eau froide sur les tempes aiderait.

Madame Polovios empila canapés et hors-d'œuvre dans un carton qu'elle remit à Georges au moment du départ.

— J'espère vous revoir, chère mademoiselle.

Dimitri tendit la main à Georges.

— Si vous avez besoin de nous, si Micheline ne va pas mieux, prévenez-nous.

— Soyez sans crainte, merci.

***

Catherine se taisait. Georges l'observait.

— Micheline, je crois que tu es allergique au champagne. Ça arrive, tu sais. Je me souviens, j'avais une tante qui était toujours malade à l'occasion des mariages. Elle allait jusqu'à s'évanouir. On la taquinait, l'accusait d'être jalouse, jusqu'au jour où le mal fut diagnostiqué. Ça peut fort bien être ton cas. Peut-être devrais-tu voir le médecin.

— C'est mon lit que je veux voir, Georges.

— Profites-en pour prendre quelques jours de congé.

— Tu as bien raison. C'est ce que je devrais faire.

Catherine insista, elle voulait être seule. Elle monta chez elle, ôta ses souliers qu'elle lança. Elle étouffait; elle marcha au balcon, saisit la rampe de ses deux mains. Elle aspirait profondément, cherchait sa respiration. Tout à coup, elle vit le vide; sa tête tournait, elle se sentait attirée par l'immensité. Qu'il ferait bon y plonger, s'abandonner à l'espace, en finir avec tous ces tourments! Elle se raidit, recula, rentra; elle vit la lampe verte, elle revécut le drame du hangar, qu'on venait de lui remémorer si cruellement. Saisissant la lampe, elle la projeta contre le mur; la vieillerie se brisa en touchant le sol; elle la piétina, cria, jura de démolir Dimitri, Dimitri et ce maudit grand-père vaniteux. Elle les enverrait tous en enfer, ils y grilleraient!

Les cheveux défaits, les vêtements en lambeaux, elle se roulait sur le sol, aux prises avec une véritable crise démentielle.

Elle se réveilla au milieu de la nuit, effrayée. Elle se traîna, alluma une lumière, se regarda dans une glace: ses yeux étaient teintés de sang. Elle emplit la baignoire, se dévêtit, jeta ses vêtements à la poubelle, et vint s'asseoir dans l'eau mousseuse.

Georges s'inquiétait, il avait signalé le numéro de Catherine à plusieurs reprises sans obtenir de réponse. Il signalerait une dernière fois: s'il n'obtenait pas de réponse, il se rendrait chez elle. L'insistante finit bientôt par intriguer Catherine. Elle marcha vers l'appareil.

— Bonjour, Georges, excuse-moi j'étais dans la baignoire. Oui, je me sens mieux. Tu dois avoir raison, c'est le champagne. Je n'en boirai plus. Tu as aimé cette réception? Non, qu'a-t-on raconté au sujet de mon patron?... Non! Lui? Ce n'est pas possible! Un homme rangé, timide même. Le bonhomme se vante à travers son fils, il invente ces fantaisies. Toi, tu as tout gobé?

Catherine éclata de rire: un rire démoniaque, aigu, perçant. Georges, étonné, recula le combiné, chercha une explication à ce rire strident. Il n'était pas rassuré, cette hilarité provoquée sans raison valable le laissait perplexe. Il haussa les épaules. «Quand elle aura déjeuné, elle se ressaisira.»

Catherine ne se rendit pas au travail, elle flâna. Elle ramassa enfin les débris de sa lampe verte, les inonda de ses larmes. Son désir de vengeance s'était métamorphosé en haine: une haine cuisante, incontrôlable.

«Je dois me maîtriser, plus que jamais je me dois de mener à bien mon projet; je touche presque au but:

tous doivent expier ces humiliations, ces bassesses. Alors, alors seulement, je trouverai la paix.»

Le surlendemain, c'est de belle humeur qu'elle se présenta au bureau. Elle s'excusait d'avoir semé la panique chez ses hôtes, dont elle chantait les louanges.

— Votre père semble être un véritable boute-en-train, un bon raconteur, jeta négligemment Catherine à Dimitri qui lui tournait le dos.

— Il me taquine sans cesse avec cette histoire, à chaque fois la version diffère: il a l'esprit fertile.

— N'avez-vous pas honte quand il colporte cette histoire?

— Vous l'avez entendu?

— Non, un mot par-ci, un mot par-là. Habituellement ce genre de propos amuse la gent masculine.

— C'est sans malice, ça s'est passé il y a si longtemps!

— Vous avouez que c'est arrivé?

— À l'entendre répéter, on finit par ne plus douter de la véracité des dires, ils deviennent peu à peu une réalité.

— Heureusement, vous êtes plus chanceux en affaires, votre succès ne tient pas de l'illusion, lui.

— Merci, Micheline. Merci aussi pour le joli châle, mon épouse est ravie.

— Je sais, elle m'en a soufflé un mot.

Et Catherine remit le sujet sur le travail, les dossiers à sortir afin de faire le suivi des échéances des primes. Ils étaient assis l'un près de l'autre, le premier ignorant le drame qu'il avait causé, ignorant tout de la fausse identité de celle qui l'assistait avec brio et l'autre avec un cœur meurtri, plein de haine envers celui qu'elle servait avec un zèle souventes fois exagéré.

Les secrets tortueux de l'âme, fruits de la passion, quelle qu'elle soit, amour ou haine, sont troublants, excessifs. On ne peut les partager, les confier. Pour les comprendre, il faut les cerner. Pour les cerner, il faut les déraciner. Ils se cramponnent, demeurent une menace, troublent l'esprit, désorientent, vont jusqu'à détruire, briser la vie de celui qui ne sait pas y faire face. Catherine avait atteint le point culminant de son désarroi.

***

Catherine traversait une période d'exaltation psychique. Elle s'enthousiasmait à tout propos, un rien l'amusait. Sa gaieté enchantait son entourage, elle les entraînait dans un tourbillon de joie. On la trouvait spirituelle, elle charmait et en était consciente.

Georges se réjouissait, il retrouvait enfin la Micheline désinvolte et primesautière du début de leur rencontre.

— Tes yeux, chérie, tes yeux... je ne sais pas, ils sont d'une brillance incroyable!
— C'est mon intérieur qui s'y reflète.
— Hors la modestie, tu as tous les charmes, toutes les vertus.
— Trêve de compliments! Peut-être dis-tu vrai, Lorraine m'a servi le même boniment, ou à peu près, aujourd'hui.
— En présence de son mari?
— Ça y est, tu me le prouves une fois de plus, tu es jaloux!
— Sois sérieuse, un instant, rien qu'un instant. Je me répète peut-être, mais tu me plais énormément, Micheline.

— Je te crois, Georges.

— Viens, suis-moi.

«Si Georges avait raison... si Dimitri s'attachait à moi...»

La nuit fut douce: étendus sur le dos, silencieux, ils se laissaient bercer par la musique qui remplissait la pièce. Catherine savourait sa joie présente.

Chapitre 10

Lorraine revint au travail, quelques heures d'abord puis quelques jours la semaine. Les dossiers en attente s'étaient accumulés malgré toute la bonne volonté de Micheline, qui se faisait un point d'honneur de bien remplir sa tâche.

Aurait-elle seulement la volonté de bannir de son cœur la rancune qui l'obsédait, qu'elle serait heureuse. Le travail lui plaisait, les défis constants à relever lui rendaient la tâche agréable, piquaient sa curiosité, l'obligeaient à toujours se dépasser. Malheureusement, elle était aveuglée par la haine; ce qui semblait être une grande dévotion aux yeux de Lorraine et de Dimitri était, dans sa tête, rien d'autre qu'un moyen de conquérir le patron afin de mieux le détruire.

C'était vendredi, Lorraine ne se présentait pas au bureau ce jour-là. Dimitri quitta vers trois heures, il avait rendez-vous avec un client. Le soir même, il prendrait l'avion pour se rendre à New York où il devait assister à un colloque.

Ayant constaté qu'il avait laissé son porte-documents au bureau il téléphona à sa femme, la pria de bien vouloir s'arrêter le prendre et de le lui apporter à l'aéroport.

Maria se trouvait chez sa grand-mère, Lorraine décida d'amener avec elle son fils Alexandre. Après avoir localisé le porte-documents de son mari, Lorraine se rendit aux toilettes et laissa la porte entrebâillée.

Catherine venait tout juste de quitter. Après avoir tout éteint, elle s'était rendue dans le stationnement et fouillait en vain dans son sac à main pour trouver les clefs de sa voiture. Elle revint sur ses pas vérifier si elle ne les avait pas laissées sur son pupitre.

Catherine fut étonnée de voir de la lumière alors qu'elle croyait avoir tout éteint. Elle prit ses clefs et allait sortir, lorsqu'elle aperçut l'enfant dans la corbeille d'osier que Lorraine utilisait pour le transporter.

Sans plus réfléchir, elle la prit, c'est alors qu'elle entendit la chasse d'eau; elle s'éloigna prestement sans refermer la porte. Négligeant de longer le couloir, elle fila par la sortie d'urgence qui donnait sur le stationnement. Elle déposa la corbeille sur le plancher à l'arrière de la voiture, se mit au volant et démarra en trombe.

Elle avait agi sous l'impulsion du moment, sans réfléchir. «Qu'est-ce que j'ai fait! La belle gaffe! Qu'est-ce que je vais faire de cet enfant! Il n'aurait pas pu crier, pleurer, j'aurais pu m'expliquer, me voilà dans de beaux draps! Saloperie, damnation! Que vais-je faire de ce bébé, grand Dieu!»

Elle se dirigeait vers son domicile; le lendemain, il lui faudrait retourner au bureau, faire face à Lorraine... Dimitri ne serait pas là. «Oh! mais à cause de la disparition de son bébé il ne quittera sûrement pas la ville!»

Catherine ralentit, s'arrêta sur le bord de la route, réfléchit au fait que Dimitri, qui devait s'absenter, ne pourrait pas partir. Ça, alors! Elle ricanait maintenant. «Je n'aurais pas pu réussir ce coup malgré toute ma bonne volonté. Son fils, son talon d'Achille, son grand amour. Pourquoi ne pas y avoir pensé plus tôt? J'aurais alors pu prendre certaines dispositions! Et maintenant où aller avec ce môme? Il me faut quelqu'un de sûr, de responsable pour le cacher un certain temps, le temps d'une bonne leçon pour ce vaniteux de merde.»

Elle s'arrêta à un feu de circulation, regarda derrière son siège, le bébé dormait comme un ange. Son cœur se serra, elle regrettait son geste car cet enfant n'était pas le coupable. Par contre, ce serait imposer à Dimitri la souffrance des souffrances. Elle serra les poings; elle n'avait pas choisi autrefois d'être ainsi abusée et abandonnée à sa misère autant morale que physique. Dimitri n'avait-il pas brisé la sienne, sa famille? Par sa faute, elle avait perdu l'amour de son père et le respect de sa mère.

Il payerait à travers son fils! «Ma mère? Eh! Quelle trouvaille! C'est l'endroit le plus sûr. Ma mère, je vais y aller, et tout de suite.» Elle pensa à Georges, elle localisa un téléphone public et plaça l'appel.

— À quelle heure viendras-tu ce soir, Georges?
— Pas aussi tôt que j'aurais aimé, le patron est absent, il accompagne sa femme à l'hôpital.
— Alors écoute. Je suis rompue, je dors quelques heures après quoi j'irai chercher des chinoiseries que nous mangerons ensemble; je me rendrai chez toi disons dans... un peu plus de trois heures. Ça te va? Ne prépare rien.

Elle retourna à sa voiture. «Je n'ai pas de temps à

perdre, je ne sais pas si c'est Dieu ou le diable, mais quelqu'un m'aide, là-haut.»

Il ne lui restait plus qu'à affronter sa mère. Elle se souvenait qu'enfant elle dormait toujours dans la voiture de son père, le mouvement sans doute. Elle tournait souvent la tête, le bébé ne bougeait pas.

«À cette heure, pensait-elle, le pot aux roses est découvert. Ce doit être la panique, la confusion, l'alerte générale.» Maintenant Dimitri savait. «Danse, mon cher, crie, pleure, ricane, c'est ton tour: le goût amer de la trahison, tu l'auras longtemps sur les lèvres. Je serai moins lâche que toi, ton fils je vais le protéger. Moi tu m'as abandonnée, vendue, tu as connu mon désespoir, je le sais maintenant et tu n'as rien fait pour me secourir, tu ne m'as même jamais témoigné de regrets. Des bises sucrées, tu en auras, ce soir, de ta Lorraine dévouée. Ton beau papa en aura une autre histoire triste à raconter, cette fois le beau Dimitri devra admettre qu'il n'exagère pas!»

Catherine roulait très vite, elle ralentissait, il ne fallait pas qu'on l'arrête, ce serait idiot de se faire découvrir. Mais quand elle pensait à Dimitri elle accélérait inconsciemment.

Ottawa était là, elle prit la courbe qui menait à Gatineau. «La gueule que fera maman vaut le coup, je dois jouer mon rôle sans fléchir. Il ne me reste qu'un souhait à faire: que maman ne soit pas sortie et que je n'aie pas à affronter mon père!»

Elle s'avança dans l'allée, la voiture de sa mère s'y trouvait. «Celle de papa doit être garée dans le garage.»

Elle prit la corbeille, sonna et entra. Sa mère accourut.

— Catherine! Catherine!
— Oui, maman très chère, Catherine t'apporte un cadeau: tiens, prends ça. Moi, je n'en veux pas.
— Mais... c'est un bébé!
— À ce qu'il semble, oui.
— Ton bébé?
— Non, je l'ai volé.
— Sois sérieuse. C'est ton enfant? Qui est le père?
— Donne-lui le tien, il n'en a pas.
— Catherine! Tu n'aurais pas pu être...
— Non, je n'aurais pas pu, je suis putain mais pas criminelle! Alors je te le confie.
— Catherine! Quand...
— Quand, pourquoi, comment? devine.
— Comment s'appelle ce bébé?
— Il ne s'appelle pas.
— Veux-tu dire qu'il n'est pas baptisé?
— Non, il porte encore en lui la tache originelle!
— Dieu qu'il est beau!

Diane Rousseau tenait l'enfant dans ses bras, elle lui faisait des caresses. Catherine était satisfaite, ce qu'elle voyait lui suffisait.

— Alors, tu vas t'arranger avec ça, ça va occuper ta vieillesse. Je dois partir, on m'attend.
— Tu vas revenir? Dis-moi quelque chose, Catherine, je t'en prie.
— Je te reviens toujours, maman très chère, tu vois bien!
— Qu'est-ce qu'il mange?
— Du lait, comme tous les nourrissons. Et sur ce, adieux!

— Catherine!

— Ah non! Pas encore, je te dis que je dois partir. Dis à papa que je l'aime bien. Veux-tu que je vous envoie un chèque mensuellement pour les frais de pension?

— Catherine, tu badines! Tu ne vas pas abandonner ton enfant.

— Abandonner? Tu es sa grand-mère, et beaucoup mieux qualifiée que moi pour l'élever.

Catherine sortit: si elle tardait elle menaçait de se trouver nez à nez avec son père, qui ne serait pas aussi conciliant. Ça, elle ne le voulait pas. Elle sauta dans sa voiture et retourna à Montréal. Cette fois elle se pressa moins; même si elle tardait, Georges ne s'offusquerait pas.

Elle pensait à ce qui devait se passer présentement au bureau; il lui fallait revivre la situation, minute par minute, reconstituer tous ses mouvements, ses allées et venues. Ce n'était qu'en présence de sa mère qu'elle réalisa que l'enfant était enroulé dans cette couverture blanche qu'elle avait offerte le jour du baptême. «Je dois garder l'esprit clair et alerte. Pas de panique, ma Catherine. N'entache pas ta réputation de fille logique et capable de surmonter toutes les difficultés. Garde la sympathie de ces bonnes gens, il te sera doux et agréable de savourer ta victoire jour après jour. C'est plus savoureux comme victoire que si j'avais jeté le père dans un ravin, ce qui m'aurait valu une toute petite minute de jouissance et lui se serait libéré de ses souffrances dans la mort. Alors que là, il va agoniser longtemps et lentement. Ton héros grec va faire la joie de ma mère, prendre ma place dans son cœur sec. Peut-être même l'humaniser. Je lui ai cloué le bec! Ah! Elle n'était pas fière, la petite maman d'amour. Papa comprendra, il aimera l'enfant, j'en suis sûre. Il aura un fils qui, peut-être, aura la chance de n'avoir pas à finir dans une clinique spécialisée. Dans le moment, je souhaiterais avoir le don de l'omniprésence. Oh! Pouvoir voir chaque visage de chacune de mes victimes, pouvoir jouir de leur étonnement et de leurs tourments! Les entendre chialer, mugir, rager, prier, supplier! Quel beau jour sera demain! Catherine, ma fille, prépare ton rôle de consolatrice de tous ces cœurs affligés.»

Elle imaginait un ultime bonheur: Dimitri qui pleure sur son épaule, qui lui donne de beaux bizous sucrés, après quoi elle lui confesse sa participation à sa misère, lui en dévoile la raison. «Je refuse de lui dire où se trouve l'enfant, et alors je pourrai mourir par ses mains sous les yeux horrifiés de Polovios, le papa! Amen!»

Catherine éclata de rire; obnubilée par la haine, elle n'était pas consciente de ses pensées morbides.

Elle se rendit au restaurant chinois, acheta trop de victuailles. Assise, elle attendait qu'on lui remette sa commande. Ses méninges continuaient de travailler, il lui fallait parfaire son œuvre.

Elle se rendait maintenant chez Georges. Une paix relative l'enveloppait; Georges, sécurité et confort...

Il était là, le couvert était dressé. Au centre de la table, elle déposa les cartons.

— Voilà, tout ce que tu aimes, tout ce que j'aime. Et pas de champagne.
— Tu es en appétit.

— Comme jamais!

— Par hasard, aurais-tu fait un mauvais coup?

— Non, je me prépare à en faire un.

— Dieu me préserve!

— Refais ta prière.

— Je suis concerné?

— Oui, chéri.

— Ah! C'est sérieux?

— Tu accepterais de t'impliquer?

— Ça dépend. Raconte.

— J'ai bien réfléchi. Nous sommes deux parfaits idiots, toi et moi.

— Ce qui sous-entend?

— Tu vis ici, je vis là-bas. Nous nous aimons, nous perdons un temps précieux.

— Ce qui sous-entend?

— La vie n'est vraiment que le moment présent qui nous est donné, elle est aussi brève que cette minute... Il est plus sage de prévenir que d'anticiper, on élimine ainsi bien des désillusions futures.

Georges la regardait d'un regard plein d'amour. Jamais encore elle ne lui avait paru aussi bouleversée, profondément remuée lui semblait-il, à en juger par la profondeur des mots qu'elle prononçait. Il n'osait rien dire, craignait de rompre le fil de ses pensées.

— Georges...

Il posa sa main sur la sienne, l'invitant ainsi à poursuivre son exposé.

— Je crois que nous nous aimons.

Georges resserra l'étreinte.

— Cette fois j'aimerais que tu me le demandes, toi; je t'ai déjà fait des avances... Je me suis donnée à toi, un soir...

Il comprenait, bien sûr; combien de fois n'avait-il pas mijoté de beaux rêves? La minute de griserie passée, il regarda autour de lui, prit une corde sur la table, la cassa, la noua autour de l'annulaire de Catherine, murmura dans un souffle d'amour.

— Micheline, je t'aimerai toujours!

Elle le savait sincère, ferma les yeux, s'emplit de cette minute douce qui lui procurait une joie réelle, l'attendrissait.

— Demain, murmura Georges, nous irons choisir la bague que tu aimes.
— Je ne veux rien d'autre qu'un jonc, en or vert.

Il passa son bras autour de ses épaules; ils se turent, émus.

— Et moi qui ai négligé d'acheter du champagne... Regarde ces plats qui refroidissent pendant que nous nous baladons sur les sentiers de la romance!
— Et tu as faim, bien sûr.
— Reste là, bien sage, je vais faire le service.

Les mets s'étaient quelque peu refroidis. Georges, souriant, servait les assiettes et s'efforçait de disposer les mets de façon appétissante. Ils ne parlaient pas, elle avait relevé les jambes. On ne pourrait avoir plus allure bon enfant. Georges lui jeta des regards pleins de tendresse, elle sourit.

— Voilà, un banquet qui goûtera le réchauffé. Si j'avais pu prévoir!

— Qu'aurais-tu fait de plus, Georges?

— Des fleurs, des bougies, un orchestre.

— J'ai tout ça dans mon cœur.

— Je le vois dans tes yeux.

— Tu m'aimeras toujours?

— Petite fille, grand tourbillon plein de flammes, vibrante comme la mer, je serai toujours le phare vers lequel tu te tourneras. Je serai là, je te protégerai, contre le monde, contre le vent, contre toi-même.

— Georges, comme j'aime t'entendre poétiser ainsi!

Catherine pleurait, l'homme la serrait contre son cœur; il la sentait si vulnérable, si frêle sous ses allures décidées, déterminées.

— Ma petite, jeta-t-il dans un souffle.

— J'ai trop de bonheur! Le bonheur, ça étouffe, ça fait souffrir!

— La vie t'a peut-être gâtée à sa manière, mais elle a aussi trop exigé de toi. Tu as trop lutté, tu as dû te défendre seule, te débattre. Tu as été brave, mais tu n'es plus seule. Je suis là. Je suis là, Micheline, appuie-toi contre moi, aujourd'hui, toujours. Confie-moi tes chagrins, tes inquiétudes. Tu ne seras plus jamais seule. Ma famille sera la tienne, ils t'aimeront. Et nous aurons des enfants, tous beaux comme toi. De jolies têtes rousses, avec un grain de beauté.

— Ça, c'est de l'artificiel, mes cheveux sont naturellement châtain clair.

— Non! J'aurais juré... ça te va si bien.

— Les miracles de la coiffure... mon ancien métier, tu te souviens.

— Tu ne cesses de me surprendre. La vie auprès

de toi ne sera jamais monotone. J'ai parfois l'impression que tu vis dans un autre monde, que tu n'empruntes à celui-ci qu'une présence artificielle. Tu n'attaches que peu d'importance aux choses présentes, tes émotions viennent d'ailleurs, tes motivations aussi.

— Tu crois vraiment que je suis confuse?

— Non, pas du tout. Au contraire, tu sais où tu t'en vas. C'est le peu d'importance que tu attaches aux banalités qui me fascine. Là où la plupart des gens se formalisent, s'accrochent. Ainsi, tu avoues tout simplement que tes cheveux ne sont pas roux. Une autre que toi aurait tu la vérité pour garder l'image.

— La couleur de mes cheveux n'a pas vraiment d'importance, tu m'aimerais autant noire ou bleue.

— Bleue, je ne sais pas, mais enfin, c'est là la différence, tu es rousse sans motif de leurrer, par goût, caprice passager. Promets-moi, au jour de notre mariage, que tes cheveux seront longs, naturels. Je veux tout savoir de toi.

— Mon cher Georges, je suis le fond de la mer que tu dois explorer: tends tes filets, découvre-moi. Je suis l'huître aux perles précieuses, l'anguille qui pond aux sargasses et retrouve ses petits en Europe, je suis la poulpe qui nage à reculons, aux tentacules puissants, mais je refuse d'être le petit poisson qui sert d'appât et se laisse dévorer.

— Je devrai renforcer les mailles de mes filets. Je préfère la femme têtue à la femme facile.

— Quand as-tu compris pour la première fois que tu m'aimais?

— Je crois que c'est le jour où j'ai étendue cette peinture rose sur les murs... je ne savais pas si tu te moquais de moi ou si c'était accidentel, j'étais médusé.

— Les méduses sont une forme de poisson, n'est-ce pas?

— Si tu veux, oui. Mais pas exactement. J'aimerais en voir, les observer de près. Tu me donnes une idée, Micheline. Que dirais-tu d'une croisière dans les mers du Sud pour notre voyage de noces?

— Tu veux vraiment m'épouser, vraiment?

— Toi? Souhaites-tu une autre forme d'union? Le concubinage ne fait pas partie de mes principes, ce n'est pas sérieux, pense aux enfants à naître. Il ne serait pas question de les partager ou de les confier à un autre père: je veux une union définitive, insoluble, ou rien du tout. J'ai perdu mon bateau, je sais ce qu'est la rupture.

— Quelle comparaison!

— Faible mais significative. Je ne voudrai jamais perdre ma femme ou mes enfants. Ce sont là mes idées, et j'y tiens mordicus. La vie à deux est une vie de partage, dans la joie, mais aussi dans la peine. Sinon, plus rien n'a de sens. C'est le but du mariage, l'union des cœurs, l'union des âmes. Tu ne dis rien?

— Je t'écoute, c'est étrange; venant d'un autre que toi, ça m'effrayerait, mais auprès de toi je serais confiante. Peut-être parce que tu m'as donné des preuves de loyauté, de désintéressement.

— De quoi parles-tu?

— Tu as continué de vivre dans ce cocon rose que tu n'aimes pas vraiment, tu m'as désapprouvée quand je faisais des coches mal taillées, sans me juger, sans me condamner. Tu aurais pu vouloir profiter des circonstances, tu ne l'as pas fait. Tu as accepté un travail qui te déplaît, tu es fidèle à tes obligations. J'ai foi en toi.

— Je te croyais désinvolte, voilà que tu te montres sous un jour différent; tu es capable de calcul, pas aussi désintéressée que j'aurais cru... je devrai apprendre à me méfier.

— Des menaces! Je n'ai pas encore prononcé le oui

que je tombe déjà sous les coups de la menace! Je demande à réfléchir.

Ils riaient de bon cœur, continuaient de se taquiner mutuellement. Pendant ce temps, chez Catherine, le téléphone sonnait rageusement...

***

Lorsqu'elle ouvrit les yeux, Georges était déjà parti pour le travail. Elle prit une douche, fouilla dans son sac à main, refit son maquillage et se rendit directement au travail. À son doigt se trouvait l'anneau de corde qui la rendait songeuse. Si le bonheur était chose permise en ce bas monde, c'est bien auprès de Georges qu'il se trouvait.

Un sourire illuminait son visage, elle se réjouissait de l'avoir informé de la mort de ses parents. Ça simplifierait tout.

Elle arriva au bureau, consulta sa montre: elle avait quelques minutes de retard. Relevant la tête, elle vit un garde devant la porte qui lui interdisait d'entrer.

— Je travaille ici, que se passe-t-il?
— Nom et prénom?... Passez.

Catherine ouvrit, entra, vit Dimitri qui était là. Elle gardait le doigt pointé vers l'entrée et s'exclama:

— Vous n'êtes pas parti! Que se passe-t-il, pourquoi ce garde à la porte?
— Venez vous asseoir.

Deux policiers s'avancèrent, calepin et crayon à la main. On voulait savoir l'occupation de son temps depuis qu'elle avait quitté le bureau. Catherine sourit, elle baissa la tête.

— Pourquoi, en quoi cela vous intéresse-t-il?
— Répondez aux questions, jeta le plus jeune d'un ton qu'il voulait autoritaire.

Elle regarda l'autre, le silencieux; un menton carré, au visage antipathique. «La tête de Dick Tracy, pensa-t-elle: à se méfier.» Puis elle se tourna vers Dimitri.

— Répondez, Micheline, ce sont des formalités.
— Hier, messieurs... je me suis fiancée, dit-elle en tendant sa main.
— Félicitations. Vous aimez les bijoux?
— Pas plus que ça, c'est pourquoi j'ai choisi celui-ci; c'est tout ce que nous avions sous la main, dit-elle avec un sourire attendri.
— Vous n'avez pas dormi chez vous?
— Qu'en savez-vous?
— Répondez, simplement.
— Non, chez mon ami.
— Nous vérifierons.
— De grâce, monsieur Dracopoulos, dites-moi ce qui se passe. Pourquoi n'êtes-vous pas parti?
— On a enlevé mon fils.
— Quoi? On a quoi?
— Vous comprenez alors la raison de ces questions.
— Qui? Pourquoi?

Elle s'approcha de Dimitri, lui fit l'accolade, le retint un instant, muette, jouant à merveille son rôle de personne stupéfiée.

— Suivez-nous, mademoiselle.

Ils la conduisirent dans la salle de l'ordinateur, et les questions se mirent à pleuvoir. À quelle heure elle avait quitté, avant ou après Dimitri, quelque chose d'anormal à signaler? Elle avait déjà vu l'enfant? Et Lorraine, puis ses relations avec les patrons, bonnes?

— Je suppose, oui.
— Ce qui signifie?
— Madame est sans problèmes.
— Monsieur?
— Très exigeant. L'ambition, je suppose.
— L'ambition?
— Il faut le reconnaître, la boîte grossit très vite, il est question d'augmenter le personnel. Projets nouveaux, une spécialité à ajouter aux services donnés dont l'assurance-maladie aux vacanciers... C'est du potentiel. Elle fait de longues heures, monsieur s'absente beaucoup. Son épouse fait ce qu'elle peut pour l'aider à joindre les deux bouts. Ah! j'y pense...

Catherine se lève, court vers Dimitri; on la suit, on crayonne.

— On vous a contacté pour une demande de rançon? Pas encore. C'est ainsi dans les films, on attend que la victime se désespère après quoi on fait les conditions. Ça ne peut être que ça! Quoi d'autre, qui voudrait un bébé? Pourquoi? Ah! Dimitri, que je suis peinée! J'arrivais tout heureuse, déjà bouleversée à l'idée de me marier.

Dick Tracy l'écoutait, ses yeux perçants ne la quittaient pas. Le téléphone sonna, Catherine tendit la main, le policier la devança. Il s'agissait d'un client qui voulait rapporter un accident.

Catherine prit l'appel, posa moult questions, s'arrêta aux détails. En fermant l'appareil, elle demanda à Dimitri:

— Votre épouse doit être consternée!

— Ma femme est hospitalisée; elle ne peut pas accepter l'épreuve, elle se croit coupable de tout ce qui arrive.

— Quelle histoire, grand Dieu! Écoutez, je suis là, je vais prendre les appels et parer au plus pressé. Comptez sur moi.

Elle sortit et tira la porte de son bureau.

Dimitri était en conférence avec les policiers; elle aurait aimé entendre ce qui se disait, là derrière. Elle alla faire les entrées à l'ordinateur. Un fax demandant réponse entra. Elle la prépara, alla la présenter à Dimitri pour la lui faire approuver; le silence se fit, elle comprit qu'il était question d'elle. Elle s'excusa et revint au télécopieur. «Garde toute contenance, pensa Catherine, c'est l'heure cruciale, on doit trouver un coupable. Ça réconforte les victimes, ce moyen d'intimidation auprès des présumés coupables. Ne leur donne aucune emprise sur toi, reste en dehors de tout ça, fais-toi oublier.»

La maudite porte s'ouvrit enfin, elle resta penchée sur son travail.

— Une dernière question, mademoiselle Lavigne. Où pouvons-nous rejoindre votre fiancé?

Sans hésiter, elle donna son adresse, celle de son lieu de travail et les numéros de téléphone.

— Qu'est-ce qui vous fait sourire?
— Ce n'est pas le genre de mâle qui a besoin de voler des bébés tout faits, il est trop ardent et conscient de ses possibilités. Ah! excusez-moi, la remarque est de mauvais goût dans les circonstances.
— Nous vous prions de ne pas vous absenter.
— Serais-je votre suspect? demanda-t-elle avec un sourire narquois.
— Nous ne soupçonnons personne pour le moment, mais nous croyons que vous pourriez nous aider, par votre collaboration, à jeter un peu de lumière sur cette enquête.
— Vous pouvez compter sur moi, quoique je doute fort être en mesure de vous fournir des éléments nouveaux.

Ils partirent enfin, après plus de trois heures à fouiller les lieux, à chercher des indices, à questionner. Dimitri restait assis dans son bureau, le regard fixé sur le mur devant lui.

Catherine avait une envie folle de lui crier: «Cherche-le, si tu veux le revoir, ton fils, cherche-le!»

Elle se leva, se rendit jusqu'à sa porte, lui demanda s'il y avait d'autre travail à faire. Il hocha la tête.

— Alors je sors, je vais dîner.
— Avez-vous prévenu votre ami de la visite éventuelle des policiers?
— Pourquoi le ferais-je? C'est votre drame, pas le mien. Mon fiancé n'a pas à être prévenu; c'est un

homme, lui, dans la force du mot. Les policiers ne sont pas des ogres.

— Pourquoi vous montrez-vous si tranchante?

— Ça cache quoi, cette remarque? Que les policiers questionnent donc votre père! Georges m'a raconté vos exploits de jeunesse, c'est à faire vomir!

— De grâce, Micheline!

— Écoutez, cher monsieur, je suis ici pour gagner ma vie, pas pour devenir votre victime. Heureusement que j'ai de l'attachement et du respect pour votre épouse, je vous dirais adieu. Je peux m'absenter, une heure?

— Oui, allez, ça vaut mieux.

Elle sortit, la tête haute. Un homme, sûrement de faction, disparut derrière le journal qu'il tenait à la main. Elle s'arrêta, leva le pied, fit mine d'ajuster sa chaussure et observa sa réaction. «Il n'y a pas de doute, les lieux sont surveillés», pensa Catherine qui entra dans le restaurant où elle mangeait habituellement. La serveuse savait, la questionna. Catherine joua les horrifiées, et refusa de commenter la situation.

Elle l'avait dit à Dimitri, cela ne la concernait pas: ce n'était pas son drame, mais le sien. Elle en était profondément convaincue. L'angoisse qui se lisait sur le visage de Dimitri était le prix à payer pour celui du désespoir qu'elle avait vu sur le visage de son père quand elle était petite. Dimitri cueillait le fruit de sa semence.

Elle dîna, s'offrit deux glaces plutôt qu'une et retourna au bureau, ponctuelle comme toujours. Elle reçut un appel, c'était Georges.

— C'est incroyable, cette histoire. Qu'en penses-tu?

— Les policiers sont allés te voir? Ils m'ont prévenue, j'ai pris la liberté de donner tes coordonnées.

— J'espère que ça ne dérangera pas nos beaux projets?

— Non, Georges, c'est au contraire une preuve de ce que tu me disais hier, c'est dans l'unisson que se traversent le mieux les épreuves. Écoute, nous reparlerons de tout ça ce soir. Il vaut mieux garder les lignes libres, ici. Je crois que c'est une histoire de rançon, rien d'autre. Ne t'inquiète pas si je reste ici plus tard. Je te téléphone en entrant.

«Voilà, pense-t-elle, si la ligne est tapée, ils ont une confirmation de mes pensées profondes.» Elle n'avait rien demandé au sujet des doutes que les policiers auraient pu exprimer concernant l'usage de son temps ou de ses réponses.

***

Tout s'était passé spontanément, sans mise en plan, sans préméditation: la vue du bébé, l'opportunité offerte, Catherine avait agi sur le coup de ses pulsions. Là où elle se félicitait, c'était d'avoir pensé le confier à sa mère. L'enfant ne souffrirait pas, il recevrait tous les bons soins, son père l'aimerait et surtout Dimitri ne le retrouvera jamais, puisque ses parents étaient supposément décédés. Quand l'orage serait calmé, elle retournerait à la coiffure et épouserait Georges. Les tourments de Dimitri la laissaient bien froide. «Larmes de crocodile, capable de toutes les cruautés quand il s'agit d'autrui, et porté à l'apitoiement quand il est question de lui-même.»

***

Les jours passaient, on en était venu à espérer une demande de rançon, l'enfant semblait s'être volatilisé. Catherine assistait à l'enquête qui se poursuivait, fut témoin des efforts faits, des fouilles entreprises pour vérifier tous les coins et recoins des environs. Bébé Dracopoulos n'était nulle part. Le père s'étiolait, Lorraine ne reparut pas au bureau. Le travail s'était relâché, les jours passaient, longs, monotones. Catherine se lassait de la situation, les crispations de Dimitri étaient devenues monnaie courante. Les dossiers, une fois en filière, n'en sortaient qu'à des dates précises; plus de défi, plus rien d'excitant, plus de but à poursuivre.

La disparition du bébé Dracopoulos passait à l'histoire, comme autrefois la tentative de suicide de Catherine. La différence résidait dans le fait que dans le cas de l'enlèvement, c'était un fait justifié, le prix d'une vengeance méritée. Catherine en avait la ferme conviction. Sa conscience était en paix, elle ne se sentait nullement troublée. La vie continuait son cours normal.

La tendresse de Georges occupait toutes ses pensées. Le bonheur l'aidait à supporter la vue de Dimitri qu'elle haïssait pour ses airs de martyre: elle ne le croyait pas capable de souffrances profondes et sincères.

Georges l'avait prévenue qu'il remplaçait son patron malade et serait retenu ce dimanche. Catherine, roulée en boule, s'était endormie, sur le divan du salon. Son sommeil était agité: des images floues, incohérentes, se bousculaient dans son cerveau troublé. Sa lassitude était grande, les situations qu'elle vivait lui imposaient de grands efforts physiques. Son inconscient voulait rejeter certaines lourdeurs de son esprit traumatisé.

Elle s'était réveillée en sursaut, son front était moite, elle était bouleversée, inquiète, ne parvenait pas à se situer. La pièce était plongée dans l'obscurité. Elle s'étira, ferma les yeux, chercha à se souvenir de ce qui l'avait bouleversée intérieurement. Mais ses rêves troublants s'étaient effacés de sa mémoire.

La fenêtre qui ornait le mur d'en face était faiblement illuminée par la lune qui tenait tête à la nuit. Dans la verrière, les pièces de verre colorées étincelaient et projetaient des feux lumineux. L'un d'eux dessina un prisme sur la jambe de Catherine. Elle ouvrit les yeux et l'y surprit. Elle se mit à hurler, saisie d'une peur effroyable qui la paralysait. Cette chose verte qui marquait sa peau lui rappela un incident de ce rêve qui tantôt avait troublé son repos. Elle ferma les yeux, les ouvrit; la chose semblait bouger, s'étirer avec lenteur. Elle aimerait la saisir, la briser, l'anéantir, mais elle était là, persistait à s'accrocher à elle; voilà qu'elle semblait vivante, sa couleur s'atténuait, tournait à l'ocre.

Catherine fit un effort terrible, leva un bras, se retint au dossier du canapé, se roula sur le sol pour se glisser sous cette chose qui la stigmatisait.

Elle regarda sa jambe: la chose horrible était disparue, mais dans l'âme de la fille le signe demeurait; le présage était mauvais.

Il lui fallait réfléchir à ce phénomène, elle fouilla dans ses souvenirs. Des taches de lumière, successives, colorées, glissaient sur elle... Elle les sentait mais ne pouvait les définir. La situation lui échappait, alors elle eut peur, peur jusque dans son ventre. Quelque chose de mauvais se préparait, à son insu; on tramait contre elle! L'incertitude et les effets dévastateurs qu'elle avait sur Catherine la saisissaient. Elle lui donna un nom: la malchance. Il lui fallait la vaincre, elle se devait de maîtriser ces forces incontrôlables qui la menaçaient. Elle ferma les yeux, se concentra, voulut retrouver l'image qui tantôt se projetait dans sa tête sous forme de flashes flous, imprécis. Elle n'y parvint pas et ragea.

La colère grondait, et avec elle surgirent des modulations impulsives: des cercles colorés jaillissaient, retombaient sur elle. Catherine se cacha le visage de ses mains, voulut retenir cette vision. Elle leva la tête, ouvrit les yeux; elle les voyait, nombreuses, légères: des bulles. Oui, c'était ça, des bulles qui s'échappaient de haut et venaient l'atteindre.

Elle leva la main, reconstitua un geste: elle atteignit un globule d'air, le perça de son doigt; il éclata, silencieusement... Catherine savait! Catherine se souvenait! Catherine revoyait le visage de Dimitri, la pipe blanche, ce rire de son enfance, sa joie d'alors. Elle se leva, retourna s'asseoir sur le divan. Le prisme ne réapparut plus. Elle aurait enfin subjugué le mal; de par sa seule force de volonté elle aurait effacé le présage, vaincu les forces du mal.

Elle éclata d'un rire frénétique qui tout à coup se figea: sur le mur d'en face réapparaissait cette brillance d'une teinte ambrée. Elle ferma les yeux, s'efforça de retrouver son calme; ses tempes voulaient éclater, ses mains étaient moites; elle tourna le dos au mur, ne voulut plus revoir cette chose horrible qui la menaçait encore. Le nez collé au dossier, elle retenait sa respiration devenue haletante; le silence ajoutait à ses appréhensions. Cette chose semblait une apparition, pas vivante, donc pas menaçante. Catherine cherchait à se rassurer.

Les rayons de l'astre de la nuit continuaient de jouer dans le vitrail sous des angles divers. Les biseaux s'illuminaient, projetaient des points lumineux qui embrasaient un instant puis se déplaçaient.

Peu à peu, Catherine surmonta ses inquiétudes, eut un désir fou de savoir si derrière elle le phénomène se poursuivait. Elle ferma les yeux et lentement se retourna. Elle s'agrippa au fauteuil de toutes ses forces, la peur ne l'avait pas quittée; il lui fallait la braver! Elle leva les yeux, un cri d'horreur lui échappa; celle qu'elle désignait sous le nom de comtesse, la vieille Zélie, la regardait, ses yeux s'étaient colorés, l'un de vert, l'autre de jaune. C'est l'esprit du mal, de la vengeance, c'est l'âme de cette vieille folle qui la poursuivait. Catherine sentit la rage l'envahir. Elle se leva, s'en approcha, hésita, puis osa toucher, alors le rayon se déplaça, épousa la forme de sa main sur laquelle il se dessinait maintenant. Cette chose serait-elle vivante? Elle s'éloigna, la fixa, la suivit du regard. Voilà que le rayon se multipliait après s'être accroché au vase de cristal qui reposait sur la tablette de l'âtre. De nouveau, les couleurs variaient, bougeaient. Elle tourna la tête, chercha le point d'origine: la pipe. L'image de la pipe prit de l'ampleur. Elle pivota sur ses talons, leva la main une autre fois; la chose s'y accrochait, elle marcha lentement, la tint; ses pas la menèrent vers le vitrail... de ce vitrail le rayon émanait!

Ce vitrail, elle le haïssait! Ce vitrail lui avait fait revivre son drame, ce vitrail la narguait! Il était le responsable. Elle lança le vase qui s'y brisa. Elle s'attaqua à la verrière brisant le plomb qui retenait le verre, elle calma sa colère en détruisant, pièce par pièce, cet objet inerte. Le bruit fracassant l'apaisa. Les tessons jonchaient le sol, elle les piétina, son rire sarcastique se répercuta dans le salon: elle avait vaincu, elle pouvait crier victoire.

Catherine se laissa tomber sur le plancher; elle prit les tessons, s'amusa à agencer les couleurs; elle forma des carrés, des rectangles; un rictus contractait son visage, ses pensées s'accrochèrent à Dimitri qui souffrait présentement; il vivait son calvaire; un jour elle lui crierait sa haine, sa haine profonde. «En attendant, son bébé s'attache à mes parents; ils l'aimeront, ce petit-fils; quand Dimitri apprendra la vérité, il sera trop tard. Pour cet enfant, il sera devenu un étranger, voire un intrus dans sa vie; il le reniera comme père. Qui sait, sa femme se lassera peut-être de lui d'ici ce jour et alors il sera seul, démuni, brisé, comme je le fus par sa trahison.»

Elle lacérait le bottin téléphonique, tout ce qui était à portée de sa main; chaque geste posé représentait une blessure qu'elle infligeait à son ami d'enfance. Dieu qu'elle le haïssait! Demain encore elle lui ferait face, elle savourerait sa débine.

Elle ouvrit la radio, se mit à danser au son de la musique: la vie était belle.

Elle pensa à Georges, se rua vers le téléphone et signala son numéro. Hélas! sans succès. Elle avait faim, une faim de loup. Elle se fit une toilette et sortit; elle irait prendre un copieux repas, s'offrirait une bouteille du meilleur vin, se gaverait de desserts.

Catherine quitta son appartement le pas léger, le cœur heureux, laissant derrière elle les débris.

Chapitre 11

Le mystère le plus complet continuait d'entourer le cas de la disparition du bébé Dracopoulos.

Catherine avait cependant réussi à semer le doute dans la tête des policiers concernant le père. Une invraisemblance, mais qu'on ne négligerait pas.

On fit une enquête très serrée sur ses allées et venues hors du pays. Cette étape fut la plus pénible pour le couple: d'être soupçonné de duplicité dans l'affaire du rapt de son propre fils, finit par briser le moral de Dimitri.

Catherine voyait sa souffrance, jour après jour, mais s'en souciait de moins en moins.

Elle ne quitterait pas encore sa place de secrétaire, histoire d'appuyer ses théories d'entière dévotion à son travail et de garder un œil vigilant sur le développement des événements.

Le dossier, quoique toujours ouvert, dormait maintenant, faute d'éléments nouveaux.

Puis, un bon matin, celui que Catherine avait surnommé Dick Tracy, décida de soumettre la filière à une dernière épreuve.

— Tiens Gustave, voici la copie d'une enquête qui mène nulle part. Je crois que tu auras là de quoi mettre ta patience à l'œuvre. Il s'agit de l'enlèvement d'un bébé naissant. Des questions?

— Promesse de récompense?

— Non.

— Demande de rançon?

— Non.

— Des suspects?

— Non.

— Des indices?

— Oui, un seul, bien frêle. Peut-être même qu'il n'entre pas en ligne de compte.

— Dis toujours.

— Un bracelet de femme, en or, avec inscription: voici la photo de l'objet et tous les détails.

— La propriétaire est identifiée?

— Oui, mais la découverte fut gardée secrète pour ne pas nuire à l'enquête.

— Un bracelet, un bébé... des doutes toutefois puisque vous taisez ce détail.

— Pas précisément.

— Des parents et grands-parents éplorés?

— Bien sûr.

— Condition monétaire de ces gens?

— La moyenne.

— Démêlés avec la justice?

— Aucun.

— C'est pauvre.

— À qui le dis-tu! Si tu réussis ça, Gustave, le patron va te bénir.

— Qui est en charge du dossier?

— Baril.

— Et Baril n'a rien trouvé? Ah! là là... Pas bon, pas bon du tout.

— Il n'est pas infaillible, tu sais.

— Mais mauditement tenace et fouinard!

— Tu as dans ça toutes les données sur le cas.

— Je vais m'y mettre.

***

Dix ans plus tôt, Gustave Labrie avait fait une chute dans une piscine vide. Il faillit y laisser la vie, il en sortit paraplégique.

Son père était sergent détective, le soir il racontait à son fils les cas qui avaient occupé ses journées. Son fils écoutait et tirait ses conclusions. Avec les années, il avait développé un sixième sens, celui de la déduction. Il s'amusait à décortiquer des cas compliqués. Tant et si bien qu'un jour on le mit en présence d'un ordinateur dans lequel il entassait les données.

Mais ce travail ne lui donnait pas entière satisfaction. Il détestait la routine. Un jour, il prit sur lui d'ajouter une disquette sur laquelle il tenait compte de ses observations personnelles.

Il développa un système de compilation qui tenait compte de détails apparemment insignifiants mais qui s'étaient plus tard avérés d'une grande importance et avaient aidé à solutionner des cas considérés comme indéchiffrables.

On l'avait surnommé « Cure-oreilles» le fouineur. Il épluchait les dossiers, les compilait dans sa mémoire de métal, disait-il. Il en extirpait ce qui lui semblait pertinent et pendant des heures il se penchait sur ses déductions personnelles.

Il lut le dossier Dracopoulos en diagonale. Trop

propre, trop simple, trop clair et net. Il manquait quelque chose, un élément quelconque pour èxpliquer les faits eux aussi trop simples, trop bien ordonnés. Il réfléchissait, essayait de concilier les éléments.

Lorraine Dracopoulos n'était pas censée se trouver sur les lieux, sa présence avec l'enfant n'était pas prévue, pas organisée, tout à fait accidentelle, à ce que l'on disait.

La grand-mère qui s'absente, accidentel aussi. Les papiers oubliés par Dimitri qui les réclame: un point à considérer.

La secrétaire avait un parfait alibi, doublement vérifié; son compagnon n'inspirait aucune méfiance: garçon simple, campagnard, assidu au travail.

Il revint vers la secrétaire: ses déclarations étaient celles d'une tête forte, d'une personne décidée, caractéristiques requises pour sa position. Motif plausible: aucun.

La mère était démolie, s'accusait, se morfondait, mais ses déclarations se tenaient en trois occasions différentes: motif aucun. Il revint à Dimitri: se cherche, se méfie, ne soupçonne personne. Il espère qu'on lui réclame une rançon contre la vie de son fils. Vie simple, train de vie normal. Motif: aucun.

Les faits se tenaient, répétés cent fois mais sans variation. L'heure, le lieu. Là, une parenthèse: pourquoi le bébé est-il laissé seul, dans un édifice commercial? La porte était-elle ouverte ou fermée? Réponse non obtenue. Indices: un seul qu'on a pas révélé aux intéressés: un bracelet en or non loin du berceau: il souligne berceau; le bracelet porte une signature: «Coréos», quelques signes illisibles; peu solide, 18 carats.

Cure-oreilles s'appuie dans son fauteuil, ferme les yeux. Bracelet Coréos, Coréos, Coréos, un bracelet signé Coréos. Il sort son calepin de notes, déplie sa charte de notes, cherche le mot bracelet. Il y en a plusieurs, il glisse son doigt lentement: un seul bracelet signé; la note est encerclée de couleur verte; il hoche la tête: le vert, un cas sans ambiguïté; il s'attarde, suit cet indice, remonte au dossier, il est classé. L'ordinateur explique: soupçon de négligence criminelle, un décès, une malade emportée par une maladie prolongée, chez elle, dans son lit. Bracelet: rapporté disparu par la servante de la morte. Bracelet signé Coréos, que la victime n'enlevait jamais, a disparu. «Qui est Coréos, l'artiste joaillier qui a signé cette pièce?»

Une vieille femme, plus un bébé, plus un bracelet signé Coréos. Le lien? Vol? Pas dans le cas de la vieille: un gros montant d'argent et des bijoux sont retrouvés sur les lieux.

Labrie vient chercher son fils. Il le surprend en pleine méditation. C'est l'heure de rentrer. Cure-oreilles prend avec lui les dossiers, il s'y penchera après le souper. Toute la nuit s'il le faut. La coïncidence est trop forte. Le même artiste ne doit certainement pas signer des bijoux en série, pas du dix-huit carats, c'est un objet de prix.

— Tu as trouvé une mouche, Gustave?
— Un bourdon, papa.

— Loin de la ruche?

— Une vieille femme et un bébé naissant.

— Hein?

— Il faut mettre un trait d'union entre les deux, je le sens.

— Qui est la vieille femme?

— À vérifier, mais le dossier est classé.

— Tu es impayable. Comment as-tu fait le rapprochement?

— Papa, quand on perd ses jambes, on fait travailler sa tête.

— Le bourdon te tournait dans la tête?

— Non, il avait retenu mon attention lors de la première enquête; mais je ne veux plus en parler, ça ralentit les rouages dans mon esprit. Je dois me concentrer, trouver le lien, je n'ai qu'un fil conducteur.

— Souviens-toi de celui qui a dit «Donnez-moi un point d'appui et je soulèverai l'univers.»

***

Deux jours plus tard, Gustave revoyait la filière Zélie Chamberland et la passait au peigne fin.

Le défi était grand, Cure-oreilles en avait vu d'autres; ce cas-ci le fascinait. Son père fumait sa pipe, silencieux, il observait son fils qui était plongé dans ses réflexions. La paperasse étalée devant lui contenait-elle le nœud de l'énigme? Il le souhaitait.

Gustave plaça à la portée de sa main des trombones qui lui servaient de personnages qu'il déplaçait selon les situations. Le bracelet représenté par une gomme à effacer figurait au centre: la grosse pièce, le canon.

Fleurida fut placée à l'avant-garde; la geignante Catherine Rousseau, l'héritière, la côtoyait. Zélie Chamberland complétait le cercle du cas premier.

Il reprit le même modèle; Dracopoulos, sa femme, sa famille, la secrétaire Micheline Lavigne, la victime; le bébé.

Il déplaçait les pions, relisait les rapports des policiers, éliminait les personnages discordants. Micheline Lavigne fut mise de côté avec les grands-parents et la mère, trop marquée pour être coupable. Ou trop bonne actrice? Il eut un doute, la replaça auprès de son mari: des complices?

Il ne restait plus que l'efface: le bracelet, Dimitri, son épouse et Fleurida. Insatisfait, il maugréait. Il s'éloigna dans son fauteuil roulant, se rendit au frigidaire, se fit un sandwich, versa un verre de lait, revint à sa table de travail. La nuit avançait, Gustave réfléchissait. Le cas le gardait réveillé, ça sentait le mystère à plein nez! Il fallait décortiquer l'affaire. Il relut les rapports. Pourquoi n'avait-on pas révélé aux intéressés l'indice du bracelet? Pourquoi? Seul Baril pourrait répondre à cette question. Gustave avait perdu toute notion du temps, il téléphona à l'enquêteur. Celui-ci, réveillé en pleine nuit, maugréa.

— Le bracelet? Ah! oui, le bracelet. Ça ne signifiait rien car il appartenait à la secrétaire et il était normal qu'il se trouve sur les lieux. Il avait été remarqué par la mère du bébé, au bras de la fille, le jour du baptême. Les empreintes? C'était peine inutile. Laisse-moi dormir, Gustave!

— Si je t'apprenais, Baril, que le même bijou figure

dans une autre cause, de négligence criminelle, cette fois dans un vieux dossier classé?

— Hein? Tu es certain de ce que tu avances?

— Tu veux toujours dormir?

— De quel cas veux-tu parler?

— Zélie Chamberland, morte dans son lit, après une longue maladie.

— Je me souviens vaguement.

— C'est pas récent, mais ça pue drôlement. Viens me voir demain matin; je te ferai un dessin.

Baril se leva, but une bière, s'installa dans son fauteuil à méditations. Il pensait au travail de Gustave, qui partait des faits notoires, allait vers l'hypothèse, croisait les résultats similaires à d'autres causes et en arrivait au syllogisme. Il avait ainsi miraculeusement solutionné des cas qui, de prime abord, étaient impénétrables. Lui-même pensait à sa retraite; ce serait une façon merveilleuse de rester actif au sein de ce métier qui le passionnait, métier si exigeant et diversifié.

Cette histoire de bébé qui s'était volatilisé sous les yeux de sa mère le fatiguait, il craignait avoir à faire face à une bande qui se livrerait au commerce des enfants, ces histoires noires qui sévissent à travers le monde. L'enquête piétinait, ne menait nulle part. Il savait aussi que le crime parfait n'existe pas; c'est pourquoi il avait confié l'affaire à Labrie, qui la refilerait à son fils Gustave, qui la scruterait.

Ce coup de téléphone lui démontrait qu'il avait misé juste. «Maudit Gustave, il a le flair de dix détectives. J'étudierai son système, un de ces bons matins. Dommage, cet accident bête, mais aurait-il le nez aussi fin s'il avait ses deux jambes?»

Baril retourna au lit, anxieux de se pencher de nouveau sur le dossier.

Gustave veillait toujours, il déplaçait ses pions, inlassablement. La nuit s'étirait, sur la grille du fouineur il ne restait plus que l'efface, le bracelet et mademoiselle Fleurida. Il en revenait toujours au même résultat. Il plia les bras en cerceau, y appuya la tête et s'endormit. C'est dans cette position que son père le trouva le lendemain matin. Il prépara le déjeuner et réveilla son fils.

Gustave regarda ses pièces, restées telles qu'il les avait laissées. Avait-il trouvé la solution? Il en doutait, mais c'était la plus probable des traces à suivre. Il ne parvenait pas à faire le lien, mais avait la conviction profonde que la réponse était là. Il asséna un coup de poing sur la table. Son père, étonné, le regarda.

— Qu'est-ce qui t'arrive, fiston?
— Ces maudites jambes mortes! Les maudites! Ah! si je pouvais me déplacer, me rendre sur les lieux!
— Où irais-tu? Je les ai, moi, mes jambes.
— Tu ferais ça, papa? Baril va te maudire.
— Mais toi tu pourras peut-être remettre un bébé dans les bras de sa mère, ce serait un autre de tes miracles.
— Ce n'est pas la gloire que je recherche, c'est la justice. Tous les cas sont importants.
— Tu as l'esprit de la loi.
— Tu me l'as inspiré, cet amour de la justice.

***

Baril faisait les cent pas dans le bureau de Gustave qu'il attendait.

— Enfin! te voilà. Raconte.

Ils prirent place autour de la table. Il leur fit part de ses déductions.

— Il faut convoquer cette secrétaire, la sortir de son bureau, la dépayser, elle serait moins arrogante ici.

Gustave se taisait. Il réfléchissait. Baril mit la main sur le téléphone, Gustave immobilisa son mouvement.

— Mauvaise tactique.
— Dis donc, toi!
— Mauvais choix, je t'assure. Tu tournes en rond, Baril.
— Et toi, tourne le fer dans la plaie! Comme si je ne le savais pas qu'on tourne en rond.

Labrie intervint.

— Ne faites rien, je reviens dans cinq minutes.

Il sortit, se fit remettre le dossier Chamberland et le consulta. Le nom de Fleurida se détachait du groupe: le bracelet et Fleurida. Gustave avait peut-être raison. Le bracelet disparu... s'il s'avérait être le même! Non, la coïncidence serait trop grande! La domestique saurait nous le décrire. Il faudrait s'adresser à elle et élucider ce point coûte que coûte. À travers le verbiage de la vieille fille, on pourrait peut-être découvrir certains indices précieux: c'est vers Fleurida qu'il faut se tourner.

Il revint vers Baril, lui confia la tâche de trouver Fleurida et de la ramener ici. Baril fulminait. Son orgueil venait d'en prendre un dur coup. On marchait sur ses plates-bandes.

Gustave était plongé dans la plus profonde des méditations.

Fleurida... il n'en doutait pas, détenait inconsciemment la clef de l'intrigue.

Elle parut enfin, effrayée comme un papillon que l'on pourchasse. Elle s'avança dans la porte, Gustave vint à sa rencontre; elle gardait le regard fixé sur cette chaise motorisée, incapable de penser. La police s'était présentée chez elle avec un ordre de la cour! Elle en avait perdu l'usage de la parole, sa tête s'était mise à s'agiter de petites secousses incontrôlables.

Gustave la prit en pitié, la fit asseoir près de lui, demanda qu'on lui apporte un café. Baril fermait les poings, maugréait. Labrie observait, il craignait une confrontation. Il pria Baril de le suivre hors du bureau. Le jeune policier qui avait eu l'affaire Chamberland en main était là. Il se souvenait de sa conversation avec le chargé de l'enquête. Mais pourquoi Fleurida plutôt que la fille impliquée dans l'affaire? Gustave demanda enfin.

— Quand madame Chamberland est décédée, vous nous avez rapporté la perte de son bracelet.

Fleurida ferma les yeux.

— Elle aimait ce bracelet et ne l'enlevait jamais, c'est bien ça?
— Jamais.

— Il était perdu, elle l'avait perdu?

— Non.

— Non?

— Non.

— Vous l'avez retrouvé, alors?

— Non.

Gustave jouait avec l'efface, la retournait en tous sens: comment faire parler cette fille terrorisée?

— Le bracelet est revenu, comme ça, tout seul.

— Non.

— Quelqu'un l'a retrouvé, alors...

— Oui.

— Après la mort de madame Chamberland?

— Oui.

— Vous avez dit, alors, qu'il était perdu, mais pas qu'on l'avait retrouvé.

— Je ne savais pas, à ce moment-là.

— Mais vous le savez, maintenant.

— Oui.

— Pourquoi?

— Je l'ai vu.

— Où?

— Dans le bras de son amie.

Gustave jeta un coup d'œil à l'appareil qui prenait note du témoignage.

— Son amie, l'héritière?

— Oui.

— Quand? Après la mort de madame?

— Oui.

— Vous souvenez-vous quand?

— Le jour du party.

— Quel party?
— Je ne sais pas...
— Mais vous savez qu'il y avait un party.
— Oui, le cadeau, les rubans.
— Où?
— Près de la porte du building.
— Dans la main de l'héritière?
— Oui.
— Ça vous a surpris?
— Oui.
— Pourquoi?
— Elle m'a menti.
— Ah!

Tout à coup Fleurida semblait avoir retrouvé son aplomb, elle n'hésitait plus à répondre; elle plissait les yeux, martelait chaque syllable prononcée; les policiers ne l'effrayaient plus, elle parlait avec conviction.

Elle relata la conversation avec cette fille qu'elle détestait.

— Elle mentait?
— Oui, monsieur, oui, elle mentait. Je l'ai épiée, de ma fenêtre: elle est partie avec un garçon, un beau garçon, elle tenait son cadeau sur le même bras paré du bracelet.
— Si je vous montre le bracelet, vous allez pouvoir le reconnaître?
— Ah! oui.

Le bijou placé dans un sac de plastique fut exposé à sa vue.

— C'est lui.
— Pourquoi en êtes-vous si sûre?

Fleurida se fâcha.

— Vous n'aimez pas mademoiselle Lavigne?

Ah! malheur, Fleurida perdit de nouveau l'usage de la parole. Elle tenait serré son sac à main comme pour s'y accrocher, Gustave avait l'impression qu'un élément manquant lui échappait.

— Mademoiselle Fleurida, dit-il gentiment, vous aidez la justice, nous avons besoin de votre aide. Vous pouvez me donner encore de votre temps? Nous vous ferons reconduire chez vous.

Elle acquiesça d'un mouvement de tête.

— Je vous laisse vous reposer, attendez-moi.

Il s'éloigna, se rendit au bureau de Baril.

— Tu as fini, le fouineur, tu m'apportes la réponse sur un plateau d'argent?
— Non, rien. Le néant. Un cul-de-sac. Dis-moi, un party, des cadeaux enrubannés, ça figure quelque part dans ton affaire, parle-m'en un peu.
— Le baptême.
— Le baptême du bébé disparu?
— Oui.
— Téléphone à la mère, demande-lui s'il ont pris des photos. Si oui, demande-lui de nous les apporter tout de suite.

Gustave se rendit à la machine à café, en rapporta deux, en offrit un à Fleurida.

Baril s'entretenait avec madame Dracopoulos. Des larmes, un pâle rayon d'espoir, une faible piste: c'était enfin ça, après cette attente longue et inutile. Elle apporta les photos, le cœur plein d'espoir.

— Je peux vous demander ce qui se passe?
— Je vous téléphonerai au plus tôt, restez à l'écart pour le moment.

Baril vint les déposer devant Gustave, qui les regarda, les déplaça; le bracelet figurait sur l'une d'elles. Il remit la pile à Fleurida.

— Dites-moi qui vous reconnaissez.

Silencieuse, Fleurida jetait un regard sur chaque photo et les déposait sur le bureau. Elle s'arrêta.

— C'est lui, l'ami de la Catherine.

Gustave frémit, regarda Baril. Celui-ci fronça les sourcils. Et Fleurida s'empourpra, brandit une photo et martela ses mots:

— Tiens, la voilà, c'est elle, vous voyez: le bracelet, il est là, il est là, dans son bras.
— Le bras de qui?
— De la Catherine!
— Catherine?

Voilà! Cette fois c'était sérieux, Fleurida abandonne les photos, elle est blanche de peur, quelque chose la terrorise, mais quoi? La fille? Un secret qu'elle vient de dévoiler? Le nom de Catherine? Où est le lien?

Gustave a oublié que ses jambes n'obéissent pas, il s'est donné un élan pour se lever. Le fauteuil roulant s'est mis à reculer, Baril est intervenu à temps pour le retenir. Gustave s'essuie le front du revers de sa manche.

— Mademoiselle Fleurida, merci! Vous l'ignorez encore, mais vous nous aidez beaucoup. Regardez les photos, dites-moi si vous reconnaissez les autres personnes.

— Non.

— Seulement mademoiselle Catherine?

— Oui.

Il lui fit un clin d'œil complice, se pencha, prit le ton de la confidence et dit:

— Vous savez que mademoiselle Micheline Lavigne s'appelait Catherine?

— Oui.

— Quand l'avez-vous découvert?

— Après.

— Après le bracelet? C'est ça?

— Non.

— Après le décès?

— Non.

— Au party?

— Non.

— Racontez-moi ça, vous êtes meilleure que la police. Ça lui aura pris beaucoup de temps avant de le savoir.

Gustave crevait d'envie de regarder Baril.

— Comment l'avez-vous appris?

Elle rougit, baissa la tête.

— Vous l'avez lu sur ses papiers? Ils traînaient et vous avez regardé?

— Oui, ils traînaient, je n'ai pas fouillé, je ne fouille jamais. Je vous le jure.

— Quels papiers?

— C'était les papiers du notaire Jean Marois.

— Il les a apportés chez elle?

— Je ne sais pas. J'ai nettoyé, après le party. Je nettoyais toujours pour madame Chamberland. C'est elle qui m'avait donné la clef. Le lundi, je nettoyais et le mardi je venais sur appel seulement.

— Le party avec le paquet?

— Non, le party avant, l'autre.

— Elle en avait souvent, des partys?

— Je ne sais pas. Elle m'a ôté la clef.

— Ah! la méchante.

— Si vous aviez vu la maison! Une soue à cochon. Ah! pardon.

— Ça c'est le jour où vous avez vu les papiers du notaire.

— Oui, ça m'a surpris, je pensais que c'était une erreur. C'était écrit que les choses de madame Chamberland étaient données à mademoiselle Catherine Rousseau, mais c'est Micheline Lavigne qui habitait là.

— Qui est Micheline Lavigne?

— La fille sur le portrait, celle qui a le bracelet et tout.

— Plus tôt vous l'avez appelée Catherine.

— Peut-être, moi je ne sais plus. Madame Chamberland disait Micheline, le notaire disait Micheline, le notaire écrivait Catherine. Moi je ne sais plus. Je ne vous fais pas des histoires. C'est elle ou c'est pas elle?

Elle a coupé ses cheveux, c'est pour ça que je l'appelle Catherine.

— Vous avez rencontré le notaire?

— Oui, là elle avait ses cheveux longs et s'appelait Micheline. C'est après... Moi j'ai rien fait, monsieur le policier. J'ai bien aimé madame Chamberland, elle m'a donné de l'argent, je ne m'attendais pas à ça.

— De l'argent?

— Oui, c'est le notaire qui l'a dit et qui s'en occupe. Je suis contente parce que je n'ai plus de travail, elle a repris la clef, cette fille.

Baril s'avança.

— Vous avez vu un enfant, chez elle, parfois?

— Non, pas d'enfant. Juste lui.

Elle indiqua les photos où figurait Georges.

— Fleurida, ne lui dites rien, ne lui parlez pas de notre entretien. Vous me le promettez?

— Jamais de la vie! Cette fille, c'est le diable. Je la fuis comme la peste.

— Je vous remercie. Nous allons vous reconduire chez vous.

Fleurida se tourna vers Gustave.

— Ça ne va pas, vos jambes, hein? Mon frère était comme ça.

— Il ne l'est plus?

— Non. Il est décédé, je m'occupais de lui et de madame Chamberland. Maintenant, je suis toute seule. Ça prend du courage.

Labrie prit sur lui d'aller reconduire Fleurida, ce qui surprit Gustave.

— Attends-moi, fiston.

Il leva le pouce, en signe de victoire. La porte se referma. Baril tapotait le rebord du pupitre.

— À quoi pensez-vous? demanda Gustave.
— Un instant j'ai cru que la vieille fille était complice dans quelque traquenard.
— Cette vieille fille! Elle est pure comme la première neige.

Baril tendit la main à Gustave, celui-ci savait ce que le geste avait d'humiliant pour lui.

— Rusée la Catherine, ne lui donne pas trop de corde. Le notaire d'abord. En dehors de ça, rien ne doit transpirer. Seul le notaire peut apporter des éclaircissements à ce dilemme; on dirait un écheveau de fils de soie qui nous glisse entre les mains.
— Le problème n'est pas pour autant réglé. Que cache cette double identité? Le commerce des bébés, une affaire internationale?
— Non.
— Pourquoi dis-tu ça?
— Si c'était un projet d'envergure, avec cette enquête en cours, elle aurait déjà été liquidée, la petite. Ça traîne en longueur; il y a autre chose, c'est ce qu'il nous reste à découvrir.
— Et cette histoire de notaire?
— Pour le moment, on doit s'appuyer sur les dires de Fleurida. Elle n'est pas impliquée, ce n'est pas le genre! Non, pas le genre à tremper dans la vase. Si tu

veux mettre les mains sur ce bébé, prends des sentiers tortueux...

— Tu la veux, l'enquête?

— Calme-toi, Baril, tu grimaces, tu rages, calme-toi!

— Écoutez donc qui parle!

— Baril, ce sont les pieds qui me font défaut, pas la tête.

— Prends-toi pas pour un autre, fiston, comme dirait ton papa.

— Dis donc, Baril, tu as besoin d'un congé pour te reposer et te calmer les nerfs?

Labrie, revenu, écoutait, appuyé contre le chambranle de la porte.

— Depuis quand les commis mènent-ils le bal dans le bureau?

— Depuis que le bureau en a décidé ainsi.

Et, se tournant vers son fils, il demanda:

— Gustave, quand vas-tu compiler tout ça?

— Avant d'aller dormir. Quelque chose me chiffonne, je me demande quoi. Il manque un élément essentiel quelque part. Pour le moment, on a tout au plus des soupçons. Si on veut retrouver ce bébé vivant, il faut plus et vite. On peut se fier à la vieille fille, elle a une peur bleue et ne sait rien de plus que ce qu'elle nous a donné.

— Tu dramatises; attends que je lui mette la patte dessus, la petite secrétaire, elle va parler, s'exclama Baril.

— Oublie ça, Pierre-Émile.

— Oublier quoi?

Labrie, le sergent détective impartial, apprécié de

tous, a regardé Pierre-Émile Baril. Celui-ci baissa les yeux. Il avait compris, il venait de perdre la suite de l'enquête. Il quitta le bureau.

— Dis donc, Gustave: selon toi, quels sont les éléments qui manquent?
— Le motif de l'enlèvement. Elle est jolie, jeune, fiancée; pourquoi avoir enlevé le bébé? Et diable où le cache-t-elle?
— Chez elle?
— Non. Trop intelligente pour ça. Elle ne sera pas facile à épingler. C'est le motif qu'il faut trouver.
— Le notaire nous éclairera peut-être.
— J'en doute.
— Tu as dit ça à Baril? Pas surprenant qu'il ait pris feu.
— Pas dans ces mots-là. La fille est une fine mouche; ce qu'il faut, c'est un fin limier. Ah! les maudites jambes!

Il fit pivoter sa chaise et retourna à son labo, qu'il appelait son bureau. Son père le suivit.

— Tiens, papa, écoute ça.

Gustave mit en marche l'enregistrement de la conversation avec Fleurida. Il promenait les doigts sur les touches de l'ordinateur avec une dextérité qui fascinait le père. Pour la première fois, il voyait travailler son fils avec autant de zèle. Quand il en vint au passage où il était question du notaire, il fit remarquer:

— Le notaire pourrait être soupçonné mais avec Fleurida dans le portrait, ça blanchit Marois.
— La double personnalité, qu'en fais-tu?

— Je mettrais ma main au feu que madame Chamberland, les Dracopoulos, plus près encore, son fiancé ne la connaissent que sous le nom de Lavigne... Ce secret n'appartient qu'à elle seule, au notaire et accidentellement à Fleurida. Qui nous dit que Catherine Rousseau n'en est pas à une autre de ses fantaisies? Je crois qu'on a affaire à un esprit dangereux et malade. Si Baril l'attaque de front, elle va craquer et adieu bébé.

— Gustave, mon gars, tu me fais revivre certaines choses, un cas particulier.

— Je sais, je me souviens, mais tu ne peux pas tout faire seul.

— Ça m'a valu ma promotion. Mais quand je vois des cas comme celui-ci, je le regrette. Ça me lie, l'administration n'est pas mon élément, je préfère travailler sur le terrain.

Gustave n'écoutait plus. Labrie comprenait les motivations de son fils. Il fallait porter un grand coup.

Il fouilla le dossier, prit des notes. Ils rentrèrent le soir, il était presque minuit. Les deux hommes se taisaient, aux prises avec les nouvelles incidences à examiner.

Chapitre 12

Avant de rentrer au travail, Labrie se présenta au greffe de la Ville, fit sortir l'enregistrement du condo de Catherine Rousseau. Il préleva les informations. Il s'arrêta chez le notaire, il était absent pour le reste de la semaine.

— Qu'en penses-tu, Gustave?
— Rien.
— Tu veux me suivre?
— Oui.

Il se rendit à l'adresse du fiancé. Une dame l'accueillit.

— Georges Caplan: oui, il habite le sous-sol.

Après s'être fait rassurer sur la raison de cette visite, elle renchérit:

— Micheline Lavigne occupait le logement avant ce garçon, elle vient parfois. Caplan est sérieux, rangé, paye bien ses mensualités, un locataire de choix. L'adresse de son travail? Bien sûr qu'elle l'a.

Elle s'éloigna et revint avec l'information.

— Ça y est, fiston, j'ai le filon. Nous y voilà à l'adresse que cette dame m'a donnée: tiens, c'est un poste d'essence. Il nous faut faire le plein...

Labrie sort, jase avec le jeune homme, c'est celui de la photo; il est très confortable, le genre de gars qui n'a rien à se reprocher.

— Encore rien, hein, papa?
— On patauge, on patauge!
— Et ça presse!
— Continuons. L'ancien employeur de cette fille?
— Regarde dans les pages jaunes de mon calepin: ça coïncide, vois-tu; selon Dracopoulos, elle passa quatre ans chez le même employeur.
— Qui n'existe peut-être pas. Qu'est-ce qui te fait rire?
— Tu fais du Baril.
— Ma foi, oui. Regarde, c'est là, un salon de beauté.
— Tiens, tiens, un salon de beauté, sans doute le même qui est mentionné dans l'affaire Chamberland.
— Attends-moi.
— Monsieur, demanda madame Labrosse.
— C'est au sujet de votre employée, votre ex-employée devrais-je dire, Micheline Lavigne.
— Elle m'a quittée, est retournée chez ses parents, son père était dangereusement malade, du moins il l'était.
— Vous savez où ils habitent?
— A-t-elle des problèmes?
— Non, formalité.
— Vous n'êtes pas le premier à me répondre ça.
— Non? Là, vous m'intéressez. Quand ça s'est-il passé?
— Au moment où une de ses amies est décédée, une... je ne sais plus, elle a hérité de cette dame.
— Oh! oui, madame Chamberland.
— Il me semble que ce n'est pas ce nom-là.
— Alors elle a hérité souvent. Quel genre, cette fille Micheline?

— Comme on n'en trouve plus. Polie, courtoise, fiable, franche...

— Franche, dites-vous?

— Oui.

— Vous hésitez, à ce qu'il semble.

Il écrit, ne la regarde pas. Il attend.

— A-t-elle des problèmes, des démêlés avec la justice?

— Rien de sérieux.

— Un détail me revient à la mémoire. La mouche...

— Une mouche?

— Oui, elle se colle une mouche sur la joue.

— J'ai bien compris? Elle se colle une mouche...

La jeune femme sourit.

— Une mouche c'est un point noir qu'on colle sur la peau, par coquetterie.

— Et?

— Elle l'a oublié un jour, c'est alors que j'ai compris que le grain de beauté était artificiel; je trouvais ça dommage et je le lui ai dit. Elle a bien ri.

— Une mouche? Je n'ai pas remarqué cette mouche. D'autres signes m'aideraient peut-être à la reconnaître...

— Cheveux très longs, châtain clair... Ah! j'oubliais, elle est rousse, j'ai moi-même teint et coupé ses cheveux avant son départ. C'est une très jolie fille, beaucoup d'entregent. Vaillante, elle m'a beaucoup manqué.

— Vous n'avez jamais eu de ses nouvelles depuis?

— Non, à mon grand regret.

— Vous savez où elle habite?

— Dans ce condo dont elle a hérité, sans doute.

— Et ses parents, ils habitent tout près?

— Je ne sais pas, je ne me souviens pas, hors de la ville il me semble.

— Je vous laisse ma carte; si quelque chose vous revenait en mémoire, téléphonez-moi.

— A-t-elle des problèmes?

— Non. Nous cherchons seulement à la localiser.

— J'aime mieux ça. Micheline est une jeune fille bien, de bonne éducation.

Labrie reprit le volant. Gustave devinait, à son expression, que la visite à cette adresse avait porté fruit.

— Fiston, nous voilà en présence de deux filles. D'une part, Catherine Rousseau, cheveux longs, châtain clair, point noir collé au visage. Coiffeuse chez cette dame, madame Labrosse qui l'a connue sous le nom de Micheline Lavigne, devenue rousse, cheveux courts, mouche au visage... Une métamorphose qui coïnciderait étrangement car faite juste au moment du changement de travail... C'est à vérifier. Une fille parfaite: coiffeuse parfaite ici, là-bas secrétaire émérite.

— Le fiancé, tu comptes sur lui pour confirmer tes soupçons?

— Non! Surtout pas. Ce serait vendre la mèche. Micheline Lavigne ne doit rien savoir de nos conjectures, elle est en confiance; ne bougeons pas, nous l'aurons à l'œil. Il faut revoir tout ça, à tête reposée. J'ai de plus en plus confiance que nous allons dans la bonne direction.

Qui aurait hérité de ce fameux bracelet? Gustave consulta le dossier Chamberland, c'était écrit en toutes lettres: les bijoux allaient à Catherine Rousseau. Le papier officiel avait été entériné. «Pourquoi entériné?» Gustave souligna le mot: puisque le testament était notarié, avait-il à être entériné?

Il revoyait maintenant le dossier Dracopoulos. Il n'était pas question de Catherine Rousseau, le nom de la secrétaire était Micheline Lavigne.

Il consulta l'annuaire téléphonique, le nom de Coréos n'y figurait pas. «Peut-être s'agit-il d'un bijou importé; ce qui en ferait un objet plus rare, et donnerait encore plus de poids à mon hypothèse. Les deux filles seraient donc une seule et même personne?» Il s'appuya à son fauteuil, ferma les yeux.

***

— Nous sortons, fiston, nous irons rôder là où tu sais. Mais d'abord allons manger.

Labrie avait aidé son fils à grimper la rampe qui menait au restaurant. Il ne posait jamais ce geste sans ressentir un pincement au cœur. Cet enfant, que la destinée avait marqué à jamais, lui avait permis de se pencher avec beaucoup d'humanisme sur les cas pathétiques qui lui étaient confiés, dont celui de l'enlèvement du nourrisson Dracopoulos.

— Que veux-tu manger?
— Spaghetti et cure-dents.

Le père sourit, il se demandait pourquoi il ne lui était jamais venu à l'idée plus tôt de participer étroitement avec son fils.

La commande donnée, Gustave demanda des cure-dents. La serveuse le regarda et répéta:

— Avez-vous bien dit un verre de cure-dents?
— S'il vous plaît, maintenant avant le repas.
— Tu es terrible! As-tu vu son expression? Elle doit croire que tu as la berlue.
— Ce sera plus grave encore quand elle me verra jouer avec.

Les yeux du garçon pétillaient de malice. Depuis longtemps il n'avait pas goûté tel engouement. La jeune fille revint, posa le verre sur la table et s'éloigna.

Gustave entreprit son étalage: il plaça les personnages principaux en première ligne et les secondaires en deuxième. Certains furent vite éliminés dont Fleurida, la coiffeuse, madame Chamberland, madame Dracopoulos, les grands-parents.

On mangeait maintenant en silence. Labrie dit à mi-voix:

— Fiston, regarde qui entre...

Et se retournant, il s'exclama:

— Tiens, rebonjour. Venez vous attabler avec nous. Rappelez-moi votre nom. Sans mes notes, ma mémoire fait défaut; cependant je n'oublie jamais un visage. Mon fils, Gustave.
— Vous travaillez sur cette affaire de l'enlèvement de ce bébé dont j'oublie le nom que je n'ai jamais pu retenir, demanda Georges.
— Dracopoulos, c'est grec, répondit Gustave.

— Sale histoire!

— Votre fiancée a-t-elle une opinion sur le sujet?

— Elle en parlait parfois, au moment du drame. Micheline est de nature enjouée, elle prend son travail à cœur mais en parle rarement.

— Vous habitez ensemble?

— Non, elle a son chez elle.

— Elle habite toujours chez ses parents, voilà qui est bien.

— Non, ses parents sont décédés, et lui ont légué leur propriété, un condo.

— Ah! elle a hérité.

Gustave ajouta un cure-dents près de celui qui personnifiait Catherine.

— Orpheline à cet âge! Je me souviens du décès de ma mère, ce fut un dur coup, dit Gustave.

— Elle a en effet beaucoup souffert, il lui a fallu du temps à accepter de vivre seule dans cette grande demeure.

— Heureusement que vous étiez là pour la consoler... De quoi sont-ils décédés, un accident?

— Oui, mais je ne les ai pas connus et ne suis pas au courant des détails.

— La vie est bête! C'est bien ce quartier. Je ne le connaissais pas. Je me déplace bien difficilement, vous comprenez? Un accident, moi aussi: une piscine vide dans laquelle j'ai plongé.

Georges semblait embarrassé par ces confidences.

— C'est très difficile à accepter au début, le moral en mange un dur coup, la fierté aussi. Mais il me faut continuer de vivre.

Labrie s'excusa et sortit, il se dirigea vers son véhicule. Il fit un appel à son bureau, demanda quelques renseignements et revint. Il tenait à la main l'enveloppe qui contenait des photos.

— Tiens, fiston, j'ai les photos. À propos, monsieur Caplan, jetez donc un coup d'œil à ça. Ce sont des gens que vous connaissez peut-être: il s'agit des familles du patron de Micheline.

— Votre fiancée est là; alors, laissez-moi voir, demanda Gustave. La jolie fille. Dommage qu'elle porte ses cheveux si courts, je la verrais avec de longs cheveux.

— Avec raison, elle les a coupés mais m'a promis de les laisser repousser.

— Vous riez tous de bon cœur, ici...

— Une anecdote du grand-père concernant une aventure de son fils; un original, ce monsieur. Mais je dois partir, je n'ai qu'une demi-heure pour dîner.

— Qu'est-ce que tu en dis, fiston?

— Regarde plutôt.

Il prit un cure-dents, le cassa en deux et le plaça à l'horizontale entre les deux rangées. À l'intention de son père, il répondit:

— Ce gars-là est tombé sur un mauvais sujet. Il adore une fille qu'il ne connaît même pas.

— Dépeins-la-moi.

— Prénom Catherine, châtaine, cheveux longs, qui vient de l'extérieur de Montréal, s'est infiltrée chez madame Chamberland, est devenue son héritière. Je la soupçonne mineure au moment de l'événement, ce qui explique sa fugue et son empressement à se fiancer à ce bon gars qui n'y voit que du feu. Et toi, papa, qu'en déduis-tu?

— L'affaire Chamberland: la mort de la vieille est à revoir.

— Tu oublies que son médecin traitant a signé l'acte de décès: mort naturelle, à la suite d'une longue maladie. Aucune trace de violence, pas de vol, de l'argent dans la maison à portée de la main. Le testament fut fait après la rencontre de ces deux femmes, et Catherine, ou Micheline, au choix, ignorait la présence de ce testament dont le notaire seul avait copie. Tout semble en ordre de ce côté. Je l'ai scruté en tous sens, aucun doute possible. Sauf qu'un juge a entériné le testament notarié... ce qui m'étonne. Toutefois, papa, même ce bracelet fait partie de son héritage, donc il lui appartient.

— À Catherine ou à Micheline? Ce fameux bracelet qui nous fait aujourd'hui suivre la piste de cette fille. On touche au but, fiston. Il ne manque qu'un trait d'union à placer au bon endroit.

— Tout commence et tout finit ici, tout ce que l'on sait d'elle... qu'est-ce que tu as, papa?

— Sacré nom d'une pipe!

— Qu'est-ce que tu as, dis, à quoi penses-tu?

Labrie se pressait; lui habituellement délicat avec son enfant infirme, il avait des mouvements brusques, un empressement inusité. Gustave comprit que son père venait de trouver ce qu'il cherchait: le fameux trait d'union. Assis au volant, il consulta son cahier de notes et fila en silence. Gustave hochait la tête; qu'est-ce qui avait bien pu lui échapper que son père avait saisi?

La voiture avançait sur une allée de gravier qui ceinturait l'entrée d'un coquet cottage. Grand-papa Dracopoulos vint vers eux, il tenait des cisailles à la main.

— Qu'est-ce qui vous amène, monsieur l'officier?
Auriez-vous des nouvelles du petit?

— Nous suivons une bonne piste; gardons espoir.
Je ramène les photos.

— Les photos?

— Oui, les photos prises lors de la réception qui a
suivi le baptême de votre petit-fils.

— Ah! elles appartiennent à ma bru.

— Vous avez raison, je me suis trompé d'adresse.
Vous pourriez les lui remettre?

Tout en parlant, il en sortit une qu'il lui montra.

— Il s'agit là de votre famille?

— Oui.

— Tout ce monde est bien gai.

— Nous avions de bonnes raisons de nous réjouir,
ce jour-là. Mais depuis, la gaieté, vous savez...

— Vous habitez ici depuis longtemps?

— Une dizaine d'années.

— Et avant, vous vous souvenez de votre ancienne
adresse.

Polovios raconta: les pâtés de maisons démolis, le
départ précipité. Labrie, adroitement, obtint les détails
qui l'intéressaient. Et toujours en silence il prit la route
qui menait à ce quartier du bas de la ville.

Gustave devinait que l'erreur de son père était voulue, c'était bien le grand-père qu'il voulait questionner.

— Tu as compris, Gustave? Enlève dix ans à
Dracopoulos, il est alors un adolescent...

Il appliqua les freins et rentra dans une cour d'école.

Une simple phrase jetée par Georges au milieu d'une conversation anodine avait déclenché la piste qu'il recherchait tant: le lien de cause à effet. Gustave trouva longue l'heure que son père passa derrière cette porte qu'il fixait des yeux.

Mais quand elle s'ouvrit, que son père parut enfin, il eut la certitude que l'on touchait au but.

— Fatigué, fiston? Tu veux rentrer à la maison?
— Parce que toi tu n'abandonnes pas. Ne me prive pas du plaisir que j'aurais à te suivre.
— Alors, allons-y.
— Où?
— À Gatineau.
— Sur les bords de l'Outaouais?
— C'est ça.
— Qui habite là?
— Je te le donne en mille.

Le silence tomba, mentalement Gustave repassait la liste de ses personnages dont il ne connaissait que les noms. Il lui fallait choisir. Il hésita et conclut enfin:

— Les parents de la secrétaire.
— Touché. Sacré nom d'une pipe! Le détail a failli m'échapper. Ce n'est pas un cerveau mais deux qu'il faudrait aux policiers. Mon gars, ou je me trompe fort ou l'affaire est dans le sac!
— Qu'espères-tu trouver là-bas?
— Tout.

La circulation était dense, ce n'est que sur la Transcanadienne que Labrie retrouva son calme

— S'il le faut, nous coucherons là-bas.

— Tu sais où t'adresser?

— Oui, grâce au registre de l'école. J'ai compris les avantages de l'ordinateur quand il m'a fallu patienter pendant qu'on fouillait les livres qui remontent dix ans en arrière. Nom et adresse en main, par le truchement du bureau d'immatriculation, j'ai obtenu les informations que je cherchais. Le père et la mère vivent toujours et habitent Gatineau. La fille a sans doute fugué, tu as probablement raison. Georges nous a indiqué le pourquoi: les propos du grand-père, en ce jour de réception, tu piges? L'enlèvement a-t-il eu lieu par vengeance? Fouille un peu les notes, lis les réponses aux questions qu'a données cette fille.

Labrie écoutait, Gustave s'enflammait: il devenait de plus en plus évident que la secrétaire s'efforçait de faire jaillir le doute sur son patron, à coup de mots pleins de sous-entendus.

— Ses absences prolongées, son ambition, elle tente de faire croire qu'elle est dans ce bureau à contrecœur, que le patron l'exaspère. Cette fille est rusée, dangereuse, a le vice en tête. Elle est capable d'un enlèvement; elle est sans doute aussi capable de plus grave, c'est ce qui m'inquiète. Il va falloir agir vite, ne lui donnons pas le temps de se défaire de ce bébé. Nous avons affaire à une malade.

— Une malade, peut-être, mais qui agit avec circonspection: elle sait inspirer confiance.

— Oui, si on se réfère aux éloges de son ancienne patronne, la coiffeuse Labrosse.

Chapitre 13

Roger Rousseau assistait à un séminaire à Toronto, il serait absent une semaine.

Diane, qui faisait partie d'un club de bridge, passerait cette fin de semaine à s'occuper d'un tournoi provincial qui se tenait à Hull.

Aussi ce matin avait-elle confié son petit-fils à une amie qui veillerait sur lui pour quelques jours. Diane avait conduit l'enfant à la gardienne, ne négligeant pas de lui remettre vêtements et jouets. Elle était si attachée à ce bébé qu'elle avait failli tout laisser tomber à la pensée de devoir s'en séparer. L'abandon de l'enfant par sa fille lui paraissait si cruel qu'elle lui vouait un amour déraisonné au goût de son mari, qui s'inquiétait de sa façon de le choyer à outrance.

Diane réfléchissait à la situation tout en se préparant à rejoindre ses amis du club où se disputerait ce soir une partie entre les maîtres provinciaux de son club de bridge. Elle souffrait à la pensée que Catherine ne s'informait pas de son enfant, s'en désintéressait complètement. C'est dans cet état d'esprit qu'elle ouvrit la porte au détective qui se présentait chez elle.

Elle admit être la mère de Catherine qui avait fui la maison et, à ce qu'il semblait, s'était mise à voyager mais qui serait depuis devenue propriétaire d'un condo à Montréal. Elle raconta avec force détails le téléphone qu'elle lui aurait fait à l'occasion de la transaction.

Non, tout lien était coupé entre eux. Son père croyait et espérait toujours qu'elle reviendrait à de meilleurs sentiments quand elle aurait accepté ses responsabilités. Elle posa quelques questions, se dit surprise de cette visite d'un représentant de la loi.

— On cherche à localiser Catherine.

Diane s'était aussitôt rassurée sur la conduite de sa fille: elle s'était mis en tête que le père du bambin voulait prendre l'enfant. Elle se réjouit de ce que le bébé soit présentement en garderie. Rien ne laissait deviner sa présence ici. Des yeux elle parcourut la pièce où ils se trouvaient. Un jouet aurait pu traîner sur un fauteuil. Rien. Désinvolte et rassurée, Diane offrit le café au visiteur qui refusa, mais multiplia les questions.

— Malheureusement, je ne peux vous être d'aucune aide pour les raisons que je vous ai données: je ne sais rien de ses allées et venues, ni du travail qu'elle fait. Jamais encore ne nous a-t-elle demandé de l'aider, ce qui réconforte son père.

Elle mit de l'emphase sur ses études au couvent, les réussites de sa vie; le drame de son adolescence? Oh! oui! Diane en rit, une amourette qui l'avait un instant bouleversée mais dont elle s'était vite sortie grandie. Oui, bien sûr, si elle devait pouvoir y ajouter quelque chose à cette entrevue, elle téléphonerait à ce numéro. Encore quelques questions adroites de la part de Diane et l'entretien était terminé. Labrie avait cru bon de s'en tenir aux propos de cette femme qui lui semblait tout aussi habile que sa fille Catherine. Pour le moment, il pensait surtout à l'enfant et trouva prudent de ne pas poursuivre l'interrogatoire, car si mère et fille étaient parfois en contact, cette visite pourrait pousser celle-ci à des décisions extrêmes.

Après le départ du policier, Diane, prise de panique, se laissa choir dans un fauteuil et se mit à réfléchir: comment empêcher le père de reprendre l'enfant? Celui-ci sait donc qu'elle l'a abandonné! Si seulement elle savait où rejoindre Catherine! Devait-elle prévenir son mari? Non, d'abord il fallait trouver une solution. Elle marcha vers la cuisine, se versa un café.

L'adoption! Le mot tournait dans sa tête, rassurant un instant puis troublant pour ce que ça comportait de difficultés à surmonter. Qui pourrait la conseiller? L'abandon du bébé par Catherine aggraverait la situation puisque le père semblait maintenant s'impliquer.

Cent fois elle repassa mentalement la conversation qui venait d'avoir lieu, bouleversée à l'idée d'avoir pu laisser échapper une information compromettante. Elle était convaincue que Catherine n'avait pas informé le papa du lieu où se trouvait l'enfant. «S'il le faut, nous fuirons sous d'autres cieux, il n'est pas question de le perdre. Roger a toujours souhaité avoir un fils, il s'est attaché au petit. Catherine a sûrement rompu définitivement avec le père, qui sait? Peut-être celui-ci prend-il ce moyen pour reconquérir Catherine. Seul un drame pourrait expliquer sa hargne, son abandon de l'enfant.»

Diane est profondément émue, ses yeux sont voilés de larmes. Elle prend subitement conscience de l'amour qu'elle porte au bambin et de l'importance qu'il a dans leur vie. Elle oublie Catherine, le détective, ses mondanités, elle ne pense qu'à ce bébé.

Le téléphone sonnait, Diane sursauta; elle se leva puis resta là, figée, incapable d'un mouvement; la peur la prenait aux tripes. Elle regarda l'appareil qui insistait. «Si c'était Roger!»

— Hello!

On s'inquiétait de son retard au club. Diane s'excusa sans conviction, le cœur n'y était pas.

Voilà qu'un premier problème se posait: devrait-elle aller chercher le bébé pour le ramener à la maison? Il lui fallait parler à Roger, l'informer de la situation, prendre une décision au plus tôt, agir avant qu'il soit trop tard. Elle se sentait seule, désemparée.

«Je logerai au Westburry Hôtel», lui avait-il dit; elle signala l'inter, espérant que Roger puisse être rejoint. Ses mains étaient moites, son cœur battait à se rompre, elle avait peur d'éclater. La voix de son mari ne lui avait jamais paru aussi sécurisante! Elle lui peignit la situation d'une voix fébrile, mêlant les faits, mettant de l'emphase sur ses déductions personnelles comme s'il s'agissait de vérités.

— Le père veut reprendre l'enfant! Tu comprends la gravité de cette impasse? Pourquoi ne dis-tu rien? Ça te laisse froid ou quoi?

Roger connaissait l'exubérance de son épouse; il attendit patiemment qu'elle se calme puis en vint à des questions précises. Mais Diane s'embourbait, le ton montait. Roger comprit qu'il devrait rentrer au plus tôt. Diane, rassurée, se calma enfin.

— Crois-tu que je devrais aller chercher le petit dès aujourd'hui?

— Surtout pas. Ne change rien à tes habitudes. N'éveille pas de soupçons. Je vais réfléchir à la situation, je serai là au plus tôt. Sois calme, Diane. Ne t'en fais pas inutilement, tout va s'arranger, crois-moi. Si par hasard Catherine te téléphonait, ne lui parle pas de cette visite: elle pourrait perdre la tête et faire gaffe sur gaffe. Pense seulement à l'enfant, à sa sécurité. Le détective t'a-t-il donné le nom du père?

— Je n'ai pas osé le lui demander.

— Pourquoi?

— Il ne m'a pas dit que le père cherchait le bébé.

— Ah! non? Pourtant tu affirmes que...

— C'est moi qui ai pensé ça...

— Ça alors! Diane, reste bien sagement à la maison et attends-moi.

Il a raccroché, est resté là, pensif. Qu'est-ce que tout cela pouvait bien signifier? Peut-être sa femme avait-elle raison. Catherine avait une tête de linotte, pas une seule fois elle n'avait pris des nouvelles de son enfant, aujourd'hui ça lui semblait bizarre. Alors qu'hier encore il s'en réjouissait, ce petit était beaucoup plus en sécurité avec ses grands-parents qu'avec sa mère! Mais que le père s'en remette à un détective pour repérer l'enfant lui semblait suspect. Pourquoi lui aurait-elle caché le fait qu'elle l'avait confié à ses parents?

Pour faire la lumière sur toute cette affaire, Roger en conclut qu'il lui faudrait affronter sa fille et l'obliger à tout lui raconter. Tôt ou tard, des complications devaient survenir, il s'y attendait. «Catherine n'est pas une fille de tout repos, rien avec elle n'est simple et droit, elle a un esprit retors et se fout bien de ceux qu'elle implique dans ses histoires farfelues... Pourvu que cette fois il ne s'agisse pas d'une situation plus dramatique! Chose certaine, si le père veut prendre charge de l'enfant, il serait plus en sécurité auprès de lui que de sa mère.»

Il pensait à son épouse qui vouait un véritable culte au petit. Les tendresses du bébé à son endroit lui revenaient en mémoire, il s'en émouvait et souffrait à la pensée que ce petit bout de chou pourrait venir à lui manquer. Sa présence avait tant illuminé leur vie depuis qu'il vivait sous leur toit.

***

Gustave Labrie s'est replié dans le silence, il réfléchit. Il vérifierait la véracité des dires de Diane Rousseau au sujet de ce séminaire tenu à Toronto auquel assistait son mari. Alors que tout semblait très normal au foyer des Rousseau, il ne parvenait pas à se convaincre que sa seule présence ait pu troubler cette femme au point de la rendre aussi tendue, sur la défensive, telle une personne qui n'a pas la conscience tranquille: n'a-t-elle pas déclaré qu'elle n'est pas en contact avec sa fille? Pourtant elle sait qu'elle possède un condo! Son flair de policier le lui rappelle. Il soupçonne un instant la possibilité d'un réseau de rapt d'enfants, puis se ravise. Il cherche à demeurer lucide, cependant l'affaire traîne, trop à son goût. Il craint que la situation se gâte. Cependant, il ne parvenait pas à établir des faits avec assurance. On ne bâtit pas une cause avec des suppositions. «Merde!» s'exclame l'homme, en frappant sur le volant.

Cure-oreilles a écouté son père, très peu d'informations sont fournies par cette rencontre sauf une: la mère et la fille ont un lien dans cette affaire, un lien très étroit. Il s'agit de découvrir lequel.

— Caplan, fiston, ce fiancé, qu'est-ce que tu en penses, toi?
— Innocent et, si complice, il l'ignore. Le gars n'a pas l'âme compliquée ni tordue. C'est un gars simple, Roger bon temps. Il a mal choisi sa belle. C'est là son seul crime.
— Tout a été pesé et soupesé dans cette affaire. Il n'y a même pas eu de demande de rançon; un bébé est volé, sous les yeux de sa mère, et plus rien! Quelle sale affaire! On tourne en rond.
— On tourne quand même. Si c'est en rond, c'est que le nœud de l'affaire se situe précisément au centre de ce rond.

Gustave regarde son fils: celui-ci a la tête appuyée au dossier de la banquette, les yeux fermés; il rumine sûrement.

— Ce que tu viens de dire, fiston, est d'une logique désarmante. Tu as raison, il faut trouver un plan pour tout faire éclater d'un seul coup. Si on pouvait confronter tout ce beau monde, sous un même toit, briser le cercle vicieux, je ne serais pas surpris que le feu prenne aux poutres et que la vérité sorte. C'est à leur réaction collective que nous saurons si oui ou non nous faisons fausse route. Reprenons les points stratégiques, fais-moi une liste des personnages impliqués.
— La vieille fille va nous aider...
— La vieille fille?
— Celle qui haït tant Catherine, elle pourrait nous servir de point d'observation: les allées et venues de la

secrétaire pourraient s'avérer révélatrices. Ce sera plus difficile de faire entrer le papa et la maman dans la danse, si vraiment il n'y a plus de liens entre eux.

— Sauf, fiston, sauf si ma visite d'aujourd'hui ne les incite pas à renouer ces liens. Cette dame était troublée, trop. Je serais prêt à parier qu'elle ne tardera pas à établir contact avec sa fille. Si je me trompe dans mon raisonnement, il ne restera qu'à chercher ailleurs. Mais mon petit doigt me dit qu'il y a anguille sous roche. Il n'y a pas si longtemps, la fille jurait n'avoir ni père ni mère. Pourtant ils sont bien vivants, se parlent parfois...

— J'ai hâte de rentrer pour revoir la compilation des faits établis et préparer un plan d'attaque.

— La logique, fiston, n'oublie pas. Le *modus operandi* c'est beau, mais la base de l'enquête se doit d'être logique, d'avoir de la cohérence.

— La logique formelle, qu'est-ce que tu en fais?

— Le dosage, comme en toute chose.

— Tu deviens casse-pied.

— Avoue que cette cause te passionne, malgré le fait que nous pataugions.

L'impatience de Gustave faisait sourire le père.

***

Plus à l'ouest, sur la route transcanadienne, Roger Rousseau au volant de sa voiture réfléchissait au même problème. Il lui importait d'abord de localiser sa fille et de tirer les choses au clair. Cette fois il se montrerait sévère: finis les enfantillages, Catherine se prendrait en mains.

Il se reprochait de ne pas l'avoir obligée à se faire

suivre plus longtemps par les thérapeutes après sa tentative de suicide. L'avenir d'un enfant, son propre enfant, était en jeu: elle devrait répondre de ses actes;
«c'est de l'inconscience pure».

Catherine disait-elle la vérité quand elle avait informé sa mère qu'elle venait d'acheter une propriété à
Montréal? Là reposait tout son espoir de la retrouver.
Il irait au greffe et obtiendrait son adresse au bureau
d'enregistrement des titres. C'était un faible filet, le
seul qu'il possédait. Le détective qui s'était présenté
chez lui ignorait peut-être où la rejoindre et ça
l'inquiétait. Après avoir beaucoup réfléchi, il en était
venu à la même conclusion que sa femme: le père
cherche l'enfant, Catherine refuse de dire où il se trouve
et en désespoir de cause il a retenu les services d'un
détective privé. Une pensée folle l'assaille, fuir avec
l'enfant. Il repousse cette idée, il sait que c'en serait fait
de leur liberté. Il valait mieux suivre le processus normal de l'adoption avec l'espoir que le père accepte la
proposition. S'il ne s'agissait que d'une forme de chantage de la part de cet homme, il verserait une somme
assez rondelette pour l'amadouer.

Le tableau de bord indiquait que la température
dans le véhicule était de dix-huit degrés, pourtant Roger essuyait la sueur qui perlait à son front. Dès qu'il
eut atteint le chemin qui menait chez lui, il stationna sa
voiture et rentra à pied. Il sondait les environs du
regard, craignant d'être épié.

Rendu chez lui, il trouva Diane couchée sur son lit,
qui dormait d'un sommeil profond. Des tissus souillés
démontraient qu'elle avait beaucoup pleuré. Habituellement, il se rendait auprès du bébé dès qu'il rentrait;

le silence de la maison lui pesait lourd, aussi lourd que l'inquiétude qui le rongeait.

Chapitre 14

Catherine entre au bureau, d'un regard narquois elle dévisage Dimitri.

— Pas de nouvelles du bébé disparu?

— Épargnez-moi vos propos amers. Je suis las de vos bravades.

— Mettez-moi à la porte, cher ami. Prenez toute la charge sur vos frêles épaules, à moins que votre générosité vous pousse à les rejeter sur celles de votre généreuse épouse. Après tout, son papa pourrait prendre la relève; il connaît le métier, lui.

— Je me demande pourquoi je vous tolère.

— Vous n'avez pas le choix. J'en aurais beaucoup à dire sur votre conduite. Votre succès fut très soudain, trop peut-être, qui sait?

Elle a pivoté sur ses talons et, assise derrière son pupitre, elle a plongé le nez dans le travail. Du coin de l'œil elle observe son ennemi, il semble accablé comme jamais. Elle a un ricanement nerveux. La déroute de l'homme lui procure de grandes joies. Un instant, elle est tentée de tout lui dire, de lui révéler la part qu'elle a jouée dans le rapt et la raison de sa conduite. Puis elle se ressaisit, elle ne se priverait pas du plaisir de le voir gémir.

Elle épouserait Georges d'abord. Plus tard, elle aviserait, mais jamais elle ne confesserait la cachette de l'enfant. Elle a bien négligé Georges récemment, elle s'ennuie, sa vie devient monotone; elle veut vivre, pleinement, follement, courir l'aventure, voir d'autres cieux!

L'après-midi du même jour Lorraine se présente, salue froidement Catherine, entre dans le bureau de son mari et ferme la porte derrière elle. Le ton de leur voix est celui de la discussion, discussion qui ne tardera pas à devenir de plus en plus amère. Catherine en jouit. «Les tourtereaux ont fini de roucouler», songe-t-elle.

Quoiqu'elle n'ait pas prévu l'attaque délibérément, dès que la patronne reparaît, Catherine se montre tendre et, d'une voix affectée, lui demande:

— Est-ce que vous êtes bien remise de ce dernier accouchement? Peut-être devrais-je vous demander si vous souffrez toujours de la perte de votre bébé, je veux dire: vous sentez-vous de taille à reprendre votre place au travail? Je projette de me marier bientôt et mon fiancé aimerait bien que je reste à la maison.

— Faites votre vie comme bon vous semble.

— Oh! pardon. Je n'ai pas le droit de parler de mon bonheur alors que vous êtes plongée en plein deuil.

— Répétez encore une fois ce mot, mademoiselle, et je vous le ferai ravaler.

Penchée sur le pupitre de la secrétaire, la dame la regardait droit dans les yeux. Elle ne badinait pas. Catherine s'excusa, demanda pardon.

— Je suis d'une maladresse!

Dimitri observait la scène depuis la porte de son

bureau. Lorraine leva la tête et s'éloigna sans un regard en arrière.

Le quotidien devenait très lourd à porter, l'épreuve s'éternisait et s'alourdissait avec le temps. Le couple en était venu aux malentendus qui s'amplifiaient.

Cependant, ailleurs, les pions se déplaçaient sur l'échiquier. Labrie et Cure-oreilles élaboraient un plan.

Ils avaient contacté la vieille demoiselle Fleurida, qui promit de coopérer. Elle prenait note des allées et venues de la «Catherine», comme elle se plaisait à l'appeler. Chaque visite de Georges était notée.

Chapitre 15

Catherine s'ennuyait, la vie devenait trop routinière à son goût, elle rêvait de gaieté, d'émancipation, de renouveau. Cesser de travailler, rester confortablement à la maison, courir les grands magasins, flâner ici et là, voyager, enfin sortir de la routine de tous les jours et penser à elle-même. Elle avait vu une porte s'entrouvrir le jour où elle avait rencontré Georges. Elle presserait les choses, précipiterait les événements. Aussi organiserait-elle une soirée: elle inviterait son ex-patronne, ses anciennes compagnes de travail.

Elle pensa au couple Dracopoulos, un éclair de rage lui enfuma l'esprit. De ceux-là, elle s'éloignerait à jamais! Elle n'avait plus rien à en tirer, elle les laisserait tomber. Sa vengeance s'assouvissait maintenant qu'elle l'avait puni, lui, cet être immonde qui avait brisé sa jeunesse et son avenir; elle devrait se satisfaire de savoir que sa souffrance le suivrait jusqu'au tombeau. Sa femme, pouah! Elle était son associée dans la vie et devait payer au même titre que lui. Le môme? Il avait de la chance, Catherine se sentait magnanime à l'idée de lui avoir trouvé un bon foyer.

«Ma sainte mère ne doit pas être toujours enchantée d'avoir à changer des couches et de devoir rester à la maison pour élever mon gosse.» Elle éclata de rire à la pensée de l'expression de désespoir qu'elle lut sur son visage quand elle lui avoua que ce marmot était son fils et qu'elle n'en voulait plus. «Ma bonne petite parfaite maman... Scandalisée, horrifiée... Je n'aurais pu imaginer meilleur scénario!» La pensée de son père lui effleura un instant l'esprit, mais elle la chassa. Il était le seul être pour lequel elle s'attendrissait parfois, mais elle lui reprochait de jouer le rôle débonnaire d'époux mou qui se soumettait trop aux caprices de sa mégère. «Que le diable les emporte tous!» Elle prit les coussins et les lança à l'autre bout de la pièce. «Qu'ils aillent tous se faire foutre!»

Et, le plus naturellement du monde, elle en revint à ses préoccupations premières: elle ferait un party. Elle téléphona à Georges et lui fit part de son projet.

— Tu comprends, il est normal que je te présente à mes amis, à l'approche de notre mariage.

— Quand aura lieu cette fête?

— Jeudi soir, essaye d'être ici très tôt. J'aimerais que tu m'aides à mettre la dernière main aux prépara-tifs. Ce sera bien, tu verras. Champagne, bouchées chaudes, fleurs pour égayer la table. Enfin, une char-mante soirée.

— C'est bien: toi qui es sans famille, tes amis pren-nent plus d'importance. Ça me réjouit.

— Et la date?

— Je t'ai dit jeudi.

— Non, la date de notre mariage?

— Donnons-nous de l'espace, disons deux mois, quitte à le faire plus tôt.

— Ah! oui, plus tôt!

— Nous en reparlerons avec plus de détails, un de ces jours prochains.

— N'oublie pas de te libérer jeudi. Mes amis tra-vaillent les soirs du weekend.

— Parfait.

— Fais-toi beau, je veux être fière de toi. Je vais

prendre congé ce jour-là. Ah! Tu imagines, notre première initiative de couple. Ça me réjouit.

— Tu es délicate; je t'aime beaucoup, mon rayon de soleil.

Lorsqu'elle raccrocha, Catherine ne put s'empêcher de penser qu'elle devrait un jour avouer le subterfuge, expliquer à son fiancé qu'elle avait changé de nom. Elle inventerait une bonne histoire, plausible et acceptable; pour le moment, elle avait autre chose en tête.

Elle élabora son menu, fit une liste des achats à faire, pensa décorations et lança les invitations: Thérèse Labrosse, la propriétaire du salon de coiffure qui avait été son premier refuge, Lisette la styliste, Suzanne la gérante et comptable. «Une réception intime, en souvenir des heures heureuses passées auprès de vous toutes.»

Suzanne attendait un enfant. «Ah! double raison de fêter. Mon fiancé sera là, vous allez l'adorer. Surtout pas de cadeaux: votre seule présence, je suis si seule au monde!» Une fois de plus elle utilisait à profit les mots gentils qu'avait eus Georges à son égard.

Au moment de lancer cette dernière exclamation mensongère, Catherine faillit éclater en sanglots. Dans son esprit, ses fantasmes prenaient toujours le sens de réalités, ce qui l'aidait à mentir effrontément avec brio et conviction.

Elle déposa le combiné et éclata de rire. «Les gens sont bêtes! Ils s'accrochent au quotidien et se font des joies de stupides banalités. Je suis sûre que présentement, ces dames songent à la robe qu'elles devraient porter ce soir-là!»

Elle s'affaira à tout mettre en ordre, vérifia la propreté des coupes à champagne, sortit une nappe. Elle leva les yeux vers mademoiselle Zélie qui régnait toujours sur le mur et, affrontant le regard sévère de la vieille dame, elle lui dit:

— Tu en as pris un soin jaloux de cette garniture de table, hein, la vieille? Elle va servir à mes fins, on pourra la souiller à volonté, y répandre champagne et autres bavures, parce que vois-tu, vieille chipie, moi je ne m'éreinterai pas à laver et repasser humide ce carré de toile. J'en ferai de bonnes guenilles. Ah! Ah! Ah! Dis donc, j'y pense, pourquoi n'inviterais-je pas ta chum Fleurida pour lui faire servir mes invités et nettoyer ensuite? Tu aimerais ça la revoir, ta vieille fille desséchée? Je suis sûre qu'elle jouirait de revenir dans cet intérieur douillet que tu m'as légué si gentiment, en retour d'une friandise que je t'ai offerte sur la rue... Un geste bien généreux de ma part, qui t'a valu de mourir dans ton lit plutôt que sur le trottoir... J'y pense: mon bracelet, ton bracelet, où diable est-il passé? Je le porterai en ton honneur, jeudi. Le pire, c'est que je dois te laisser suspendue là, vieille biche: mon fiancé t'aime, imagine-toi donc!

Et Catherine se mit à chanter: «Zélie, Zélie de mes amours, je te revois en rêves, Zélie, Zélie de mes amours...»

***

Catherine a choisi la toilette qu'elle porterait lors de cette soirée qu'elle voulait réussie. «Petit clan deviendra grand, je ne fais que jeter une base sur ce que sera notre avenir; il faut faire un trait sur le passé, recommencer à zéro. Pour le moment, ma vie est confortable. Plus tard, j'aviserai. Tiens, ces souliers sont défraîchis, je passerai à un centre commercial.»

Ce qu'elle fit. Trois paires de modèles différents lui avaient été apportés. Elle les essayait, hésitait à faire un choix. Elle se promenait sur le tapis moelleux de la boutique. Une pensée loufoque lui traversa l'esprit. N'hésitant pas, elle plaça ses souliers usés dans une des boîtes, les couvrit du papier noir, remit le couvercle, et reprit sa marche en faisant mine de regarder l'étalage. Lentement, elle s'éloigna vers un autre rayon. La vendeuse discutait tout près avec une autre cliente.

Catherine, dès qu'elle eut atteint le rayon des robes, fila droit vers la sortie et se dirigea vers sa voiture. Son cœur battait un peu plus vite, le plaisir la grisait. Elle réussissait un autre bon coup. «Cent vingt-cinq dollars plus taxes, ce n'est pas si mal... Ça ajoute au pécule...» Elle riait à la pensée de la surprise qu'aurait la vendeuse quand elle découvrirait le pot aux roses.

Elle se dirigeait maintenant vers l'épicerie, oubliant très vite le geste disgracieux qu'elle venait de poser, et elle s'attarda à la liste détaillée qu'elle avait préparée. Au moment de quitter, alors qu'elle poussait son panier de provisions vers la sortie, elle en vit un autre rempli de sacs. Machinalement, elle rangea le sien juste à côté. Une idée folle venait de lui traverser l'esprit. Elle se pencha, enleva son soulier, fit mine d'en secouer un caillou. Sa manigance lui avait permis de jeter un œil inquisiteur tout autour. Personne en vue pour l'observer. Avec une désinvolture effrontée, elle prit un sac de victuailles particulièrement bien rempli, le déposa avec

les siens et lentement poussa le tout vers le stationnement où se trouvait sa voiture.

Elle ressentit un frisson lui caresser les épaules,
accompagné d'un léger pincement intérieur. Mélange
de joie, de crainte, de fierté pour sa hardiesse.

Lorsqu'elle quitta les lieux, elle ralentit, histoire de
vérifier si la victime de son larcin était là. De fait, une
dame et sa fillette s'affairaient à ranger les victuailles
dans le coffre arrière d'une automobile bleue.

Catherine eut un ricanement nerveux. Une fois encore, elle s'en tirait à bon compte! Rendue chez elle,
elle s'empressa de vérifier ce que lui rapportait son vol.
Elle poussa un cri. Des fruits, rien que des fruits, quelle
déception! Puis une pensée la consola. «Ça fait très
décoratif, la table y gagnera en couleurs.»

***

Pendant que Catherine s'affairait à préparer sa réception, des événements d'importance se déroulaient
ailleurs, événements qui auraient un impact définitif
sur sa vie, sur son avenir.

D'une part, Roger Rousseau, son père, rentrait de
Toronto, inquiet et décidé d'agir afin de régler une
fois pour toutes la question qui concernait l'avenir de
l'enfant qu'il croyait être son petit-fils.

Ailleurs, sur une route du Québec, Cure-oreilles
écoutait son père lui faire un compte rendu de sa visite
chez les Rousseau.

— Relis-moi le *modus operandi*, fiston.

Le garçon sourit, prit son carnet de notes et lentement énonça les données de l'enquête. Le policier plissait les yeux, cherchait un point de liaison logique entre les faits.

— Ambigu tout ça! Très ambigu. Il faudra bientôt porter un grand coup. Ou je me trompe, ou j'ai raison. Je crois que j'ai remué la conscience de la mère de cette fille et elle va réagir, ce qui devrait nous aider à élucider cette affaire. Elle semble ne rien savoir, mais en tant que mère elle va se poser des questions et venir aux informations, probablement avec le père. Si je me trompe, tant pis, j'aurai tout essayé.

— Comment savoir?

— C'est à ça que je pense. Il s'agirait d'être là, d'arriver en même temps qu'eux, de profiter de leur désarroi, de poser des questions pleines de sous-entendus qui les feraient paniquer puis se compromettre, s'ils sont vraiment impliqués dans cette affaire.

— Mademoiselle Fleurida deviendrait une parfaite entremetteuse. Elle est sur les lieux, pourrait nous informer de tout ce qui se passe là-haut.

Se penchant vers son père, il ajouta:

— Quelle économie pour le bureau! Pas besoin de mettre la maison sous surveillance, Fleurida est plus curieuse qu'une belette. De plus, elle haït la secrétaire comme la peste.

— On y va, fiston?

— Allons-y.

— Enfin, une lueur d'espoir.

— Ce sont les Grecs qui vont être contents si l'enquête aboutit.

— Et ça presse, je vois le pauvre diable dépérir. Je pense qu'il pardonne mal à sa femme d'avoir relâché la surveillance de l'enfant, le jour de l'enlèvement.

— Moi, c'est ce maudit bracelet qui me chicote. La fille a le vice à fleur de peau, ça se voit à l'œil nu. Je ne serais pas surpris que cette affaire en cache une autre, peut-être plus grave.

— Ne t'emballe pas, gardons les pieds sur terre: ne jamais dévier de son objectif, ne jamais courir deux lièvres à la fois... Tant mieux si on en capte plusieurs en même temps... Pense à ce que tu diras à cette fille, Fleurida; elle t'aime bien; moi, je lui fais peur.

— Elle m'aime bien, elle m'aime bien!

Le père regarda son fils, son visage s'était empourpré. «Tiens, tiens, songe-t-il, cette idée l'émeut.» Il ne put s'empêcher de constater que son fils, infirme pour la vie, était seul, très seul. Malgré sa déficience physique il avait un cœur pour aimer, une tête pour penser. Il le plaignait. Son travail était déjà une victoire sur la vie, il s'y donnait avec dévotion et empressement, mais la satisfaction qu'il en retirait ne compensait pas ses besoins intimes.

Cure-oreilles a appuyé la tête, fermé les yeux, s'est concentré sur l'entrevue qu'il aurait avec Fleurida à qui il pense comme à une amie.

Le bloc est en vue, il ressemble à tous les autres avec ses balcons, ses fenêtres, sa bande de verdure.

— Pourvu que la secrétaire ne nous voie pas...

Fleurida a hésité à ouvrir. Qui peut bien sonner chez elle? On a insisté, elle a demandé:

— Qui est là?

— C'est moi, mademoiselle Fleurida. J'ai à vous parler.

Elle était presque belle tant son sourire illuminait son visage. Elle invita les arrivants à s'asseoir, s'excusa et courut vers la cuisine. Elle se mira, lissa ses cheveux, prépara le thé. Ses mains tremblaient. Heureuse et à la fois effrayée par cette visite, elle cherchait à se donner une contenance.

Cure-oreilles expliqua. Il s'agissait de l'informer de tout ce qu'elle voyait, de ce qui se passerait chez la secrétaire dans les jours à venir. Les visiteurs, l'heure d'arrivée de ces personnes, les allées et venues.

— Si je ne devais rien voir? Je ne connais pas ses amis sauf le fiancé!

On la rassura, elle n'était pas tenue à l'impossible. La secrétaire habitait le penthouse, le tableau de l'ascenseur lui indiquerait qui monte jusque chez elle. De plus, l'aire de stationnement des visiteurs se trouvait face à ce balcon où elle-même habitait. Cette semaine seulement. On lui serait toujours reconnaissants pour son apport dans cette affaire qu'il fallait garder secrète.

Fleurida acquiesça, elle se sentait chargée d'une mission bien spéciale: aider la justice. De plus, on la protégerait.

Fleurida, cœur simple, âme serviable, pour qui le devoir accompli est la seule préoccupation, ne se doutait pas un seul instant de l'étendue et de la profondeur du drame dans lequel on l'impliquait. Le père était justicier, le fils un être à protéger; elle se devait de se joindre à eux pour une bonne cause. La Catherine, c'était autre chose. Ce qu'elle avait vu chez elle suffisait à justifier la décision qu'elle avait prise. Elle ferait ce qu'on lui demandait.

Labrie s'était levé, approché de la fenêtre; il écoutait son fils qui conseillait Fleurida en des mots simples mais d'une netteté absolue. Il la mettait ainsi en confiance. Toutefois, il s'étonnait des intonations de son fils: Cure-oreilles semblait plus passionné que d'habitude. Était-ce essentiellement par dévotion? Non, il n'en doutait plus, dès que le sujet de conversation eut dévié, il se glissait des silences dans leurs discours devenus plus personnels. «On fêtera ça quand tout sera terminé...»

Le policier se retourna, Fleurida rosit, le thé s'était refroidi dans les tasses. Gustave caressait machinalement la chatte grimpée sur ses genoux.

Labrie remit à la demoiselle un numéro de téléphone qui la mettrait en contact direct avec l'un d'eux.

***

Labrie était allé dormir, Gustave continuait de ruminer. Il lui semblait que les indices étaient positifs, mais n'avaient pas de base solide: ça ne menait nulle part. Dès qu'ils se penchaient sur une nouvelle piste, ils se frappaient à un mur. «La fille ment, c'est certain;

pourtant, rien n'indique que ce soit elle la coupable. Mais alors, le bracelet? Quand on échappe une pièce de cette importance, on s'en rend compte, on s'arrête, on regarde pour savoir ce qui est tombé. Je reste persuadé que toute la question est là; ce bracelet est la clef de l'affaire. Sans ce bracelet perdu, le crime, si elle a commis un crime, eût été parfait. C'est ce bracelet qui nous a permis ce retour en arrière: découvrir que dans sa jeunesse, elle connaissait déjà Dracopoulos. Non, la fille n'a pas patte blanche; elle a la caboche dure, a de la suite dans les idées, mais elle finira par fléchir. Peut-être que la stratégie de papa portera fruit.»

Cure-oreilles décida d'aller dormir. D'autres pensées, plus douces cette fois, lui trottaient dans la tête; il pensait à Fleurida. Il l'avait bien vu ce soir, elle était seule et s'ennuyait. Avait-il le droit de faire des projets en ce sens? Ce serait bon d'avoir une femme à la maison... Il aimait bien l'ordinateur, mais sa présence n'était pas nécessairement distrayante. «Il sait tout ce que je pense et n'a rien à me raconter, de plus il ne sait pas faire la soupe.»

Cure-oreilles s'était endormi, un sourire au coin des lèvres.

Chapitre 16

Les jours passaient, les appels de Fleurida leur parvenaient, fidèlement elle renseignait. Mademoiselle était rentrée à telle heure, monsieur son fiancé était venu tel soir, mais rien d'inusuel ne survenait.

— C'est encore trop tôt, souligna le père, il faut laisser courir du temps. La surveillance sur ce qui se passe là-bas est un atout précieux. L'important est que les soupçonnés ne se sachent pas épiés; je compte sur l'effet de surprise. N'oublie pas que s'ils sont coupables, ils vont tôt ou tard se révéler. Il ne s'agit pas d'une bande organisée avec des informateurs, ce sont de simples amateurs; habiles, je te le concède, mais des amateurs tout de même. Si je me trompe, tant pis! On n'aura rien négligé, on aura respecté les rouages du métier. Pour le moment, c'est le flair qui me guide, grâce à ta participation dans l'affaire, au parallèle que tu as établi entre les cas Chamberland et Dracopoulos à l'aide d'un simple objet, ce fameux bracelet. Je commence à croire que nous faisons bonne route. La policologie est respectée, j'ai la conscience tranquille.

***

Le mercredi qui précédait la fête que donnait Catherine, Fleurida rapporta ses multiples allées et venues. Elle était arrivée les bras pleins de fleurs et de ballons, tenait à la main un portemanteau, contenant des vêtements.

Gustave prenait des notes, quelque chose se tramait. Si seulement la vieille demoiselle avait suivi Catherine, elle aurait été témoin de gestes qui l'auraient horrifiée.

Catherine se rendit dans un magasin spécialisé en décoration pour acheter des ballons. Elle avait le cœur à la fête. Depuis longtemps elle ne s'était pas autant amusée. Elle se débattait avec les baudruches qu'elle enfermait dans le coffre arrière de sa voiture, prenant mille précautions pour ne pas les crever. Maintenant, elle se rendrait chez le fleuriste. Elle roulait sur Côte-des-neiges, une idée saugrenue lui traversa l'esprit. «Pourquoi les acheter, ces fleurs? Le cimetière en est tout plein, et là, elles vont faner sans même procurer de joie à ceux qui les ont reçues!»

Les grilles étaient ouvertes: n'hésitant pas, elle entra, déambula lentement, observa les environs, prit les allées latérales les plus éloignées et piqua des gerbes qu'elle déposa sur la banquette arrière de sa voiture. Après avoir répété son stratagème, elle prit une rose, alla s'agenouiller sur un terrain non garni, s'adressa à ceux qui dormaient là, et leur offrit son larcin. Une automobile passait, elle fit le signe de la croix, se releva, et lentement quitta les lieux. Ses yeux riaient. «C'est mon premier sacrilège. Mais comme ça fera joli dans mon salon! Des fleurs mortuaires pour célébrer mes fiançailles! Qui peut s'offrir tel caprice?»

Dès qu'elle eut repris la route, elle éclata d'un grand rire sonore. «Et ma sainte mère qui me répétait toujours que je n'étais pas débrouillarde; je me demande ce qu'elle dirait de ceci, la brave femme!»

***

Le lendemain matin, la secrétaire ne s'était pas rendue au travail, sa voiture était demeurée dans le stationnement. Puis elle était sortie et revenue avec plusieurs sacs de provisions. Elle semblait très pressée.

— C'est pour demain: elle prépare quelque chose, suggéra le fils.

— Et si ça se passait ce soir?

— Soyons prêts.

Fleurida, stoïque, oubliait de manger. Elle restait clouée à la fenêtre. Mais rien de nouveau à rapporter de toute la soirée, le calme plat. Fleurida se décida enfin à aller dormir. Elle fit sortir la chatte, se fit un sandwich qu'elle dévora. Elle se lèverait tôt, le lendemain.

Catherine fit la grasse matinée. Elle se réveilla de belle humeur.

«C'est le patron qui doit gesticuler! Je ne me suis pas présentée au bureau et l'ignoble néglige le travail pour ruminer son malheur. Si je lui téléphonais, histoire de me payer sa tête? Si mon mariage devait tarder, j'aurais avantage à garder mon poste encore quelque temps.»

Elle signala le numéro du bureau; dès que Dimitri répondit, elle supplia:

— Attendez un instant...

Elle reprit le combiné et s'excusa.

— J'ai la nausée, depuis hier je suis très, très malade et... (Un autre silence. Elle reprit.) Pardon. Écoutez, je crois que je devrai rester à la maison encore quelques jours, mais il faut que vous regardiez le dossier de Laframboise et Lalonde, il doit être complété car la date d'échéance est demain. Puis...

Elle ne donnait pas le temps au patron de répliquer, elle lui détaillait la conduite à suivre, murmurait encore des excuses, s'étouffait dans l'appareil, le laissait tomber avec fracas, couvrait sa bouche de ses deux mains pour ne pas laisser percer son rire. Elle entendait la voix lointaine qui répétait «Micheline, Micheline...». Après un laps de temps, elle reprit le combiné, s'excusa et raccrocha. Elle pouffait de rire. «Le débile!» s'exclama-t-elle, fière de son exploit. Sans plus y penser, elle retourna à ses obligations présentes.

Au même moment, son père et sa mère obtenaient l'adresse de leur fille au bureau d'enregistrement des titres de propriété.

Le temps passait, Fleurida se berçait en bâillant. Elle vit tout à coup nulle autre que mademoiselle Catherine qui sortait par la porte de service et se dirigeait vers l'arrière du building. «Elle sort ses déchets, c'est sans doute ce qu'elle tient à la main dans ce sac vert.»

Catherine s'approcha du bac; une chatte sauta, miaula et la Catherine faillit tomber. «Encore cette maudite chatte!» Ce n'était pas la première fois que cette bête la faisait ainsi sursauter. Elle eut une pensée sadique. Elle ouvrit son sac de vidanges, en sortit une boîte vide d'anchois qu'elle avait utilisés pour aromatiser ses canapés. Elle appela: «Minou, minou...» La chatte s'approcha timidement; elle plaça la boîte sur le sol; dès que l'animal eut flairé le poisson et léché la boîte, Catherine se saisit de l'emmerdeuse, la lança dans le bac avec la boîte vide de poisson et referma bruyamment le couvercle. Elle entendit gémir la bête qui faisait un bruit d'enfer au milieu des détritus.

— Crève, salope, tu as fini de me faire sursauter! Mange de la charogne jusqu'à ce que tu crèves.

Catherine remonta chez elle. «Ouf!», s'exclama l'observatrice à sa fenêtre. «Mais pourquoi sourit-elle? Devrais-je signaler ces détails insignifiants?»

La consigne étant de ne rien omettre, Fleurida fit part de ses observations à qui de droit.

Lorsqu'elle rentra, Catherine répondit au téléphone qui sonnait. Georges lui annonçait qu'il serait peut-être en retard car son patron venait d'avoir un accident et il lui faudrait trouver un remplaçant.

— Zut! Je ne mérite pas ça!
— Sois raisonnable, une petite demi-heure, pas plus.
— C'est pour toi, cette fête.
— Je ne l'oublie pas. Je serai là.

De sa fenêtre, Fleurida vit arriver une voiture; trois dames en sortirent, tenant un paquet enrubanné à la main. La vieille fille, mine de rien, sortit dans le corridor et vit que l'ascenseur grimpait vers le dernier étage. Elle signala le numéro confié et fit un nouveau rapport.

— Trois visiteurs, dont une dame enceinte, venaient

de monter là-haut: elles étaient ensemble dans une voiture verte.

— Bingo! hurla Cure-oreilles; tu penses à ce que je pense, papa? Une femme enceinte...

— Les lièvres courent...

Catherine avait pris un soin jaloux d'égayer la pièce. Des ballons multicolores retenus aux tiges des fleurs par des rubans s'échappaient des vases et flottaient dans la pièce. Georges serait épaté.

La table était dressée de façon superbe: tout au centre, dans un immense panier, elle avait savamment déposé les fruits qu'elle avait piqués à l'épicerie. Le seau, rempli de glaçons, gardait froid le champagne enrobé d'une serviette de toile d'un blanc immaculé. De minuscules chandeliers de cristal qui retenaient de longues et fines chandelles blanches étaient parsemés çà et là. L'effet était superbe.

Il restait la table à café du salon à orner. Elle sortit le plus grand plateau de cristal que contenait le vaisselier, le remplit à demi d'eau et y disposa en ricanant les roses qui provenaient des couronnes mortuaires prises au cimetière. Étant sans tiges, celles-ci restaient en surface à la manière de nénuphars qui flottent sur un étang.

— Ravissant! Ravissant! Les roses rouges, le symbole de l'amour. N'êtes-vous pas ravies, mes jolies, d'être ici, à cette fête, à célébrer mon bonheur, plutôt que là-bas, à flétrir lentement au royaume des absents? Vous êtes ravissantes, ainsi agencées. Et dire que plus les tiges des roses sont longues, plus leur prix est onéreux! Le calcul vaut le travail, disaient les bonnes sœurs. Elles seraient sans doute épatées de l'usage que je fais de leur enseignement.

Elle fut secouée d'un rire frénétique. À ce moment, elle rencontra le regard de madame Zélie, ce regard qui la dérangeait. Elle se reprochait de ne pas avoir fait disparaître la peinture de cette chipie, insupportable jusque dans l'au-delà. Mais c'était trop tard, Georges aimait ce cadre. Il lui faudrait s'habituer à vivre avec la vieille au regard fixé sur elle.

«Je vais me montrer bonne joueuse, je vais te témoigner ma reconnaissance, vieille fée: tiens, une rose pour toi et un tantinet de verdure. Voilà, tu as l'air moins revêche comme ça. Conduis-toi en grande dame en présence de mes invités; après tout, tu es chez moi! Bon, assez de temps perdu à rêvasser. La musique maintenant.»

Catherine valsait autour des meubles, le cœur joyeux, la tête en fête. Ce soir, elle amadouerait une fois pour toutes son amoureux. «Madame Georges Caplan, je prendrai officiellement son nom; adieu Micheline, adieu Catherine. Madame Caplan, devant Dieu et devant les hommes. S'il devient assommant, ce monsieur, je le remplacerai.»

Le carillon de la porte d'entrée se fit entendre. Catherine accueillait les dames, charmée de l'effet que le décor avait sur ses visiteuses. Elle aurait préféré que Georges arrive d'abord. Les invités tenaient à la main des cadeaux que Catherine acceptait avec plaisir.

Elle remercia pour les présents reçus et les plaça sur un guéridon près du foyer. Elle s'attardait à chacun, jouait avec les rubans; elle était attendrie par le geste de ses amies. Pendant quelques instants, elle offrit l'image d'une fillette émerveillée. Ses yeux brillaient de joie. Le spectacle était touchant. D'une voix suave, elle déclara qu'elle ne les ouvrirait qu'en présence de son fiancé qui ne saurait tarder.

— Le bonheur vous sied bien, Micheline, je suis ravie de vous voir aussi heureuse. Vous le méritez bien. Fasse le ciel que l'enchantement dure toujours, souhaitait son ex-patronne.

Pendant ce temps, Fleurida, toujours à son poste, vit arriver une autre voiture. Elle en vit descendre un homme d'âge mûr accompagné d'une dame, son épouse probablement. Celle-ci était blonde et d'un grand chic.

Elle épia leur direction, eux aussi se rendaient chez Catherine. Elle signala le numéro de téléphone, mais ça sonnait occupé. Labrie était déjà en route. Fleurida retourna à son poste d'observation, impressionnée et curieuse de ce qui se passait là-haut.

Pendant ce temps, l'alerte donnée, une voiture de police anonyme vint se poster tout près avec l'ordre de filer la voiture verte si elle s'éloignait.

Le détective prononçait des phrases courtes, bien ponctuées, qui n'attendaient pas de réponse. Il s'entretenait par radio avec son équipe.

— Vérifie si j'ai bien mon magnétophone dans ma serviette, fiston. Tu restes chez Fleurida et observe. Tu m'attends là. Prends le cellulaire: si ça s'avérait nécessaire, je te contacterai. S'ils manigancent, ils vont avoir une surprise. Je voudrais être un petit oiseau pour entendre ce qui se passe là-haut.

— Tu n'as pas l'intention d'attaquer le sujet de but en blanc?

— Qu'est-ce que tu dis? Mais non: dans ces circonstances-là, on se laisse guider par les événements. Prêt?

— Je suis prêt.

— Je t'aide à descendre et je disparais.

Fleurida leur annonça enfin l'arrivée d'un autre couple, faisant leur description. Le policier sourit.

— Tiens, tiens, comme ça devient intéressant. Depuis quand sont-ils là-haut?

— Trois à quatre minutes.

L'homme consulta sa montre.

— Encore cinq minutes, le temps de laisser la roue d'engrenage entrer en action. Le fiancé, il est là?

— Je ne l'ai pas vu arriver.

— De mieux en mieux.

Là-haut, la sonnerie de la porte se fit entendre.

— Voilà mon fiancé qui arrive, s'exclama Catherine. Versez le champagne, remplissez bien vos verres.

Elle se précipita, ouvrit. Oh! Cauchemar, papa et maman! Catherine se raidit un instant puis elle réagit. Elle poussa sa mère, la forçant à reculer, et ferma la porte.

— Qu'est-ce que vous faites ici aujourd'hui! Allez-vous-en. Vous m'entendez: partez.

— Écoute, Catherine.

— Toi, papa, boucle-la.

— Nous avons à te parler, c'est très sérieux.

— Je ne veux rien savoir, fichez le camp. Je suis occupée.

— Rien de ce qui se passe ici n'a d'importance à côté de ce que nous venons t'apprendre.

Catherine regardait en direction de l'ascenseur. Si Georges allait arriver!

— Vous allez briser ma vie. J'attends mon fiancé.

— Quoi?

— Filez.

— Pas tant que tu ne nous auras pas entendus. C'est à ce sujet.

Catherine gardait les yeux rivés sur l'ascenseur.

— Merde, Georges qui arrive. Écoutez-moi, vous deux, j'ai changé de nom: je m'appelle Micheline Lavigne. Ne vous mêlez pas, ne faites pas de gaffe ou vous ne vivrez pas assez vieux pour le regretter.

— Cath...

— Ta gueule! Pour lui, vous êtes tous les deux morts, morts et enterrés. Alors pas de gaffe.

La porte s'ouvrit, laissant passage à Georges, tenant des fleurs à la main. Il s'avança vers Catherine, l'embrassa, déposa les fleurs dans ses bras. La jeune fille reprit son aplomb.

— Je te présente des amis, monsieur et madame Roger Rousseau.

— Tu donnes ta réception dans le passage, Micheline?

— Je voulais que ton entrée soit spectaculaire. D'autres amies sont là. Viens.

Elle ouvrit, força Georges à la précéder.

— Mon fiancé, Georges, lança-t-elle tout haut.

Et d'une voix basse elle murmura, à l'intention de ses parents:

— Je vous ai à l'œil.

Elle sourit, désinvolte; ses amies applaudissaient. On remplissait de nouveau les verres.

— Micheline, tu es cachottière et je te comprends: un si beau garçon, on se doit de le cacher.

Diane croyait rêver, sa fille les avait introduits sous leur véritable nom, mais les reniait en tant que parents. Pâle comme un suaire, elle s'appuyait au rebord de la table pour ne pas tomber: ses jambes ne la portaient plus.

— Vous semblez touchée, madame Rousseau; ça vous émeut, les fiançailles; des souvenirs, peut-être?
— Ma femme se remet à peine d'une longue maladie, expliqua l'époux, inconfortable.
— Pourtant, mon cher Roger, je ne l'ai jamais vue aussi resplendissante, s'exclama l'hôtesse, sa fille Catherine!

Catherine leva son verre.

— À la vôtre, Diane. Des amis tels que vous deux,

c'est rare. C'est Diane qui m'a appris à être ce que je suis. Elle s'est déplacée pour être ici, aujourd'hui. Je suis touchée.

— Alors bravo, Diane. Micheline est une perle.

Catherine rencontra à ce moment précis les yeux sévères de madame Zélie.

Il lui sembla que la dame avait un regard méchant, sarcastique; elle s'avança vers le tableau, et vlan! Le champagne d'abord, le verre ensuite.

— Voilà pour Mémé, cria-t-elle à tue-tête. À la tienne, Zélie.

Les invités sursautèrent, ce geste les étonna. Catherine rit, le liquide doré bouillonnait, le verre s'était fracassé.

— Ne pleure pas, Zélie, sois de belle humeur, c'est une grande fête, un jour merveilleux. Alors, souris.

Georges connaissait le caractère folichon de sa belle, même qu'il aimait bien sa nature exubérante, ses agissements primesautiers qui faisaient d'elle une femme bien vivante, une compagne agréable. Là ou elle passait, elle savait mettre de l'entrain. «Micheline! grand bébé, attention aux effets du champagne.» Il s'avança, remplit un autre verre et l'offrit à sa flamme.

— Merci, mon chou, tu es unique!

Elle fit une moue, et le regard suppliant lui demanda:

— Tu veux bien ramasser les tessons afin que personne ne se blesse. Suzanne, vous ne buvez rien?

— Je ne prends pas d'alcool pendant ma grossesse, je le fais pour la santé de mon bébé.

— Un bébé, un bébé, oui, bien sûr, ce petit monstre qui vous accappare bien avant sa naissance, vous tient captif pour vingt ans à moins qu'il disparaisse soudainement pour aller choir ailleurs. Ou que les parents partent vers le ciel, abandonnant leur fille.

— Micheline a perdu ses parents, elle ne s'en console pas, crut devoir expliquer Georges.

Catherine jeta un regard en direction de son père et sa mère.

— Suzanne, je vous apporte un jus d'orange, ça vous va? demanda-t-elle tout en se dirigeant vers la cuisine.

Rousseau attira sa femme vers la fenêtre: ils tournaient le dos aux invités, complètement désemparés, regardant nulle part. Roger était sidéré, le cas de sa fille s'était aggravé. Elle était devenue un véritable monstre; qui plus est, elle semblait sincère; croyait-elle à ses fantasmes? Elle semblait ne pas discerner le bien du mal. Elle manipulait tout le monde et savait charmer. Georges, il n'en doutait pas, était une autre victime de ses manœuvres.

Une fois encore, le carillon de la porte d'entrée se fit entendre. Georges s'empressa d'aller ouvrir.

— Bonjour, dit-il en tendant la main au sergent enquêteur qu'il connaissait déjà.

Les Rousseau ne bronchaient pas, trop heureux d'avoir l'occasion de reprendre haleine. Catherine s'avançait, un jus d'orange à la main, lorsqu'elle vit le policier.

— Vous, ici!
— Je passais, je voulais vous saluer et prendre de vos nouvelles.
— Je vais on ne peut mieux. Vous repasserez; comme vous le voyez, je suis occupée.
— Nous célébrons nos fiançailles, renchérit Georges.
— Nous n'avons pas d'explications à donner, trancha Catherine.

Labrie ne releva pas la remarque, se tourna vers une dame.

— Alors, madame... Votre nom m'échappe.
— Thérèse Labrosse.
— Oui, c'est juste, l'ex-patronne de Micheline.
— Non, mais vous allez cesser de nous emmerder, vous?
— Voyons, Micheline, offre un verre au sergent Labrie puisqu'il est là, tempéra Georges.

Le détective s'était approché de la fenêtre.

— Jolie vue, n'est-ce pas? L'immensité du ciel: vous être d'accord avec moi, madame, dit-il en se tournant vers la mère de Catherine.

Feignant la plus grande des surprises, il recula d'un pas et dit d'une voix assez forte pour être bien entendu.

— Mais, si je ne m'abuse, vous êtes madame Rousseau de Gatineau! Bonsoir, madame.

Et Labrie tendit la main. C'est alors que le drame éclata, foudroyant! Catherine s'était élancée en hurlant:

— Quoi? Vous vous connaissez? C'est donc ça! Ainsi, c'est toi qui m'as vendue, tête de fouine: tu frayes la voie à la police, c'est du joli! Chipie, tu m'as vendue, trahie.

Elle se tenait en face de sa mère, les dents serrées, les yeux rageurs, attendant une réponse. Pendant un bref instant, ce fut le silence le plus total, on aurait pu entendre une mouche voler; tous se taisaient, médusés.

Puis Catherine bondit. Avant même qu'on ait pu se ressaisir, elle s'était jetée sur sa mère, la secouant en hurlant:

— Tu m'as trahie, garce, je savais que tu n'étais qu'une vaurienne; je vais te tuer, t'arracher les yeux; tu m'as vendue, traîtresse, salope.

Georges accourut, essaya de retenir Catherine, appuyé par son père Roger qui recevait un coup au ventre, se pliait de douleur.

Labrie contacta Gustave par le truchement du cellulaire.

— Vite, l'ambulance au plus tôt.

Les cris étaient infernaux, le tumulte indescriptible.

Suzanne hurlait à fendre l'âme, le visage défait par la frayeur. Catherine était au paroxysme d'une crise nerveuse qui quintuplait ses forces. Les cheveux défaits, l'œil hagard, elle labourait tous ceux qui l'approchaient de ses ongles et de ses pieds: elle était devenue incontrôlable.

— Assommez-la, assommez-la, criait Lisette.

Diane s'était écroulée sur le sol, recevait des coups. Roger tentait de la protéger contre les attaques de sa fille mais n'y parvenait pas: hoquetant et hurlant, la démente était d'une pâleur extrême.

— Je vais la tuer, la garce, je vais la tuer!

Le mot se propageait en un cri rauque qui se répercutait dans toute la pièce en un vrombissement terrible.

Le policier en avait vu bien d'autres, mais c'était la première fois qu'il faisait face à une férocité démentielle. L'esprit égaré de la fille lui donnait l'allure d'un démon. Elle faisait peur à voir, rien ne semblait pouvoir l'apaiser: elle continuait une lutte bien au-dessus des forces naturelles.

Les potiches se fracassaient sur le sol, ajoutant au tumulte. Le téléphone sonnait, rageur et tenace, mais la sonnerie se perdait dans le cafouillage. Thérèse Labrosse pleurait à rendre l'âme, horrifiée.

Catherine, les vêtements en lambeaux, l'écume à la bouche, les yeux exorbités, continuait de lancer son venin et de frapper. Georges observait la scène, incapable de réagir; il voyait souffrir sa fiancée, ne pouvait ni réfléchir ni penser. Il avait essayé de la retenir un instant mais elle lui avait filé entre les mains. Souvent, il avait vu la mer se déchaîner et se jouer de son navire en le secouant en tous sens, le frappant de ses lames d'eau, menaçant tout sur son passage. Cette vision lui était revenue à l'esprit en voyant la rage de cette fille habituellement si joyeuse, si débordante de gaieté. Pour elle, il ne pouvait rien; il subissait, impuissant, l'âme meurtrie. Il ne comprenait rien à cette colère. Un instant il avait pensé que Gustave Labrie était un invité au même titre que les autres, mais maintenant il était atterré à la vue de ce que sa présence semblait avoir provoqué. Il ferma les yeux au moment même où une chandelle, tombant sur la table, fit crever un ballon, ce qui provoqua un bruit semblable à une décharge d'arme à feu.

Les invités se mirent à crier. Georges accourut pour éteindre les bougies, il se laissa tomber sur une chaise et cacha son visage dans ses deux mains.

Rousseau avait finalement repris ses esprits, il éloigna son épouse qui se débattait et voulait porter secours à sa fille que l'on retenait tant bien que mal. Il prit sa femme dans ses bras, la força à tourner le dos au spectacle, coucha sa tête sur son épaule et la retint pendant qu'elle sanglotait.

«La vue de sa mère la rend hors d'elle-même, pensa l'homme; qu'est-ce qui se passe, grand Dieu!»

Bientôt, des policiers arrivèrent, pressés par des plaintes logées par des occupants du building. Dehors, l'ambulance se faisait un chemin sous les yeux stupéfaits des gens sortis sur leurs balcons, attirés par le vacarme infernal qui leur parvenait.

Au rez-de-chaussée, Fleurida pleurait. Elle craignait pour la Catherine; elle ne l'aimait pas, bien sûr, mais elle ne lui voulait pas de mal.

Cure-oreilles maudissait son infirmité: il ne pouvait pas s'approcher de la fille, la prendre dans ses bras, la consoler comme il le souhaitait intérieurement.

Elle était assise sur une chaise droite qu'elle avait placée en retrait de la fenêtre d'où elle avait observé les allées et venues de la jeune fille; elle ressentait une grande culpabilité pour tout ce branle-bas qu'elle ne parvenait pas à s'expliquer.

— Venez, Fleurida: approchez-vous, venez près de moi.

Elle leva les yeux, hésita; la voix de l'infirme la rassurait. Timidement elle s'avança, vint s'asseoir sur un fauteuil proche du sien.

— Fleurida, n'ayez pas de chagrin, vous n'y êtes pour rien dans toute cette histoire que je vous raconterai un jour. Un acte d'une certaine gravité a été posé, la justice devait enquêter et sévir au besoin. C'est là où commence et s'arrête notre rôle. C'est notre devoir d'agir. Parfois c'est désagréable, mais que voulez-vous, la population a besoin d'être protégée. Vous nous avez aidé, vous avez fait votre devoir de bonne citoyenne.

Cure-oreilles parlait tendrement, il se voulait rassurant. La demoiselle l'écoutait, hoquetante. L'homme posa sa main sur la sienne, elle ne le repoussa pas. Il se sentait presque heureux. Un bref instant il avait oublié la gravité de la situation et il se consolait un peu de n'être pas là-haut à assister au dénouement de cette affaire dans laquelle il avait investi tant d'heures. Il n'en doutait plus, les choses se corsaient, mais pourquoi ou pour qui l'ambulance était-elle requise? Il brûlait d'impatience de tout savoir.

Les ambulanciers parvinrent enfin à l'appartement. Ils poussaient une civière. Le médecin décela vite le mal. Il fouilla dans sa trousse, en sortit une fiole dans laquelle il piqua une seringue pour y puiser le calmant. Il se pencha vers Catherine, pria les policiers de bien tenir la malade, et au moment où il allait faire l'injection, Catherine leva les genoux, le docteur perdit la seringue, et ses lunettes, et tomba à la renverse. Il se releva tant bien que mal en se tenant le bas-ventre. En d'autre temps, Catherine aurait ricané devant le fait.

«Salaud, vulgaire salaud!» Le médecin se remit à l'œuvre, remplaça le médicament; cette fois il approcha Catherine de côté et réussit à lui administrer l'injection. Peu à peu, Catherine se calma, lentement les cris d'orfraie perdaient de leur intensité. La drogue faisait son effet. Alors Labrie s'approcha avant que la fille sombre tout à fait sous l'effet du médicament.

— Catherine, écoute-moi. Où as-tu mis le bébé? Où est le petit-fils de Dimitri? Réponds-moi, Catherine.

Georges ouvrait démesurément les yeux, protestait.

— Vous faites une grave erreur, son nom n'est pas Catherine: elle s'appelle Micheline Lavigne.

— Taisez-vous, hurla le détective.

Et il répéta la question. Elle eut un rire niais, un instant ses yeux brillèrent; la bouche pâteuse, elle dit:

— Dans la poubelle, avec le poisson...
— Quelle poubelle?
— Ma...

Elle ne put terminer sa phrase.

La poubelle!... L'information de Fleurida revint à l'esprit de Labrie: «elle a sorti des vidanges, elle est revenue avec le sourire».

Il donna l'ordre qu'on aille vérifier tous les récipients à ordures et leur contenu.

— Docteur, cria Thérèse Labrosse, venez par ici.

Suzanne venait de s'évanouir.

La civière allait quitter, avec Catherine revêtue d'une camisole de force.

La jeune fille reposait maintenant inoffensive, coupée du reste du monde et d'elle-même par la puissance des calmants.

Labrie seul connaissait l'étendue de sa misère; il ne la jugeait pas, il la plaignait. Aussi lorsqu'il entendit Georges déclarer aux ambulanciers son désir de rester auprès de Catherine, il n'apporta pas d'objection.
— Je vais avec vous, je vous accompagne, dit Georges aux secouristes.

— Allez, allez, mon petit, permit Labrie. Pour le moment, elle ne peut vous entendre. Elle aura bien besoin de vous!

Un sergent et deux policiers fouillaient les bacs où s'accumulaient les déchets des appartements. Dans l'un d'eux, ils crurent décerner un léger bruit. Ils l'ouvrirent.

Ah! Horreur, une chatte bondit, le poil hérissé, toutes griffes sorties; elle sauta au visage du policier qui avait eu l'imprudence de se pencher sans penser à parer le coup. Il vint faire son rapport à Labrie, et dut, lui aussi, recevoir les soins du médecin.

Labrie jura. Une fois encore, la fille l'avait leurré, et il l'avait crue! «Je me suis laissé prendre comme un collégien.»

Il s'adressa aux invités de Catherine, prit note de leurs coordonnées en cas de nécessité, puis déclara:

— Madame Labrosse, vous pouvez partir avec vos amies. Vous voulez qu'on vous accompagne?
— Merci, ça ira.

La patience de Labrie était à bout. L'exaspération le gagnait, les heures pénibles qu'il venait de vivre sans résultat concret le poussaient à durcir ses positions.

Il avait la ferme conviction que mère et fille étaient de connivence: il veillerait à ce que, cette fois, on ne lui échappe pas aussi facilement. Il se plaça devant madame Rousseau, plongea son regard dans le sien et, sur un ton qui ne permettait pas de réplique, lui dit:

— Quant à vous, madame, après ce que vous venez de voir et d'entendre, j'espère que vous allez vous mettre à table sans plus tarder. Je ne sais pas à quel point vous jouez les ingénues, mais laissez-moi vous prévenir. Vous pourriez fort bien être accusée de complicité pour enlèvement et Dieu seul sait quoi d'autre.

Roger Rousseau intervint.

— De quoi est-il question au juste: que vient faire ma femme dans toute cette histoire? Notre fille a quitté la maison il y a longtemps, nous la revoyons ce soir et...
— Je sais, je sais. C'est ce que je ne sais pas que je veux vous entendre dire.

Diane, tout à coup effrayée à l'idée de perdre l'enfant, faisait signe à son mari de se taire. Dans son for intérieur, le policier pestait. Il lui fallait demeurer calme et poursuivre son réquisitoire. Il ouvrit sa mallette, s'assura que le magnétophone était en marche. Il effila un crayon pour se donner contenance.

— Cet appartement, monsieur Rousseau, vous le lui avez payé?
— Non, mais...
— Alors où a-t-elle pris l'argent pour s'offrir un tel luxe? Ça va chercher dans le quart de million, vous savez.
— Je ne sais pas, elle l'a acheté.
— Savez-vous où se trouve l'enfant des Dracopoulos que votre fille a kidnappé?

Diane se mit à hurler:

— Vous êtes payé par son ex-ami pour retrouver le

fils de cet homme et vous osez parler de rapt? C'est du chantage: ça aussi, c'est un crime. Le bébé de ma fille nous a été confié; qu'elle ne veuille pas s'en charger, c'est affreux, mais nous, nous sommes attachés à cet enfant. Votre Popoulos a sans doute abusé d'elle, nous découvrirons la vérité, cria Diane, horrifiée.

— Diane, je t'en prie, essaye de te détendre, il faut écouter l'autre version, celle de cet enlèvement.

— Enfin! monsieur Rousseau, vous commencez à comprendre! Ce n'est pas trop tôt!

Diane, à bout de nerfs, se laissa tomber sur une chaise.

Un silence plat s'ensuivit. Labrie s'épongeait le front. À travers les propos de la mère, il comprenait que cette chère Catherine était bel et bien la coupable. Diane admettait la présence d'un enfant, que sa fille disait sien.

— Monsieur Rousseau, vous avez l'acte de naissance du bébé de votre fille en main? Vous pourriez le produire?

— Non.

Labrie sortit une photo du bébé, le plaça devant la mère. Celle-ci fondit en larmes. D'une voix radoucie, le policier laissa tomber:

— Vous le reconnaissez, ce bébé? S'agit-il du même enfant?

— Oui, répondit Diane à travers ses sanglots.

— Dites-moi, madame, où se trouve présentement l'enfant?

Labrie notait. S'il avait levé les yeux vers madame Zélie, il aurait peut-être discerné un sourire de satisfaction dans le regard de la vieille dame qui, ce soir, avait sa revanche. Mais Labrie s'attardait au couple Rousseau: un père atterré, une mère consternée, du désespoir plein l'âme.

— La journée fut bien longue pour nous tous. Nous reparlerons de tout ça demain. Ne quittez pas Montréal. Présentez-vous demain, onze heures, à cette adresse: c'est mon bureau. À propos, il n'y a pas d'objection à ce que vous dormiez ici, cet appartement est bel et bien celui de votre fille. Essayez de vous reposer.

Il fit une pause et ajouta:

— Si vous me le permettez... Je vais rassurer les parents de l'enfant.

Il se dirigea vers l'appareil téléphonique et s'entretint avec Dimitri.

— Qu'adviendra-t-il de notre fille? demanda le père.
— Ce sera long, très long. Elle se trouve présentement dans une clinique spécialisée pour ce genre de cas. Elle a de la chance, en un sens: ce Georges est un type en or.

«Clinique spécialisée...», la menace d'autrefois. Roger cacha sa face derrière ses mains.

Labrie descendit au rez-de-chaussée. Il n'entra pas tout de suite chez Fleurida; il marcha à grands pas devant la maison, histoire de remettre de l'ordre dans ses pensées. Il venait de vivre des heures pénibles qui rendaient parfois le métier difficile à exercer, si difficile qu'il lui était impossible de se réjouir d'avoir percé l'énigme.

Tout était rentré dans l'ordre; le silence était revenu, les curieux dissipés; mais des âmes stigmatisées garderaient à jamais l'empreinte du mal. «Un bracelet, ce maudit bracelet, comme le répétait fiston, un simple objet nous a permis de percer tous ces mystères!» Le bonheur de Dimitri et de son épouse finit par le consoler de ses tristes pensées.

***

Sur le lavabo, dans la cuisine, une gerbe de fleurs que Georges tenait dans ses mains à son arrivée, reposait, se flétrissant; elles n'avaient plus aucun sens, ces fleurs, car elles ne livreraient jamais le message d'amour que Georges avait désiré leur faire traduire.

Diane et Roger dormiraient, ce soir-là, dans des draps de satin de couleur pourpre, un autre rêve de Catherine qui s'étiolait.

***

L'ambulance traversait la ville à toute vitesse, Georges se tenait près de celle qu'il aimait. Il caressait son cher visage et répétait sans arrêt:

— Mon rayon de soleil, que t'est-il arrivé? Quelle est cette profonde et cruelle douleur? Mon rayon de soleil, je ne t'abandonnerai pas, quoiqu'il arrive. Je serai là, près de toi. Pourquoi ne m'avoir rien dit? Si

343

petite et si seule! Dors, chérie, oublie ces horreurs: tu connaîtras des jours meilleurs.

Le regard noyé de larmes, il sentait le bonheur lui glisser entre les doigts.

Le véhicule ralentit, s'arrêta; les portes s'ouvrirent, la civière roula vers la sortie. Catherine, petite et tout à coup si inoffensive, entrait à l'hôpital. Un policier attendait la malade. Sur la civière, on posa un dossier: le nom Catherine Rousseau y figurait. Une fois encore, on poussa la civière; une porte de métal s'ouvrit.

— Vous devez quitter la malade ici, monsieur. En ce qui a trait aux visites, il faut un laissez-passer signé du médecin traitant.

Georges se pencha vers Catherine, l'embrassa et murmura à son oreille:

— Je reviendrai, mon rayon de soleil.

Lorsque la porte se referma avec un bruit métallique glaçant, Georges se boucha les oreilles. Une pancarte indiquait: «Aile psychiatrique». Georges resta là, bouleversé jusque dans son âme.

Lorsqu'il s'éloigna enfin, il prit le chemin du retour, marcha des heures, repassant dans sa tête les événements de la soirée, essayant de reconstituer les scènes.

Il n'avait rien compris à cette confrontation spectaculaire, à ce chahut désordonné, à la colère de Micheline qui, dans son esprit, était une innocente victime.

De la poche intérieure de son veston, il sortit une boîte minuscule qui contenait un jonc d'or vert, alliance sertie de diamants, qu'il avait fait graver du prénom de la femme qu'il aimait: Micheline.

Son intention était de le lui offrir ce soir. Son visage s'inonda de larmes; dans sa grosse main, il serra l'écrin si fort qu'il le fracassa, comme ces ballons crevés, comme son bonheur évanoui, disparu dans un long corridor.

Il tenait toujours le bijou qui devait cimenter leur amour à jamais. Georges était écrasé par sa peine, il ne lui restait plus que ce symbole.

Lorsqu'il atteint son home, le jour se levait lentement sur la ville encore endormie. Les lueurs des rayons du soleil dissipaient la nuit alors que le sien, son rayon de soleil, plongeait dans une nuit nébuleuse derrière une porte interdite.

***

Dans un autre quartier de Montréal, un couple enlacé pleurait de bonheur. Le couple Dracopoulos ne tenait plus en place; Labrie leur avait donné rendez-vous et il tardait, bien sûr. Ils étaient rassurés: il leur avait affirmé que l'enfant était en bonne santé, serait bientôt remis entre leurs bras, mais comment ne pas s'inquiéter?

— Inutile de vous torturer, ces choses-là ne sont pas toujours faciles à démêler, il y a des formalités à remplir, de la paperasse à signer. Le principal est que l'enfant soit en bonne santé, expliquait Polovios.

— Je n'ai jamais désespéré, renchérit Vera, Dieu écoute nos prières.

Lorraine se tenait près de la fenêtre. Elle s'exclama tout à coup: «Les voilà.»

La voiture de Labrie d'abord, suivie d'une autre, s'avançaient sur le gravier de l'entrée. Une infirmière tenant un bambin dans ses bras s'approchait. Labrie, pour sa part, avait à la main l'anse d'un panier d'osier devenu trop petit pour le bébé, mais rempli de joujoux.

Lorraine s'élança, prit l'enfant, le serra sur son cœur.

— Cher trésor, soupira Vera, c'est le portrait tout craché de son papa.

Le jeune Alexandre était joufflu, la risette facile, les yeux rieurs, mais toutes ces exclamations et le nombre de bras qui le réclamaient finirent par l'effrayer; il faisait la lippe, allait pleurer.

— Vous lui faites peur, laissez-le-moi!

Vera le prit, cacha son visage contre son sein, entonna une berceuse; le marmot se calma.

— Il est en parfaite santé, déclara l'infirmière: cet enfant n'a manqué de rien.
— Dieu soit loué! s'exclama Vera.
Dimitri ne disait rien, il observait la scène et n'osait croire que son calvaire était terminé.
— Nous pourrions avoir un tête-à-tête, lui demanda Labrie.

— Bien sûr, suivez-moi.

Labrie lui relata le déroulement de l'enquête, l'implication de la secrétaire Micheline, son identité réelle, les raisons de son geste. Dimitri, tête inclinée, avait peine à croire qu'il était la cause indirecte de ce drame.

— Vous vous souvenez de cette jeune fille, je veux dire de cette relation avec elle alors que vous étiez encore des adolescents?
— Oui, bien sûr. Aurais-je pu prévoir? Si jamais ma femme ou ma mère apprenaient ça!
— Je crois que vous devez les prévenir. Surtout que madame Rousseau s'est attachée à votre fils; lors de votre dernière rencontre, elle a exprimé le désir de le revoir. Je sais que vous ne sauriez accéder à sa requête, mais souvenez-vous qu'elle a pris grand soin de l'enfant, qu'elle aussi était victime, victime de sa propre fille, dans toute cette macabre histoire.
— Ça ne finira donc jamais!
— Certains de nos gestes nous suivent toute la vie! Réfléchissez bien à tout ça.

Labrie s'éloigna, ferma la porte derrière lui. Il salua ceux qui se réjouissaient, s'arrêta près du bébé, lui pinça affectueusement la joue:

— Toi, mauvais garnement, tu nous en as fait voir de toutes les couleurs. Madame Dracopoulos, je vous reverrai demain pour fermer définitivement le dossier. Soyez heureuse, votre fils est adorable.

On échangea quelques poignées de main, il accepta les remerciements et s'éloigna en pensant à Dimitri qui n'avait pas reparu.

Il restait là, profondément remué. Les souvenirs affluaient à sa mémoire. Seul le bonheur qu'il connaissait auprès de Lorraine avait réussi à chasser l'image de cette Katina qui l'avait si longtemps hanté. Elle était demeurée dans son cœur si belle, si vivante, si désirable.

Ce qu'il venait d'apprendre remettait tout le passé en question. Comment aurait-il pu reconnaître la douce Catherine en cette Micheline si cinglante et cruelle? Mille et un détails lui apparaissaient maintenant clairs, des phrases laissées en suspens, des allusions significatives, une dévotion démesurée à son travail, des attentions touchantes suivies de méchancetés cuisantes. Et enfin, ce drame! Vengeance: par vengeance! Elle l'aurait donc aimé? aurait tant souffert? Cette plongée dans le camion, c'était donc une tentative de suicide? Elle l'aimait et avait traîné ce boulet pendant toutes ces années?

À sa mère elle avait confié le jeune Alexandre. Le geste n'était pas celui d'une fille méchante, mais d'une femme désespérée. Son fils! Son petit aurait pu payer de sa vie cette folie de sa jeunesse! «Katina, pardon.» Les larmes voilaient son regard.

Lorraine arriva à cet instant.

— Je t'en prie, Dimitri, ne sois pas si triste: c'est fini, bien fini; jamais plus je ne me permettrai de laisser seul un de nos enfants...
— Je t'en prie, tais-toi. Écoute-moi d'abord. Mes parents sont encore ici?
— Oui, ta mère chante une berceuse à Alexandre qui s'est endormi dans le lit, le pouce dans le bec. Il est resplendissait, ne semble pas avoir souffert. Tu sais

tout, n'est-ce pas? Si tu préfères ne rien dire, libre à toi, mais ne sois pas aussi malheureux: tout est fini, il ne reste qu'à oublier.

— Écoute-moi, je t'en prie.

Et Dimitri entreprit le long récit, depuis le début, c'est-à-dire depuis son départ de la Grèce, jusqu'au jour pénible entre tous de la chute de Catherine dans le camion. Cette Catherine qui avait exercé sa vengeance, était devenue Micheline, la secrétaire.

Lorraine était debout, écoutait, horrifiée, mais silencieuse. Puis elle s'éloigna. Il tenta de la rejoindre, elle le repoussa.

— Ne me touche pas! Ne me touche surtout pas!

Lorraine s'approcha de son beau-père et lui dit d'aller parler à son fils. Polovios comprit, à l'expression de sa bru, que quelque chose de sérieux s'était passé.

Il vint rejoindre Dimitri.

— Ça ne tourne pas rond, fiston? Tu devais pourtant être heureux; c'est d'un bon verre de raki que tu aurais besoin.

— Plutôt d'un bon coup de ciguë.

— Tu blasphèmes, mon fils. Le ciel t'a rendu ton enfant, rends grâce à la sagesse divine.

— Qui me prend maintenant mon épouse.

— Qu'est-ce que tu racontes?

Dimitri brossa alors un tableau de la situation: des phrases entrecoupées, des mots durs, le passé se mêlait au présent.

— Tu as tout raconté ça à ta femme?

Après un lourd silence, le père jeta:

— Va-t'en à la maison, je vais parler à Vera et je te rejoindrai. Je crois que Lorraine a besoin d'être seule et d'affronter sa peine loin de toi. Va, aie confiance. Lorraine est forte, elle pardonnera. Va dormir chez nous; crois-moi, ça vaut mieux.

Dimitri quitta la maison et son fils à peine de retour. Il errait en somnambule, le cœur lourd.

Vera, entendant pleurer Lorraine, interrogeait son mari du regard. Dans la langue de ses ancêtres, il lui demanda de passer la nuit ici alors qu'il s'occuperait de Dimitri en proie à une vive peine.

— Mais pourquoi Lorraine pleure-t-elle aussi, la pauvre petite? Ce n'est pas bien, dans sa situation.
— Que veux-tu dire?
— Elle m'a confié cette semaine qu'elle était de nouveau enceinte.

«Merveilleux!» s'exclama l'homme. «Merveilleux!» Il n'en dit pas plus et alla rejoindre son fils. Cette maternité aurait le mérite de réconcilier le couple, il était encore permis d'avoir confiance. Rasséréné par cette confidence, il alla rejoindre Dimitri, le força à se mettre au lit et lui servit une rasade d'ouzo. Dimitri sombra dans le sommeil. Son père le veillait tout en songeant à la puissance et à l'importance des liens de la famille.

***

Maria, Alexandre et le bébé à naître permirent le miracle du pardon. La souffrance des parents s'estompait peu à peu, Dimitri avait repris le chemin du travail. Souventes fois il regretta cette secrétaire si clairvoyante qu'était Micheline; peu à peu l'image de cette fille se dédoublait de cette autre, Katina; elles finirent par se confondre et sombrèrent dans le passé avec les mauvais souvenirs.

Georges retournerait dans son village, reprendrait la mer, elle le bercerait. Du creux de ses vagues, elle estomperait ses souvenirs; en retour, elle lui ferait cadeau d'une maturité certaine.

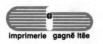

imprimerie gagné ltée

IMPRIMÉ AU CANADA